新 潮 文 庫

シャーロック・ホームズの思い出

コナン・ドイル
延 原 謙 訳

新 潮 社 版

511

目次

シャーロック・ホームズの思い出

白《しろ》銀《がね》号《ごう》事件

「ワトスン君、僕《ぼく》は行かなきゃなるまいと思うよ」

ある朝、いっしょに食卓《しょくたく》についているとき、ホームズがいった。

「行くって、どこへ？」

「ダートムアへさ――キングズ・パイランドだ」

べつに驚《おどろ》きもしなかった。いな、むしろ私は、いま全イングランドでうわさの種になっているこのとんでもない事件に、ホームズが関係しないのを、不思議にさえ思っていたのである。

まえの日いちにちホームズは、眉根《まゆね》をよせた顔をうなだれて、強いくろタバコをパイプに詰《つ》めかえ詰めかえ、部屋のなかを歩き回ってばかりいて、何を話しかけても何を尋《たず》ねても、聞こえないかのようにがんこにだまりこくっていた。あらゆる新聞の新しい版が出るごとに、いちいち配達所から部屋へ届けられたが、それすらもちょっと目を通すだけで、すぐ部屋の隅《すみ》へ投げすてた。

しかも私には、ひとことも彼《かれ》が口をきかないにもかかわらず、彼の頭のなかで考えられていることは、よくわかっていた。いま世間に、彼の推理力と太刀《たち》うちできるだけの問題といえば、ウェセックス・カップ戦出場の名馬の奇怪《きかい》なる失踪《しっそう》と、その調教師の惨殺《ざんさつ》された事件がたった一つあるばかりなのだ。だからこうして、とつぜん彼がその悲劇の現場へ行くといいだしたことは、私にとっては予期したとおりでもあり、また希望していたところでもあったのである。

「差しつかえなければ、僕も行ってみたいもんだねえ」

「君にきてもらえれば、たいへん好都合なんだよ。それにこの事件はきわめて特異なものだと思われる節《ふし》があるから、君にしたって行くのが無駄《むだ》にはけっしてなるまいと思う。いまからパディントン駅へゆけば、ちょうど汽車の時間にいいだろう。詳《くわ》しいことは途中《とちゅう》で話すとして、すまないが君のあの上等の双眼鏡《そうがんきょう》をもっていってくれたまえ」

こういう次第《しだい》で、それから一時間あまり後には、私はウェセックス行きの列車の一等車の一隅《いちぐう》の人となっていたのである。シャーロック・ホームズは耳当てつきの旅行用ハンチングをかぶった顔を緊張《きんちょう》させて、パディントンで新たに買いこんだ多くの新聞をどんどん読みすすんだ。そしてレディングをはるか後にしたころになって、ようやくその新聞の最後の一枚に目を通しおわると、彼はそれをまとめて座席の下へ押《お》しこみ、葉巻入れをだして私にも一本どうかとすすめた。

「ごく順調に走っているようだね」ホームズは窓のそとをながめていたが、時計を出してみて、

「いまちょうど時速五十三マイル半だ」

「四分の一マイル標は一つも見えなかったようだが……」

「僕だってそんなものは見やしないさ。そんなものは見えなくたって、この線の電柱は六十ヤードごとに立っているんだから、きわめて簡単に計算ができる。――ところでこのジョン・ストレーカー殺しと白銀号《しろがねごう》の失踪事件のことは、もう十分知っているんだろうね？」

「テレグラフ紙とクロニクル紙の記事だけは読んでいる」

「この事件も探究の方法としては、新しい証拠《しょうこ》を求めるというよりは、すでに知られている些末《さまつ》な事実のほうを分析《ぶんせき》し淘汰《とうた》してゆくほうが、よりよい場合の一つだよ。これほどのは非常に珍《めずら》しい事件で、巧妙《こうみょう》に行なわれているうえに、たいへん多くの人たちに重大な関係を持っているものだから、あらゆる推測や臆測《おくそく》が行なわれて困っているのだが、要するに問題は事実の骨組を――絶対に動かすべからざる事実の骨組を、諸《しょ》

説紛々《せつふんぷん》たる報道のなかからつかみだせばよいのだ。

そしてそれが出来たら、その強固《きょうこ》たる根底にたって、そこからいかなる推論が出てくるか、事件の秘密はどの点にかかっているかということを発見するのが、われわれの役目なのだ。僕は火曜日の晩に、馬主のロス大佐と事件担当のグレゴリー警部と両方から、やってきていっしょに調べてくれという、依頼《いらい》の電報をうけとったのだよ」

「火曜の晩に？」私はおどろいた。「今日は木曜日じゃないか。なんだって昨日のうちに行かなかったんだい？」

「僕がドジを踏《ふ》んだのさ。そうした失敗は、君の記録によってのみ僕を知る人が考えているよりも、はるかにしばしば僕にはあるんだがね。こういうわけさ。

イングランド随一《ずいいち》の名馬が、そうながく行方《ゆくえ》の知れないわけがない。とりわけダートムアの北部のような人口の稀薄《きはく》な地方のことだから、そんなことはあり得ないと考えたのが失敗のもとさ。だから昨日は、いまに馬盗人《うまぬすっと》が知れた、ストレーカー殺しもその馬盗人と同一人だと知らせてくるかと、そればっかり待ちくらしたというわけだ。

しかし一日が空《むな》しくすぎて、今朝になってみると、フィッツロイ・シンプスンとかいう青年が捕《つか》まったきりで、いっこう事がはかどらないようだから、いよいよ自分で出馬すべき時がきたと思ったんだ。とはいっても、昨日だって決して空しく一日を無駄にしたとは思っていないがね」

「じゃ見こみでも立ったのかい？」

「少なくとも、事件の主要な事実だけはつかんだよ。それを君に話して聞かせよう。他人に事件の経緯《けいい》を話して聞かせるくらい、自分の考えをはっきりさせ得《う》ることはないのだし、それに事件をよく知ってもらって、どこから手をつけるべきかを話しておかないと、君にしても助力のしようがあるまいからね」

私はクッションにふかぶかと身をうずめて、ホームズが葉巻をすぱすぱやりながら、からだを前にのりだして、要点ごとにほそ長い人さし指で左の手のひらを叩《たた》きたたき、事件のだいたいを話すのに耳を傾《かたむ》けた。

「白銀号というのはアイソノミー系の馬だが、祖先の名を恥《はず》かしめぬりっぱな記録をもっている。いま五歳《さい》で、出走するたびに賞金をみんな攫《さら》ってくるので、馬主のロス大佐は非常にうまくやっているわけだ。現にこんどの事件が起こるまで、白銀号といえばウェセックス・カップ戦第一の人気馬で、賭《か》けもほかの馬にたいしては三対一という相場だった。

それほど競馬界きっての人気をつづけてきながら、まだ一度もそのファンに失望を与《あた》えたことがないものだから、少しくらい賭金はたかくても、依然《いぜん》として白銀号には莫大《ばくだい》な金が賭けられるというわけなんだ。従って今度の火曜日の決戦に、白銀号を出られなくするということは、多くの人に大きな利害関係をもつことになる。

この事実は、むろん、大佐の調教厩舎《きゅうしゃ》のあるキングズ・パイランドではよく心得ていた。だからこの名馬を護衛するためには、あらゆる注意がゆき届いていたのはいうまでもない。調教師のジョン・ストレーカーという男は騎手《きしゅ》あがりで、もとはロス大佐の持ち馬の騎手をつとめていたが、体重がおもくなったので騎手をやめたんだ。騎手として五年、調教師になって七年大佐に仕えているが、そのあいだずっと正直に、熱心につとめてきた。規模の小さな厩舎のことで、馬は四頭しか預かっていなかったから、ストレーカーの下には若いものが三人いるだけ、そのうち一人が毎晩厩舎に寝《ね》ずの番をして、あとの二人は厩舎の二階で寝ることになっていた。三人ともきわめて性質のよい若ものだ。

ストレーカーには妻があって、厩舎から二百ヤードばかり離《はな》れたところにある小さな家に住んでいた。子供はないが女中を一人おいて、気楽な暮《く》らしだった。この付近はきわめて寂《さび》しいところで、ただ半マイルばかり北のほうに、タヴィストック市のある請負師《うけおいし》が、病人や、ダートムアの新鮮《しんせん》な空気を楽しみたいという人たちをあてこんで建てた、別荘風《べっそうふう》の家が一群あるばかりだ。

キングズ・パイランドはタヴィストック市から東へ二マイルばかりだが、それから荒《あ》れ地ごしにさらに二マイルばかりゆくとケープルトンで、ここにはもっと大きい調教場がある。これはブラックウォーター卿《きょう》の所有で、サイラス・ブラウンという男が管理している。そのほかどっちを見ても、荒れ地には完全に人気《ひとけ》というものがなく、ただわずかに漂泊《ひょうはく》のジプシーが二、三人いるくらいのものだ。——これが月曜の晩に事件がおこるまでの、だいたいの状況《じょうきょう》なんだ。

当夜は、いつものとおり馬を運動させて水をやったうえ、九時に厩舎の戸をとじて戸じまりをした。そして三人の若いもののうち二人は台所で夕飯をたべに、調教師の家まで歩いてゆくし、あとの一人ネッド・ハンターだけは厩舎にのこって番をしていた。

すると女中のエディス・バクスターが九時ちょっとすぎに、羊《ひつじ》のカレー料理の夕飯を厩舎へ運んできてくれたが、それには飲みものは何も添《そ》えてなかった。仕事中は水以外の飲みものは禁ぜられていたし、水なら厩舎にいくらも出る栓《せん》があるからだ。たいへん暗い晩で、途中は寂しい荒れ地のことだから、女中は灯火《あかり》を持ってきていた。

女中のエディス・バクスターが厩舎へもう三十ヤードばかりのところまで行くと、暗がりのなかから不意に声をかけて出てきた男がある。静かに歩いて、灯火の投げるまるい光りの圏内《けんない》までできたのを見ると、グレーのスコッチの服をきてラシャのハンチングをかぶった紳士《しんし》風《ふう》の男で、ゲートルをつけて手には握《にぎ》りが玉になっている太いステッキを持っていたという。

エディスがとりわけ印象づけられたのは、顔いろが非常に青ざめて、挙動の妙《みょう》にそわそわしていることだった。年は三十をちょっと出たくらいだったという。

『ここはいったい何というところですか？』と男は道に迷っているのらしい。『仕方がないからこの荒れ野原で野宿と肚《はら》をきめかけていたんだが、お前さんの灯火が見えたのでほっとしたわけですよ』

『ここはキングズ・パイランド厩舎のすぐそばです』

『おお、そうだったか！　それは何というしあわせなことだろう！　ふむ、毎晩一人ずつ厩舎で寝るのだとみえるな。それでいまお前さんが夕飯を届けるところなんだな。ところでお前さん、新しい服を一着こしらえられるお金のもうかる話があるんだが、厭《いや》だなんて見えをはるお前さんじゃありますまいね？』男はチョッキのポケットから、折りたたんだ白い紙を出してみせ、『これを今晩のうちに厩舎番にわたしてくれれば、お前さんはとびきり上等の晴れ着が手に入るんだがね』

女中のエディスはこの男の様子があんまり真剣《しんけん》なので恐《おそ》ろしくなり、すり抜《ぬ》けるようにして、いつも食事を渡《わた》すことになっている厩舎の窓のところへ駆《か》けていった。

行ってみるとハンターはもう窓をあけて、小さなテーブルに向かって彼女《かのじょ》のくるのを待っていたから、持ってきたものを渡してから、じつはいまこれこれだと話しかけていると、そこへまたもやさっきの男が追っかけてきた。

『こんばんは』男は窓からなかをのぞきこみながら、『じつはお前さんに少し話したいことがあるんですがね』とハンターに話しかけたが、そのとき手に握っている小さな紙包みの端《はし》がちらりと見えたと、女中はあとで証言している。

『何の用で来なすったのかね？』ハンターが反問する。

『お前さんのもうかる耳よりな話なんですがね。ここにはウェセックス・カップに出る馬が二頭いる——白銀と栗毛《ベイヤード》だ。お前さん確実な予想を知らせてくれませんかね、決して悪いようにはしないが。重量の点で、栗毛は八分の五マイルで白銀に百ヤードは分《ぶ》があるというんで、馬主筋はみんな栗毛に賭《か》けたというが、ほんとうかね？』

『うむ、さては手前《てめえ》は馬の様子をさぐりにきたスパイだな？　ようし！　キングズ・パイランドではスパイをどう扱《あつか》うか、見せてやろう』とハンターは飛びたって、犬を放しに走った。

女中はそれを見て家のほうへ駆け戻《もど》ったが、走りながらふり返ってみると、その男が窓から半身をなかへ乗り入れるようにしていたという。けれどもそれから一分のちに、ハンターが犬をつれてそとへ飛びだしてみたときは、もうそこには男の姿がなかったので、厩舎のまわりを駆けずり回って探してみたが、とうとうどこにも男はいなかった」

「ちょっと」私はホームズをさえぎった。「ハンターは犬をつれて飛びだしたとき、厩舎の戸締《とじま》りをしないでおいたのかい？」

「いいところだ！　あっぱれな質問だ！　その点がきわめて大切だと思ったから、僕はきのうダートムアへ電報で問いあわせてみた。ハンターは出るときかぎをかけたそうだ。そして窓は、人間のはいれるほどの大きさはないという。

ハンターは仲間が食事から帰ってくるのを待って、親方である調教師のストレーカーにことの次第を報告した。ストレーカーはそれを聞くと非常に興奮して、それが何を意味するかはわからなかったらしいが、ぼんやりした不安を感じた様子だった。そして夜の一時に、細君がふと目をさましてみると、服を着かけていたという。おどろいて細君がどうしたんだと尋ねると、馬のことが心配になって眠《ねむ》れないから、厩舎にまちがいでもないか見にゆくつもりだと答えた。細君はちょうど雨が窓をうつ音も聞こえたので、どうぞ家にいてくれと願ったが、泣かんばかりにいくら頼《たの》んでも諾《き》きいれないで、大きな雨外套《あまがいとう》に身をつつんで、そのまま出ていってしまった。

細君が翌朝めをさましたのは七時だったが、そのときまでストレーカーはまだ帰っていなかった。そこで細君はいそいで服をきて、女中をよんでいっしょに厩舎まで出かけてみた。すると厩舎の戸はあけ放しになっていて、なかにはハンターがいすにうずくまって、深いふかい眠りに沈《しず》んでいるばかり、白銀の厩舎はもぬけの殼《から》で、ストレーカーの姿も見えなかった。

馬具部屋の二階の乾草《ほしぐさ》のなかに眠っている二人の若いものをすぐに呼び起こしたが、二人ともよく眠る性質《たち》だったから、夜中のことは何も知らない、何も聞かなかったという。

ハンターはむろんつよい薬品のために眠っているのに違《ちが》いなかった。ゆり起こしてみたが、まったく正体なく眠っているので、それはそのままにしておいて、二人の若いものと二人の女とで、ストレーカーと白銀号をさがしにとび出していった。

というのが、ストレーカーが何かの理由で、朝はやくから白銀号を運動させに出たものだろうと思ったからだが、厩舎のそばの低い丘《おか》にかけあがってみても、そこからなら荒れ地が八方見わたせるのだが、どっちを見ても名馬の影《かげ》も形も見えないばかりか、何かよくないことが起こったんだなという予感が浮《う》かんできた。

厩舎から四分の一マイルばかりのところの、ハリエニシダの藪《やぶ》にストレーカーの雨外套がひっかかって、ひらひらしていた。そしてそのすぐ先に鉢形《はちがた》のくぼみがあって、その底にかわいそうにストレーカーは死体になって横たわっていた。なにか重い凶器《きょうき》でやられたらしく、頭蓋骨《ずがいこつ》を粉砕《ふんさい》され、腿《もも》にも傷があった。腿の傷はきわめて鋭《するど》い凶器でやられたらしく、長くあざやかに切られていた。だがストレーカー自身もよほど烈《はげ》しく抵抗《ていこう》したものとみえ、右の手には柄《つか》もとまでべっとりと血のついた小さなナイフをかたく握り、左の手には赤と黒との絹の蝶《ちょう》ネクタイをつかんでいた。このネクタイは前夜厩舎へきた見しらぬ男のしめていたものに間違いないと、女中が証言した。

昏睡《こんすい》からさめたハンターも、このネクタイの持主については、同様のことを証言した。そして自分がこんなに眠ったのも、あの男が窓のそとに立っていたとき、羊のカレー料理に薬をまぜこんだものに違いないと力《りき》んだ。

失踪した名馬白銀号については、ストレーカーの格闘《かくとう》しているあいだ、そのへんにいたものと見えて、死の凹所《おうしょ》の付近に無数の足跡はあったが、姿はなく、それ以来まったく行方不明になっている。莫大《ばくだい》な賞金もかけられたことだし、ダートムアのジプシーどもがしきりに目をくばっているが、いまのところ全然わからない。

最後に、ハンターの食べのこした夕食を分析してみると、アヘンの粉末がかなり多量に混入していることがわかった。しかも同夜おなじ物を食べたほかの人たちには、少しも別条がなかった。

以上がすべての臆測を排除《はいじょ》し、できるだけ粉飾《ふんしょく》を加えないで述べた事件の骨子《こっし》だ。こんどは警察がこの事件をどう扱っているか、要点だけいってみよう。

この事件を担当したグレゴリー警部は、きわめて敏腕《びんわん》な人物だ。もう少し想像力さえあったら、この方面で非常に出世し得る男だと思う。

警部は現場へ出張するとすぐ、当然嫌疑《けんぎ》のかかっているあの男を発見して、ひっ捕《とら》えた。その男は付近では広く知られていたから、探しあてるには何の困難もなかった。フィッツロイ・シンプスンという名だそうだ。りっぱな生まれでりっぱな教育もある男なんだが、競馬ですっかり財産をなくしたので、いまではロンドンのスポーツ・クラブで内々小さな賭けの胴元をやって暮らしているということだ。持っていた賭け帳をしらべてみると、白銀号の対抗馬に五千ポンドも、自分で賭けていたという。

捕われたので、じつはキングズ・パイランドの白銀号と栗毛《ベイヤード》や、ケープルトン厩舎でサイラス・ブラウンが管理している第二の人気馬デズボローについて、なにか予想の材料を得たいと思って、わざわざダートムアまで出かけてきたんだと、自分から進んで述べた。そして前夜、まえにいったような行動をとったことも否定はしなかったが、それについては他意あったわけでは決してなく、ただ確実な材料がつかみたいばかりにやったのだと言いきった。

そこでストレーカーのつかんでいたネクタイを見せると、さっと顔いろをかえたが、なぜそれが被害者の手にあったかということについては、一言も申し開きができなかった。服の濡《ぬ》れている点は、前夜のあらしに屋外にいたことを物語るものだし、ステッキはペナン産の棕梠《しゅろ》製で、鉛《なまり》をいれて重みがつけてあって、何度も乱打すれば、ストレーカーのうけているような傷を与えるに十分な凶器となり得るものだった。

しかるにストレーカーのナイフに、あのとおり血のついているところを見れば、加害者は一人ではなかったにしても、少なくともそのうちの一人は切られているはずなのに、シンプスンのからだには全く傷がない。――以上で概略《がいりゃく》は話しつくしたわけだが、何か君の気づいた点をいってもらえれば、たいへんありがたいね」

ホームズが独特の明快さで語る一語一語に、私は異常な熱意をもって耳を傾けた。その内容の大部分は、私のすでに承知しているところであったが、どれが重大であるのか、また、どれがどこへどう関係しているのか、よくはわからなかった。

「ストレーカーの腿《もも》の傷というのは、頭をやられてから、痙攣《けいれん》的にもがいているうちに、自分のナイフでやったのじゃないだろうか？」私は一説をだしてみた。

「あり得ないことじゃないね。あるいはそれが真相かもしれない。そうだとすると、シンプスンに有利な材料が、一つだけなくなるわけだ」

「それにしても警察はいったいどんな見こみを立てているんだか、今もってどうもわかりかねるねえ」

「警察の見こみなんか、どうせわれわれの考えることとは大いに違うにきまっている。警察の見こみはおそらくこうだと思う。フィッツロイ・シンプスンは厩舎番を薬で眠らせ、どうかしてあいかぎを手にいれて、誘拐《ゆうかい》しさる目的で馬をつれ出した。手綱《たづな》の見えなくなっているのは、シンプスンが使ったからだ。厩舎の戸をあけ放しにしたまま、シンプスンは荒れ地のほうへ馬をつれ出していったが、その途中で調教師にぱったり出会ったか、または追いつかれた。

そこですぐ争いになり、シンプスンは太いステッキでストレーカーの頭をたたきつぶしたが、小さなナイフをもって立ち向かったストレーカーからは、かすり傷一つうけなかった。馬は馬泥棒《うまどろぼう》のシンプスンが首尾《しゅび》よく秘密の隠《かく》し場所へかくしてしまったか、さもなくば二人の闘争中勝手に走りだしたまま、いまなお荒れ地のどこかをうろついているのかもしれない。

警察の考えかたは、恐らくこんなところだろう。これではどうも一向得心のゆく解釈とはいえないが、といってほかの解釈はこれよりもっと信じがたい。とにかく現場へついたらすぐに調べてみることにするが、それまでのところはまず、これ以上どう踏《ふ》みだしようもないよ」

タヴィストックの小さな市《まち》についたのはもう夕方だった。ここはまるで楯《たて》の中央の突起《とっき》のように、ダートムアという広漠《こうばく》たる土地の中央にぽつんと存在する小さな市である。

汽車を降りてみると、二人の紳士が出迎《でむか》えにきていた。一人は背のたかい色の白い人で、ライオンのような頭髪《とうはつ》にあごひげがあり、明るく青い目には妙に人を射るような光りがあった。もう一人は小柄できびきびした人柄、フロックにゲートルというきちんと整った服装《ふくそう》で、短く刈《か》りこんだほおひげがあり、眼鏡《めがね》をかけていた。前者は近ごろイギリスの警察界でめきめきと名をあげてきたグレゴリー警部、後者はスポーツマンとして有名なロス大佐であった。

「ホームズさん、あなたのご出張を得ましたことは欣快《きんかい》のいたりです」大佐が挨拶《あいさつ》をのべた。

「ここにおいでの警部どのも、できるだけの手はつくしてくださっていますが、殺されたストレーカーのあだうちをし、なおかつ馬をとり戻すためには草の根をわけ石を起こし、あらゆることをやってみたいと思って、それであなたのご出張をお願いいたした次第《しだい》です」

「その後なにか新発見でもおありでしたか？」ホームズが尋《たず》ねた。

「残念ながらほとんど進展していません」警部がひきとって答えた。「出口に無蓋《むがい》馬車を用意しています。暗くならないうち、何よりさきに現場をごらんになりたいでしょうから、詳《くわ》しいことは馬車のなかで申しあげるとして、さあどうぞ」

一分の後、私たちは乗りごこちのよい四輪馬車《ランドウ》に座をしめて、見なれぬ古風なデヴォンシャーの市中を駆《はし》らせていた。

グレゴリー警部はこんどの事件で頭がいっぱいだったと見えて、話はこんこんとしてつきずに迸《ほとばし》り出た。それにたいしてホームズは、ときどき質問や間投詞をさしはさんだ。

ロス大佐は腕《うで》をこまぬいて反《そ》り身に、座席に背をもたせて、帽子《ぼうし》を目のあたりまですべらせ、黙々《もくもく》として耳を傾けていた。私は私で二人の探偵の対話を非常に興味ぶかく聞いていた。グレゴリーは自分の意見をのべていたが、それは来がけの汽車のなかでホームズがいったのと、ほとんど変りなかった。

「フィッツロイ・シンプスンはそういうわけで、四囲の状況が非常に不利なわけです。私一個人としては、彼《かれ》が犯人であると信じています。同時に、その証拠《しょうこ》がまったく情況証拠ばかりですから、何か新事実が現われれば、いつでもこの嫌疑は覆《くつがえ》されてしまうものであることも、認めなければなりませんけれどね」

「ストレーカーのナイフについてのお考えは？」

「あれはストレーカーが倒《たお》れるとき、自分で傷つけたための血痕《けっこん》だと決定しました」

「ワトスン君も来る途中で、そうじゃないかしらといっていましたがね。それが事実だとすると、シンプスンにとっては不利な材料になるわけですね」

「その通りです。シンプスンはナイフを持ってもいなければ、からだには傷一つなかったのです。彼にたいしてはきわめて有力な不利の証拠があります。第一に白銀号の消失は彼に大きな利益をもたらします。彼には厩舎番のハンターに薬を盛《も》った容疑がありますし、同夜雨がふりだしてから屋外にいたことも、争われぬ事実です。凶器としては太いステッキをもっていました。そして最後に、死人が彼のネクタイをつかんでいました。これだけ材料がそろえば、陪審団《ばいしんだん》を納得《なっとく》させることも十分できるに違いありません」

ホームズは首をかしげて、

「上手な弁護士にかかったら、それくらいのことは難なく論破されてしまうでしょうね。シンプスンはなぜ白銀号を厩舎のそとへ連れださなきゃならなかったのです？　傷つけて競馬に出られなくしたければ、厩舎のなかでもできることじゃないですか？　捕えられたとき、厩舎のあいかぎをもっていましたか？　アヘンの粉末を売りわたしたのはどこの薬屋です？　とりわけて、土地不案内のシンプスンが、馬のような大きなものを、しかもこうした有名な馬を、どこへ隠せるというんです？　シンプスンは女中にたのんで、厩舎番に届けさせようとした紙きれを、なんだと言っているんですか？」

「十ポンドの紙幣《しへい》だったといっています。そういえばポケットのなかに十ポンド札《さつ》を一枚もっていました。しかしあなたのおっしゃった反駁《はんばく》は、そう有力なものとも思えませんね。

シンプスンは土地不案内のものじゃないです。夏のころ二度、タヴィストックに泊《とま》っていたことがあります。アヘンはおそらくロンドンから持ってきたものでしょう。あいかぎは目的を達した以上、どこかへ捨ててしまったものと考えられます。馬はどこか荒《あ》れ地のなかのくぼみか、廃坑《はいこう》のなかで殺されているかもしれません」

「ネクタイのことはどう弁明していますか？」

「自分のものには相違《そうい》ないけれど、失《な》くしたのだといっています。しかしシンプスンが馬をつれ出したと考えられる新しい事実が一つ発見されています」

ホームズは急にきき耳をたてた。

「凶行のあった月曜の夜、凶行の演じられた場所から一マイルと離《はな》れていないところで、ジプシーの一群がキャンプした跡《あと》を発見しました。月曜日にテントをはって、火曜日に彼らはそこを立ちさったのです。

そこで、ジプシーとシンプスンとのあいだにある了解《りょうかい》があったものとすると、シンプスンはジプシーのいるところまで馬をつれて行く途中《とちゅう》を、ストレーカーに追いつかれた。従って馬はいまジプシーたちの手中にあるのだと考えられなくもないじゃありませんか」

「たしかにあり得ないことじゃありませんね」

「いまこのジプシーの行方《ゆくえ》を尋ねて、荒れ地を捜査中《そうさちゅう》です。同時にタヴィストックを中心に、十マイルの円を描《えが》いて、そのなかの厩舎という厩舎、小舎《こや》という小舎をことごとく調べました」

「キングズ・パイランドのすぐ近くに、もう一つ厩舎があるということでしたね？」

「あります。この厩舎も見のがしてはならないものの一つです。そこにいるデズボローという馬は、白銀号につぐ人気馬なのですから、白銀号が失踪《しっそう》すれば、非常な利益を得るわけです。そこの調教師のサイラス・ブラウンという男は、自分のほうの馬に大金を賭《か》けているということですが、死んだストレーカーとも仲よくやっていたといいます。で一応その厩舎も調べてはみましたが、この事件に関係のありそうな事実は何一つ見あたりませんでした」

「そのケープルトン厩舎の利害とシンプスンとは何か関係ありませんか？」

「まったくありません」

ホームズはうしろへ寄りかかった。そして話はそれきり切れてしまった。そのあいだも馬車はしきりに駆けていたが、まもなく道路に面してたっている、軒《のき》のながくつき出た小ぢんまりした赤れんがの別荘風《べっそうふう》の家のまえで停《と》められた。すこし離れて調教場があり、その向こうには灰いろの屋根をもった長い建物――厩舎が見えていた。どっちを見ても枯《か》れ羊歯《しだ》でブロンズに色づけられた荒れ地が、ゆるやかな起伏《きふく》をなして地平線のはてまでつづき、目をさえぎるものとしてはただ遠くタヴィストックの教会の尖塔《せんとう》と、あれがケープルトン厩舎だという家々がはるか西のほうに群がっているのみである。

私たちはめいめい馬車からとび降りたが、ホームズだけはどうしたものか前方の空を見つめたまま、降りようとはせずに座席に身をうずめて、じっとふかい黙想にふけっていた。私が腕をゆすぶって注意すると、やっと気がついて、慌《あわ》ててとび降りた。

「や、申しわけありません」と彼は呆気《あっけ》にとられて顔を見つめるロス大佐に向かって、「白昼夢《はくちゅうむ》をみていたものですから、つい……」と弁解したが、その目は一種の輝《かがや》きをおび、その態度には興奮が見られた。彼の性癖《せいへき》をよく知っている私には、それを見て、たしかに彼はある手掛《てが》りを得たのだということがわかった。ただし、その手掛りが果してどんなものであるかは、さっぱり見当もつかなかったけれど。

「ホームズさん、すぐに凶行の現場へいらっしゃるでしょうね？」グレゴリー警部が尋ねた。

「いや、それよりもしばらくここにいて、二、三の細目《デテイル》についてお尋ねしたいと思います。ストレーカーの死体は、いったんここへ連れて帰ったのでしょうね？」

「そうです。まだ二階に安置してあります。検死は明日なものですから」

「ストレーカーは長年お手もとで働いていたのですか、ロスさん？」

「はい、ずっとよく働いてくれました」

「警部さん、ストレーカーの死体のポケットに何がはいっているか、お調べだったでしょうね？」

「ごらんになるなら、居間のほうへ全部まとめてありますから……」

「ぜひ見せていただきたいものです」

私たち一同は表の間へ通って、中央のテーブルをかこんでそれぞれ席についた。するとグレゴリー警部は四角い小さなブリキの箱《はこ》をもちだし、かぎでふたをとっていろんな品を私たちの前へならべてみせた。――ろうマッチが一箱、二インチほどの獣脂《じゅうし》ろうそくが一本、A・D・Pじるしのブライアのパイプに長刻みのカヴェンディシュ・タバコを半オンスばかり詰《つ》めた海豹皮《あざらしがわ》のタバコ入れ、金鎖《きんぐさり》のついた銀時計、金貨で五ソヴリン、アルミニウムの鉛筆《えんぴつ》さし、書付が二つ三つ、「ロンドン、ワイス会社製」と刻印のついた非常に細くて鋭い、それでいて曲りにくい刃《は》をもつ象牙《ぞうげ》の柄のナイフが一つ。

「これは非常にかわったナイフだ」ホームズはナイフをとりあげて、仔細《しさい》にじっと見ながらいった。「血がついているようですが、ストレーカーが握《にぎ》っていたというのが、これなんですね？　ワトスン君、このナイフはむしろ君の領分らしいじゃないか？」

「これは医者のほうで白内障《はくないしょう》メスというやつだ」

「そうだと思った。きわめて綿密な仕事をするために、非常に鋭利《えいり》につくられている。荒《あら》っぽい仕事をしに出ていった男が、こんなものを持っていたというのは妙《みょう》ですねえ。

ことにポケットに隠すわけにもゆかないこんなものをねえ」

「刃のさきにあてるコルクの円板が、現に死体のそばに落ちていました」警部がいった。「細君の話では、このナイフはまえから化粧台《けしょうだい》のうえにおいてあったのを、出がけにストレーカーが握っていったのだということです。護身用としても攻撃《こうげき》用としても、貧弱《ひんじゃく》なことは貧弱ですが、そのとき手近にあったもののなかでは、これが一番よいと思ったのでしょう」

「そんなことでしょうね。――この書付はどうですか？」

「そのうち三枚は乾草《ほしぐさ》商人の計算書で、受取済になっています。一つはロス大佐からの命令の手紙、あとの一枚はロンドンのボンド街のマダム・ルスリエという帽子屋から、ウイリアム・ダービシャーあてに出した合計三十七ポンド十五シリングの勘定《つけ》です。ストレーカーの細君の話によると、ダービシャーというのは良人《おっと》の友人で、ここへもちょいちょいダービシャーあての手紙がきたということです」

「ダービシャー夫人の帽子だとすると、夫人はなかなかの贅沢家《ぜいたくか》だな」とホームズは勘定《つけ》に目をおとしながら、「一着の服に二十二ギニーもかけるとは、ちと奢《おご》りすぎる。しかし、これでここはもうすんだようですから、こんどは凶行《きょうこう》の現場を見せてもらいましょうか」

どやどやと居間から出てゆくと、廊下《ろうか》に一人の婦人が待ちかまえていたのが、つかつかと進み出てグレゴリー警部の腕に手をかけた。憔悴《しょうすい》しきった顔に、あせっているらしい胸のうちをそのまま現わし、またおどおどと恐《おそ》ろしそうでもある。

「あの、捕《つか》まりましたの？」

「いや、まだですよ、奥《おく》さん。しかしこちらのホームズさんが、ロンドンからわざわざ加勢しに来てくだすったのですから、一同で極力やってみるつもりです」

「ああ、あなたにはいつぞやプリマスで、園遊会のときお目にかかりましたね、ストレーカー夫人」ホームズが言葉をかけた。

「さあ、いいえ、それは何かの間違《まちが》いでございましょう」

「おや、そうですか？　いやいや、たしかにお目にかかりましたよ。あのとき奥さんは鳩いろの絹の服に駝鳥《だちょう》の羽根の飾《かざ》りをつけて、来ていらしたじゃありませんか」

「いいえ、私そんな服は持っていませんわ」

「ああ、それでは私の間違いでした」とホームズは軽く失礼をわびて、警部を追ってそとへ出た。

荒れ地を少しばかり行くと、死体のあったというくぼみへきた。くぼみのふちにはハリエニシダの藪《やぶ》がしげっていた。そこへストレーカーの外套はかかっていたのだという。

「その晩は風はなかったのでしたね？」ホームズが尋ねた。

「風はちっともありませんが、雨はどしゃ降りでした」

「そうすると、外套は風に吹《ふ》きあげられたのじゃなくて、誰《だれ》かがそこへ置いたんだということになりますね？」

「そうです。灌木《かんぼく》の上へちゃんと乗せておいたものです」

「ふむ、面白《おもしろ》いですね。地面はひどく踏みにじられているようですが、凶行以来いろんな人が歩きまわったのでしょうね？」

「いいえ、ここんところへ蓆《むしろ》を敷《し》いて、みんなその上にいることにしましたから」

「そいつはよかった」

「このかばんのなかに、ストレーカーのはいていた靴《くつ》を片っぽうと、フィッツロイ・シンプスンのを一つと、それに白銀号の蹄鉄《ていてつ》の型を一つもってきました」

「ほう！　そりゃあ上出来でしたよ、グレゴリーさん」

ホームズはかばんをうけとってくぼみの底へ降りてゆき、蓆をまん中のほうへやってその上へ腹ばいになり、両手にあごをのせて、目のまえの踏みにじられたどろを注意ぶかく研究していたが、とつぜん、

「や、や、や、これは何だ？」と叫《さけ》んだ。

ホームズの発見したものはどろがついて、ちょっと見ると小さな木の枝《えだ》かなにかのようにも見えたが、じつはろうマッチの半分ばかりになった燃えさしであった。

「はて、どうして私はそんなものを見おとしましたかな」と警部はすこし苦い顔をした。

「どろにうもれていたから、わからなかったのでしょう。私はこいつを探すつもりでいたから、見あたったのですよ」

「えッ！　はじめからあるものと思って、探しにかかったんですか？」

「あってもいいはずだと思ったのです」

とホームズはかばんから靴をだして、それをどろのうえの跡に一つ一つ合せてみた。それからくぼみのふちへ登ってくると、羊歯《しだ》や灌木のあいだをうろうろとはってまわった。

「もうなんにもありゃしますまいよ」警部がそのうしろ姿を目で追いながらいった。

「百ヤード四方は私が念いりに調べてみたんですから」

「そうですね」とホームズは起きあがって、「あなたがそうまでいうのを探しまわるのは、失礼だから止《や》めときましょう。そのかわり日の暮《く》れるまでこの荒れ地をすこし散歩してみたいと思います。そうすれば明日の調べには地理がよくわかって便利です。それからこの蹄鉄は、幸運のおまじないにポケットへ入れてゆきますよ」

ロス大佐はさっきから、ホームズの落ちついた、組織的な調べかたにあきあきしていたらしく、このとき時計を出してみて、

「警部さんは私といっしょにお帰りを願いたいですな。ご相談したいことがいろいろあるのです。とりわけ白銀号の名は、こんどの出走馬表からとり除いてもらうのが、公衆にたいする義務ではないかと思うものですからな」

「その必要は絶対にありません」ホームズがはたから、きっぱりといい切った。「名まえをそのままにしておくだけのことは、かならず私がしてあげます」

大佐は一礼して、

「そのお言葉をうけたまわるのは非常に欣快《きんかい》です。私たちはストレーカーの家でお待ちしますから、散歩がおすみでしたら、どうぞあそこへお立ちよりください。ごいっしょに馬車でタヴィストックへ帰りましょう」

大佐はグレゴリー警部とともに帰ってゆき、ホームズと私は荒れ地のなかを静かに歩いていった。太陽はケープルトン厩舎《きゅうしゃ》のかなたに沈《しず》みかけて、ゆるやかな傾斜《けいしゃ》をもつ眼前の平原は金いろに染められ、枯れ羊歯やいばらの部分はこい赤茶色に燃えてい

た。だが深い思索《しさく》にふけるホームズにとっては、それらの光景はすべて、無駄なものにすぎなかった。

「われわれのとるべき道はだね、ワトスン君」しばらくたって彼はいいだした。「ジョン・ストレーカーは誰が殺したかの問題はしばらくおいて、馬はどうなったかに的をしぼって考えてみるにあると思う。いま馬は、ストレーカーの殺されているうち、または殺されたあとで逸走《いっそう》したものとすると、いったいどこへ逃《に》げるだろう？　馬というものは非常に群居性のつよい動物だ。だからもし自由に放任したら、本能的にキングズ・パイランドへ帰るか、さもなければケープルトンへ行くに違いない。どうしてこの荒れ地をうろついてなんかいるものか！　そうなら今までにとっくに発見されているに決っている。

そうかといって、ジプシーが馬を誘拐《ゆうかい》したりなんかは決してするものじゃない。ジプシーというものは、警察に虐《いじ》められるのをきらうから、なにか事がおこったと聞けば、すぐにその土地をひき揚《あ》げてしまう。あんな名馬は売ろうたって売れもしない。だから馬をつれて逃げるなんてことは、危険があるばかりで少しも得にはならない」

「じゃ馬はどこへ逃げたのだろう？」

「いまいった通り、キングズ・パイランドへ帰ったか、さもなくばケープルトンへ行ったのに違いない。然《しか》るにキングズ・パイランドへは帰っていないのだから、ケープルトンへ行ったのに違いないということになる。——そこで、これを差しあたっての実行的仮定として、それがどういうことになるかを研究してみよう。

荒れ地のうちでもこのへんは、警部もいっていたようにきわめて土地が固く、乾燥《かんそう》しているけれど、ケープルトンのほうへゆくに従って低くなっていて、見たまえ、あそこのところなんか細長く凹《くぼ》んでいる。あのへんは凶行のあった月曜の晩には非常にぐしょぐしょだったに違いない。馬はケープルトンへゆくためあそこを通っているはずだから、もしこの想像が当っているとすれば、あそここそは足跡がのこっている場所でなければならない」

ホームズの話のあいだも、私たちはすたすたとそのほうへ歩いていたのだが、二、三分で問題のくぼみのところへきた。ホームズの要求に従って、私はそのくぼみのふちを右のほうへたどってゆき、ホームズ自身は左のほうへ歩いていった。すると五十歩と歩かぬうちに、ホームズが急に声をあげたので、ふり返ってみると、来い来いと手招きしている。

行ってみると、そこの軟《やわら》かい土のうえに馬蹄《ばてい》のあとが判然といくつも印せられているのだった。ホームズがポケットの蹄鉄を出してあてがってみると、ぴったりと符合《ふごう》した。

「想像力のありがた味がわかるだろう？　グレゴリーにはこの素質だけが欠けているんだ。われわれは想像力をはたらかせて事件を仮定し、その仮定に従って取調べの歩をすすめた結果、その仮定の正しかったことを確かめた。さ、行ってみよう」

じめじめした凹地《おうち》を越《こ》えて、乾《かわ》いて固い草地を四分の一マイルばかり歩いていった。と、再び土地の傾斜しているところがあり、そこにも馬蹄のあとがあったが、また半マイルばかり何もなくて、ケープルトンにかなり近づいてからまたもやそれを発見した。最初に発見したのはホームズだったが、彼は得意そうにそれを指してみせた。馬蹄のあとに並《なら》んで、男の靴《くつ》あとが明らかに認められたのである。

「これまでは馬だけだったのに！」私は思わず口走った。

「その通りさ。いままでは馬だけだったんだ。や、や、これはどうだ！」

人と馬との足跡は、そこで急に方向を転じてキングズ・パイランドのほうへ向かっているのだった。ホームズは呻吟《しんぎん》したが、そのままその足跡について、新しい方向に歩きだした。そして彼はじっと足跡ばかり見て歩いていたが、私はふと横のほうへ目をやってみると、驚《おどろ》いたことには、少しはなれたところに同じ足跡が、再びケープルトンのほうへ向かっているのを発見した。ホームズにそのことを注意してやると、

「ワトスン君、お手柄《てがら》だ！　おかげでうんとむだ足をふまされるのが助かった。さ、その足跡について進もう」

そこから先はあまり歩かなくてもよかった。足跡は、ケープルトン厩舎の入口に通ずるアスファルト舗装《ほそう》の道路のまえでつきていたのである。そこまで歩いてゆくと、厩舎から一人の馬丁《ばてい》がとび出してきた。

「ここは用のないものなぞ来るところじゃねえだよ」

「いや、ちょっとものをうかがいたいのだが」とホームズは二本の指をチョッキのポケットにいれて、「あすの朝五時にきたいと思うんだけれど、サイラス・ブラウンさんに会うにはちと早すぎるでしょうかね？」

「ようがしょうとも。来なさりさえすれば会えますだ。旦那《だんな》はいつでも朝は一番に起きるだから。だがそういえば、旦那が出てきましたぜ。お前さまじかに尋《き》いてみなさるがいいだ。はあれ、とんでもねえ！　お前さまからお金をもらったことが旦那に知れでもしてみなせえ、たちまちお払《はら》い箱だあ。あとで――なんなら後でね」

シャーロック・ホームズがいったん出した半クラウン銀貨をポケットへ納めると、そこへ怖《こわ》い顔をした年輩《ねんぱい》の男が、狩猟用《しゅりょうよう》のむちをふりふり門から大またに出てきた。

「どうしたんだ、ドーソン？　べちゃべちゃしゃべらずに早く仕事を片づけるんだ！

そして君たちは？　何の用があってこんなところへ来なすったんだね？」

「ご主人、ちょっと十分ばかりお話がしたいのだが……」

ホームズはにこにこしていった。

「用もねえのにうろうろしているようなものの相手になっている暇《ひま》は、おれにゃねえな。ここは知らねえものなんかの来るところじゃねえ。さっさと帰《けえ》った、帰《けえ》った。帰らねえと犬をけしかけるぜ」

ホームズは上半身を前へ曲げるようにして、調教師ブラウンの耳へなにかささやいた。するとブラウンはぎくりとして、生えぎわまでまっ赤になった。

「うそだッ！　そりゃとんでもねえ、大うそだッ！」

「よろしい！　それじゃここで大きな声で、その証拠《しょうこ》をあげてみようか？　それともなかへはいって、客間でしずかに話しあいますかね？」

「いや、それじゃ中へへえってもらいましょうか」

ホームズはにやりとして、

「ワトスン君、ほんの二、三分間で出てくるからね。――それじゃブラウンさん、お言葉に従ってなかへ入れてもらいましょうか」
二、三分間といったのが、たっぷり二十分はかかった。ホームズがブラウンと連れだって出てきたときには、夕映《ゆうばえ》はなごりなく消えさって、あたりは灰いろの黄昏《たそがれ》がたてこめていた。たった二十分のあいだに、サイラス・ブラウンの変りようといったらなかった。顔のいろといったら灰のように青ざめ、額には玉の汗《あせ》をうかべ、手にした狩猟用のむちは風のなかの小枝のようにゆらいでいる。そして横暴で尊大なさっきの態度はどこへやら、まるで主人につかえる忠実な犬のように、ホームズのそばで畏《かしこ》まっている始末である。

「それではお指図の通りにいたします。かならずいたしますから……」

「かならずまちがわないようにしてもらいたい」ホームズはブラウンをじろじろ見ながらいった。

「はいはい、けっして間違いはいたしません。かならず出します。それからあれは、初《はな》から変えておきましょうか、それともまた……」

ホームズはちょっと考えていたが、急に噴《ふ》きだして笑いながら、

「いや、そのままがいい、それについては後で手紙を出そう。もう狡《ずる》いことをするんじゃないよ。さもないと……」

「大丈夫《だいじょうぶ》です。どうぞ私を信じてください」

「当日はあくまでも、お前さんのもののように扱《あつか》ってくれないと困るよ」

「どうぞ私にまかせてください」

「よろしい。安心していよう。ではあす手紙を出すからね」

ホームズはブラウンが震《ふる》える手をのべて握手《あくしゅ》をもとめたのを無視して、くるりとうしろを向いて、そのまま私とともにキングズ・パイランドのほうへと帰途《きと》についた。

「サイラス・ブラウンのような、あんな傲慢《ごうまん》で臆病《おくびょう》でずるくて、三拍子《びょうし》そろった男を見たことがない」ホームズは歩きながらいった。

「じゃあの馬をもっていたんだね？」

「はじめはつべこべとごま化そうとしたから、あの晩、いやあの朝のあいつの行動を、正確に話してやったら、ぴたりと図星だったと見えて、とうとう僕が見ていたんだときめてしまったよ。君はあの足跡が、妙につま先が角ばっていたのも、ブラウンのはいていた靴がちょうどそれに適合する型だったのも、むろん気がついたろう？　そして下に使われているものなんかに、こんな大それたことのやれる道理がないのもね？　だから僕は、毎朝あいつが一番に起きる習慣であること、あの朝も早く起きてみると、荒れ地によその馬がうろうろしているので、出ていってみたところ、おどろいたことには、それが白銀号だった――白銀というのは、額がまっ白なところから出た名なんだが、自分が大金をかけている馬の唯一《ゆいいつ》の強敵《きょうてき》が手にはいったんで、びっくりしたというしだいを、詳《くわ》しく話してやったのさ。

それからはじめはそいつをキングズ・パイランドへ連れてゆこうとしたが、急に魔《ま》がさして競馬のすむまで隠《かく》しておいたらと悪い考えをおこし、そっとケープルトンへ連れもどって、隠しておいたんだという次第《しだい》をも、詳しく話して聞かせたもんだから、とうとう兜《かぶと》をぬいで、どうかして罰《ばっ》せられないですむ方法はないかと考えるまでになったんだ」

「だってあの厩舎も、グレゴリー警部はしらべたんだろう？」

「馬の扱いもあいつくらいになると、どうにでもぺてんの利《き》くものだよ」

「だって君はブラウンに馬を預けておいて、心配はないのかい？　あの馬に傷でもつければ、どの点から見てもブラウンには利益になるじゃないか」

「安心したまえ。ブラウンは掌中《しょうちゅう》の玉のように馬を大切にするから。すこしでも罪を軽くしてもらうのには、馬の安全をはかるのが唯一の方法だと、ちゃんと知っているよ」

「だけどロス大佐のあの様子じゃ、どうしたって寛大《かんだい》な処置をとりそうもないね」

「この事件は大佐の一存だけじゃ決らない。僕は自分の思うとおりに歩をすすめて、大佐にはいいように話しておく。そこは警察の役人でないありがたさだ。君はどう思ったか知らないが、大佐の態度は僕にはちっとばかり素気《そっけ》なさすぎた。だから費用は向こうもちで、ちっとばかり面白いことをしてやろうと思うんだ。馬のことは大佐にも何もいわずにおきたまえ」

「いいとも。君がいいというまでは黙《だま》っているよ」

「もっともこんなことは、むろんジョン・ストレーカー殺しの犯人問題にくらべたら、ごくごく細かなことだがね」

「じゃこれからそのほうに専念するつもりなのかい？」

「いいや、夜行列車でいっしょにロンドンへ帰ろう」

ホームズのこの言葉には、私はいたく驚かされた。デヴォンシャーへきてまだ二、三時間にしかならないのに、これほどすばらしい成功裡《せいこうり》に進捗《しんちょく》しつつある事件を、すっぱり見きってしまおうとする彼のはらが、私にはまるきりわからなかったのである。いろいろ尋《たず》ねてみたけれど、彼は黙々《もくもく》として、ストレーカーの家へ帰りつくまで、一言ももらさなかった。

帰ってみると、大佐は警部と二人で客間で待っていた。

「私たちは今晩の夜なかの汽車でロンドンへひき揚げることにします」ホームズが大佐にいった。「おかげでダートムアの美しい空気を、しばらく呼吸させていただきました」

　これを聞いて警部はあっけにとられ、大佐は口もとに冷笑をうかべた。

「ではストレーカー殺しの犯人は捕《つか》まらんと断念されたんですな？」

　ホームズは昂然《こうぜん》として、

「非常な困難が横たわっているのは事実です。それにしても今度の火曜日のレースに、あなたの馬が出走できることは、万まちがいなかろうと考えます。どうか騎手《きしゅ》のご用意をお忘れなく。それからストレーカー氏の写真を一枚拝借ねがいたいと思いますが……」

　グレゴリー警部がポケットに持っていた封筒《ふうとう》から一枚それを出して、ホームズに渡《わた》した。

「グレゴリーさんは私のほしいと思うものは、いつも先まわりして用意しておいてくださるのですね。ありがとう。ところでしばらく皆《みな》さまにお待ちねがって、女中に二、三質問したいことがありますが」

　ホームズが部屋を出てゆくと、大佐が露骨《ろこつ》にいった。

「ロンドンなんかからわざわざ探偵《たんてい》をよんで、どうもばかを見ちまったな。あの男がきてから、これんばかりだって捗《はか》どったことか！」

「すくなくとも白銀号がレースに出ることだけは、ホームズが保証しましたよ」

「なるほど、その保証はあった」大佐は冷笑をうかべて、「保証よりは、馬をはやく返してもらったほうがいいね」

私がホームズのため大いに弁じようとしているところへ、当の本人が戻《もど》ってきた。

「それでは皆さん、いつでもタヴィストックへお伴《とも》いたしましょう」

私たちが馬車に乗ろうとすると、一人の若ものがドアを押さえていてくれたが、それを見てホームズはふと何か考えついたらしく、若ものの袖をひいて尋ねた。

「調教場のさくのなかには羊がすこしいるようだが、誰が世話するのかね？」

「私がやりますんで」

「ちかごろになって羊に何か変ったことはなかったかね？」

「へえ、大したこともございませんが、三頭だけどういうものか脚の具合が悪くなりましたんで」

ホームズは大そう満足らしかった。にこりと笑って、しきりに両手をこすり合せていた。

「大胆《だいたん》な想像だよ、ワトスン君。非常に大胆な想像があたったよ。――グレゴリーさん、羊のなかに妙《みょう》な病気が流行しているのは、大いにご注意なすったらよいと思いますよ。じゃ御者君《ぎょしゃ》、やってください」

ロス大佐は依然《いぜん》として、ホームズを軽蔑《けいべつ》するらしい顔をしていたが、警部のほうは、いたく注意を喚起《かんき》させられたらしかった。

「あなたはそれを重大視されますか？」

「きわめて重大視します」

「そのほか何か、私の注意すべきことはないでしょうか？」

「あの晩の、犬の不思議な行動に、ご注意なさるといいでしょう」

「犬は全然なにもしなかったはずですよ」

「そこが不思議な行動だと申すのです」


それから四日たって、私たちはウェセックス・カップ・レースを見るために、ふたたびウィンチェスターゆきの列車に乗った。約束《やくそく》どおりロス大佐は駅の表まできて待っていてくれたので、私たちはそのまま大佐の四頭立馬車で市《まち》はずれの競馬場へと向かった。大佐は非常に暗い顔をしており、さらに元気がなかった。

「私の馬をいっこう見かけないようですがね」大佐は馬車のなかでいった。

「ごらんになれば、ご自分の馬だから、おわかりになるでしょうね？」

大佐はむっとした顔をして、

「私は二十年来レース場に出入りしてきましたが、ただいまのようなお尋ねをうけるのは初めてです。あの馬の純白な額と、前脚《まえあし》の斑《ふ》をみれば、子供にだってわかることです」

「賭《か》けはどんな模様ですか？」

「その点だけはどうも妙です。昨日なら十五対一でも売り手があったのに、だんだんに差が少なくなってきて、いまでは三対一でもどうですかな？」

「ふむ！　なにか知った奴《やつ》があるんだな。たしかにそうです」

馬車が大スタンド近くの入口をはいるとき、出走馬表を見あげると、次のように書き出してあった。

ウェセックス・カップ・レース
各出走馬金五〇〇ソヴリン。四、五歳馬にて一着には金一〇〇〇ソヴリンを副賞とす。二着三〇〇ポンド、三着二〇〇ポンド。新コース（一マイル八分の五）
一、ニュートン氏　ニグロ号（帽《ぼう》赤、衣肉桂《にっけい》）
二、ウォードロウ大佐　拳闘家《けんとうか》号（帽紅、衣青黒）

三、ブラックウォーター卿《きょう》　デズボロー号（帽黄、袖《そで》黄）
四、ロス大佐　白銀号（帽黒、衣赤）
五、バルモーラル公　アイリス号（黄黒の縞《しま》）
六、シングルフォード卿　ラスパー号（帽紫《むらさき》、袖黒）

「私のほうではもう一頭の馬を見あわせて、すべての希望をあなたの言葉につないでいるのです」大佐がいった。「おや、これはどうか！　うむ！　白銀号がちゃんと表に出ているな！」

「白銀号は五対四！」賭け場からわめき声が起こった。「白銀号は五対四！　デズボローは十五対五！　場に出れば五対四！」

「ぞろぞろ出てゆくぜ」私が注意した。「ああ六頭全部いる！」

「六頭全部だ！　してみると私の馬もいるのだな！」大佐は気もそぞろに叫《さけ》んだ。「だが白銀号はいない！　黒帽に赤ジャケットの騎手をのせた馬はここを通らなかった！」

「いや、まだ五頭とおっただけです。こんどのがそうに違《ちが》いありません」

私がこういったとき、たくましい栗毛《くりげ》の逸物《いつぶつ》が検量室から出てきて、ゆるやかな駆《かけ》歩で私たちの前をすぎた。鞍上にはロス大佐の色別として有名な、黒と赤との騎手がのっている。

「あれは私の馬じゃない！」馬主である大佐が叫んだ。「あいつには額に白い星がない！　ホームズさん、あんたはいったい何をやったんですッ？」

「まあまあ、あの馬がどんなことになるか、見ていましょう」ホームズは騒《さわ》がずこういって、私の双眼鏡《そうがんきょう》をとってしばらく一心に見つめていたが、「みごとだ！　すばらしいスタートだ！　や、や、来たぞ！　コーナーを回ってきたぞ！」

馬車のうえから見ていると、やがてストレートにきたときの彼らは、いとも壮観《そうかん》であった。六頭の馬は一枚のカーペットで隠せるくらい接近して走っていた。

それも半ばごろまではケープルトンの黄いろがそのなかの先頭であったのに、私たちのまえまできたときは、デズボローは力つきて行き脚がにぶり、大佐の馬は突進《とっしん》してそれを追いぬき、決勝線にはいったときは優に六馬身の差をつけていた。バルモーラル公のアイリス号はずっと遅《おく》れて三着にはいった。

「とにかく勝つには勝った」大佐はほっとして、手で両眼をふきはらいながら、「しかし正直のところ、私には何が何やらさっぱりわかりません。ホームズさん、もういい加減に教えてくだすってもよいでしょう」

「申しあげましょう。何もかも申しあげましょう。みんなであっちへ行って、馬を見てやりましょう。……ああ、ここにいますよ」

とホームズは、馬主とその連れだけしかはいれない検量室へはいってゆきながら、

「この馬の顔と脚をアルコールで洗っておやりなさい。そうすれば、もとのままの白銀だということがわかりましょう」

「えッ！　これは驚《おどろ》きましたなあ！」

「あるいかさま師の手に落ちていたのを、見つけだして、勝手ながら、その時のままのこの姿で出馬させたわけです」

「どうもあなたの眼力はおどろくべきものです。馬は非常に調子がいいようです。まったく今までにもなかったほどの調子です。あなたの手腕《しゅわん》を疑ったりして、なんと陳《ちん》謝《しゃ》してよいかわかりません。こうして大切な馬をとり戻してくだすったのですから、このうえなおジョン・ストレーカー殺しの加害者を見つけてくだされば、これに越《こ》すありがたいことはありません」

「加害者もつかまえておきました」ホームズがすましていった。

大佐はむろんのこと、これには私までが驚いて、ホームズの顔を見なおした。

「えッ？　つかまえて？　どこにいます、それでは？」

「ここにいますよ」

「ここに？　どこです？」

「いま現にわれわれといっしょにいますよ」

大佐はこの一言にかっとなった。

「ホームズさん、あなたにご恩をうけたことは十分認めもし、感謝もしていますが、ただいまのお言葉は冗談《じょうだん》にしては重すぎるかと考えます。あなたは私を侮辱《ぶじょく》するのですか？」

ホームズは笑って、

「大佐、なにもあなたを犯人だと申したのではありませんよ。真犯人はあなたのすぐ後に立っています」

ロス大佐は歩みよって、サラブレッド種の名馬の艶《つや》やかな首に片手をかけたが、急に気がついて、

「馬がッ！」と叫んだ。私も同時に叫んだ。

「そうです。馬です。ジョン・ストレーカーは全くあなたの信頼《しんらい》するにたりない男であり、馬は正当防衛のため殺したにすぎないことを申しあげれば、この馬の罪もいくぶん軽くなるわけでしょう。ところでベルが鳴りだしました。こんどのレースで私は

すこし勝ちたいと思いますから、その説明はいずれ後で、ゆっくりしてから詳《くわ》しく申しあげることにしたいものです」

その晩ロンドンへの帰りを、私たちは寝台車《しんだいしゃ》の一隅《いちぐう》に席をとったが、前週の月曜日にダートムアの厩舎《きゅうしゃ》で起こったできごとを、順序を追ってホームズが話し、そしていかにしてそれを解決するにいたったかという一条を語り聞かせてくれたから、汽車の無聊《ぶりょう》を感じるどころか、ロス大佐にしても私にしても、時間のたつのを知らなかったくらいである。

「じつのところ、はじめ新聞の報道を根拠《こんきょ》に組みたてた私の意見は、まったく誤っていました。新聞記事にも正しい暗示の出ていることは出ていたのですが、いろいろなほかの事項のため、それが隠されていたのです。デヴォンシャーへゆくまでは、フィッツロイ・シンプスンが犯人だと私は信じていました。もっとも彼《かれ》に対する証拠《しょうこ》が完全だとは、むろん考えていませんでしたけれどね。

ところが、いよいよ馬車でストレーカーの家についたときにふと、羊《ひつじ》のカレー料理が非常に重要な意味をもっていることに気がつきました。あのとき私がぼんやりして、みんな降りてしまったのに、まだ馬車のなかに残っていたのを覚えていらっしゃるでしょう？　あのとき私は、こんな明瞭《めいりょう》な手掛《てが》りがあるのに、どうして今まで見逃《みのが》していたろうかと、われながらつくづく驚いていたのです」

「とおっしゃられても、まだ私には何のことやらわかりませんなあ」大佐がいった。

「あれが私の推理の第一段階となったのです。アヘンの粉末はけっして無味なものではありません。においは不快ではありませんけれど、すぐに知れるものです。だから普通《ふつう》の料理にこれを混ぜれば、一口でそれと気がついて、食べるのをやめてしまいます。そこでカレーをつかえば、この味を消してくれるわけです。

　まったくの他人であるフィッツロイ・シンプスンが、あの夜あの一家に、カレー料理を食べさせるように仕むけるなどということは、全然想像もできません。それかといって、アヘンの味を消す料理の出た晩に、おりよくシンプスンがアヘンをつかうつもりで来たと考えるのも、あまりに奇怪《きかい》な暗合というものです。そんなばかなことは考えられません。従ってシンプスンはこの事件から除外することができ、その夜のごちそうをカレー料理ときめることのできる人、すなわちストレーカー夫婦にわれわれの注意はむけられるわけです。

　アヘンは厩舎にのこっているハンターの分として、カレー料理がべつのさらにとり分けられてから、混入したものです。同じものを食べたほかの人たちに、異状がなかったのでそれが知れます。では女中に気づかれないように、その皿へ近づき得たのは、夫婦のうち果してどっちでしょうか？　一つの正しい結論は、必然第二の結論を暗示するものです。この問題を解くまえに私は、あの晩犬が騒がなかったという重大な事実に思い到りました。

　シンプスン事件のおかげで私は、厩舎に犬の飼《か》ってあることを知りましたが、夜中に何ものかが厩舎へはいって馬をつれ出したのに、犬がほえなかった――少なくとも二階に寝《ね》ている二人の若ものの目をさますほどには、ほえなかったという事実に考え到りました。これは馬をつれ出したものが、犬のよく知っている人物であることを明らかに示すものです。

　そこで私は、真夜中に厩舎へいって白銀号をつれだしたのは、ジョン・ストレーカーだと断じました。断じてよいと思いました。しからばそれは何のためであったか？　むろん不正な目的のためであるのは申すまでもありません。でなくて何で厩舎番を薬で眠《ねむ》らせたりなどしましょう？　しかも不正な目的とまではわかっても、果してそれがどんなものであるのか、そこまでは私にもまだわかりません。

　調教師が自分の預かっている馬を、故意にいためて出場不能ならしめ、それによってうまうまと大金をせしめる例は、従来いくらもあったことです。ときには騎手を抱《だ》きこんで八百長《やおちょう》をやらせることもあり、またときにはもっと確実で、わかりにくい方法をとる場合もありますが、こんどの場合は果してどうでしょう？　ストレーカーのポケットにあった品物を見れば、何かこの間の消息を知るべき手掛りがありそうなものだと私は思いました。

その品物は果して物をいいました。お忘れではありますまいが、ストレーカーは不思議なナイフを握《にぎ》って倒《たお》れていました。あれは決して普通の人のもつナイフではありません。ワトスン君も申したとおり、あれはきわめて綿密な外科手術につかうメスの一種です。しかも正《まさ》しくあの晩、綿密な手術をするために用意されていたものなのです。

大佐、あなたの競馬に関するひろい経験をもってすれば、馬の膕《ひかがみ》の腱《けん》に、外面にはなんの痕跡《こんせき》ものこさず、皮下手術によって傷をつけるのは容易なことであって、しかもそれをやられた馬はかるく脚をひきずりだすけれど、調教中に筋でもちがえたか、それとも軽いリュウマチにでもかかったかということになって、不正の行なわれたのは決してわからないということを、ご承知でしょうね？」

「うーむ、不届きなやつめ！　あいつそんなことを企《たく》らみおったのか！」

「そこでジョン・ストレーカーがなぜ馬を荒《あ》れ地へつれ出したがったか、ということの説明がつきます。馬のような敏感《びんかん》な動物は、ナイフの先をちくりと感じただけでも烈《はげ》しく騒ぎたてて、どんなによく眠っている者でも、目をさまさせてしまいます。だから、手術は屋外のひろい場所ですることが、絶対に必要だったのです」

「私が馬鹿だった！　だからこそ蠟燭《ろうそく》をもっていたり、マッチをすったりしたんですな」

「むろんそうです。ところがポケットから出た品物を調べてみて、私は犯行の方法を発見したばかりでなく、幸いにしてその動機をも知ることができました。大佐、あなたは世間のひろいかたですからおわかりでしょうが、世のなかに他人の勘定をもっているものがおりましょうか？　普通の人間ならば、自分の払いを始末するだけで十分のはずです。私はあの書付をみて、ストレーカーは二重生活をやって、第二の家をどこかに持っているのだと断定しました。

しかも書付の内容をみれば、それには婦人の関係していることが知れます。非常に贅沢《ぜいたく》な好みの婦人です。あなたが雇人《やといにん》にいくら寛大《かんだい》であり、いくら厚く報《むく》いられるからといって、彼らが自分の女に二十ギニーもの散歩服を買ってやれる身分だとは考えられません。ストレーカーの細君にそれとなく服のことを尋《たず》ねてみますと、その服は果して細君の買ってもらったものでないのがわかりました。このうえはその帽子屋の住所を控《ひか》えて帰って、ストレーカーの写真をもって店へいって尋ねてみれば、事件の秘密はすっかりさらけ出せるだろうと考えました。

そのあとはきわめて簡単です。ストレーカーは馬をつれ出して、灯火《あかり》をつけても人目につかぬようにあのくぼみへ降りてゆきました。そのまえにシンプスンは逃《に》げるとき、ネクタイを落してゆきましたが、ストレーカーは何か考えがあって、それを拾っておきました。おそらくそれで馬の脚でもしばるつもりだったのでしょう。くぼみの底へ降りてゆくとすぐに、馬のうしろへ回ってマッチをすりました。ところが馬は、急にマッチがきらめいたのに驚いて、同時に動物の不思議な本能で、自分の身になにかよからぬことのたくらまれているのを感知し、ぱっと跳《は》ねあがりました。その拍子《ひょうし》にストレーカーは額をけられて倒れたのです。

雨は降っていましたが、仕事がこまかいためストレーカーはそのまえに外套《がいとう》をぬいでおきました。そして倒れるとき、誤って自分のまたを刺《さ》したのです。これですっかりおわかりですか？」

「おどろいた！　実におどろきました。まるでそばで見ていたようです！」

「正直に申しますと、この最後の断定はきわめて大胆でした。ストレーカーのようなずるい男が、このむずかしい腱《けん》の手術をするのに、すこしも練習することなしに、いきなりやるはずはないと気がついたのです。ではどうしたら練習できるでしょう？　そのとき私はふと羊《ひつじ》のことを思い、尋ねてみると、むしろ自分がおどろくほど、私の推定があっているのを知りました」

「おかげで何もかも完全にわかりました」

「ロンドンへ帰ってから、帽子屋へいってみますと、ストレーカーはダービシャーといって、とくに高価な服の好きな、見え坊《ぼう》の妻をもつ、その店の上得意だということがわかりました。この女がストレーカーを借財で首のまわらぬまでにし、ついにこの悲惨《ひさん》な結果におわった陰謀《いんぼう》をたくらませたのは申すまでもありません」

「すっかりわかりましたが、一つだけまだお話しくださらないことがあります。馬はいったいどこにいたのですか？」

「馬ですか、馬は逸走《いっそう》してしまって、あの付近のある人物の保護をうけていたのです。そのへんのことは大目に見ておかなければなりますまい。ああ、ここはどうやらクラパムの乗換駅《のりかええき》ですね。ヴィクトリア駅まではもう十分とかかりません。大佐、ついでに私のところへお寄りになって、葉巻でもおやりくださいませんか？　このほかに何かお尋ねになりたいことでもありましたら、何なりと喜んでお答えいたしたいと存じます」

――一八九二年十二月『ストランド』誌発表――

黄いろい顔

私がこうした物語りを詳《くわ》しく聞き知りえたり、時にみずから奇怪《きかい》な劇中の登場人物ともなったのは、すべてシャーロック・ホームズの非凡《ひぼん》な才能のおかげなのだから、それを発表するについても失敗談はさけ、成功した事件のみを語る傾《かたむ》きのあるのは、自然の勢いだろう。ホームズとしては難局に面したときにこそ、精力的で変幻自在な真価を発揮《はっき》するのだから、これはけっして彼《かれ》の名声の高まらんことを希《ねが》う心からではない。

およそ彼の失敗したような事件が、余人に解決できようはずもなく、解決がないとすれば、話がしりきれトンボになってしまうからである。だが時として、彼は失敗したが、それでも真相は明らかになったという事件もある。そうした事件の記録を私は五つ六つもっているが、そのなかでは「第二の汚点《おてん》」事件と、いまここに語ろうとしているものとの二つが、とくに興味がふかい。

いったいがシャーロック・ホームズという男は、運動のための運動はほとんどしない。彼は誰《だれ》よりもはげしい肉体的労働に堪《た》え得たし、拳闘家《けんとうか》としては、あの体重のものにならば誰にも負けぬ優《すぐ》れた腕《うで》をもっているほどだが、目的なしの肉体運動は精力の浪費《ろうひ》であるとして、職業上何らかの目的をともなう場合のほか、ほとんど運動というものをやらないのである。しかも彼は疲労《ひろう》ということを知らず、絶対にあきることがなかった。

ふだん少しも運動をしないで、そういうからだのコンディションを保持するとは、おどろくべきものだが、そのかわり食事はひどく粗末《そまつ》なのが普通《ふつう》で、日常の起居も苛《か》酷《こく》なほど簡素だった。ときどきコカインこそやるが、ほかにこれぞという悪習もない。そのコカインとても、手ごたえのある事件が少しもなく、新聞にも面白《おもしろ》いことの出ていないとき、生きていることの単調さをまぎらすため、手をだすにすぎないのだ。

早春のある日、珍《めずら》しくもホームズは私と公園を散歩するほどくつろいだ気持でいた。楡《にれ》の梢《こずえ》は緑のわか芽をもちはじめ、槍《やり》の穂《ほ》さきに似てねっとりした胡桃《くるみ》の新芽は五葉にほころびかけている。二時間ばかりそのなかをぶらついたが、どちらからもほとんど口はきかなかった。心の底までふかく知りあった仲として、べつに珍しいことでもない。

ベーカー街へ帰ったのは五時に近かった。

「お帰りなさいまし。あの、お留守にお客さまがございました」ドアをあけてくれた給仕がいう。

「だから午後の散歩なんかダメなんだ」ホームズはとがめるように私を見かえって、「で帰っていったのかい?」

「はい」

「お通ししなかったのかい?」

「お通しは致《いた》しましたんですが……」

「どのくらい待っていた?」

「三十分ばかりもお待ちになりましたか、たいそうお気の短いかたで、たえず歩きまわってばかりいらっしゃいました。私はドアのそとでお待ちしておりましたから、いちいち手にとるようによく聞こえましたが、三十分ばかりすると廊下《ろうか》へ出ていらして、『あの男はもう帰ってはこないのかね?』と、あの男っておっしゃるんです。『もうお帰りになるかと存じますが』って申しあげますと、『じゃそとで待ってみよう。気分がわるくなった。じき帰ってくるよ』と出ていっておしまいになりましたんです。何と申しあげましても、お引留めはできませんでした」

「よしよし、お前がわるいのじゃない」ホームズはそのまま部屋へはいってゆき、

「まずかったね、ワトスン君。ちかごろ事件に餓《う》えているところなんだが、そう焦《じ》れているところを見ると、どうやらこれは大事件らしいじゃないか。おや！　あのテーブルのうえのは君のパイプじゃないね？　忘れてったんだ。古いブライアに通常タバコ屋で琥珀《こはく》と称しているまがいものの長い吸口がついている。

いったいほんものの琥珀の吸口といったら非常に珍しいもので、このロンドンにだって、ほんものを持っている人は幾人《いくにん》もあるまい。なかにハエのはいっているのはほんものだと思いこんでいる人もあるが、ニセものの琥珀のなかにニセもののハエを入れることが、りっぱに職業として存立する世のなかだからね。

だがこのパイプはまがいものながら相当大切にしていたろうと思われるのに、それを忘れてゆくようじゃ、よほど心が顚倒《てんとう》しているのに違《ちが》いないというわけさ」

「大切にしていたことが、どうしてわかる？」

「このパイプは新しく買ってまず七シリング六ペンスというところだろうが、見たまえこの通り二度修繕《しゅうぜん》してある。この吸口をさしこむ場所を一度、琥珀の部分を一度、ほらね、この通り銀の帯がまいてある。これは二度とも、新しくパイプを買いなおすよりも高い修繕料をとられたに違いないが、そんなにまでして古いのを使うというのは、よほど大切にしている証拠《しょうこ》じゃないか」

「なるほど。ほかにも何か変ったところがあるのかい？」私はホームズがまだパイプをひねくりまわしては、例によって考えこんでいるので尋《き》いてみた。すると彼はパイプを持ちなおし、医学の教授が骨の講義でもするように、細長いひとさし指でコツコツたたいてみながら、

「パイプというものは、時々きわめて面白いことを教えてくれる。懐中《かいちゅう》時計とくつひもとを除けば、おそらくこれほど個性を現わすものはあるまい。もっとも今の場合は、そう大して重要な特徴《とくちょう》も現われてはいないが、それでもこのパイプの持主が筋骨たくましい男で、左ききで、歯なみが丈夫《じょうぶ》で、ものごとに無頓着《むとんちゃく》な性癖《せいへき》があり、経済上の苦労のない男だくらいのことはわかる」

ホームズは口から出まかせみたいにこういって、その推理が私にわかったかなというように、じろりと私のほうへ横目をつかった。

「パイプに七シリングもかける男だから、裕福《ゆうふく》だというのかい？」

「これは一オンス八ペンスのグロブナ・ミクスチュアだよ」と彼は手のひらに吸いさしを少したたきだしてみせ、「半分の四ペンスでもかなりのタバコがあるんだから、経済に心をくばる必要のない男だというのさ」

「ではほかの点は？」

「この男はランプやガスの火でパイプを吸いつける癖《くせ》がある。こっちがわがこの通り、すっかり黒く焦《こ》げているだろう？　マッチじゃこんなに焦げるわけがない。マッチをパイプの横に持ってくものもなかろうじゃないか。

それに反してランプで吸いつければ、どうしたってガン首が焦げるに決っている。そしてこのパイプでは右がわが焦げているところから、持主が左ききだと推定したわけさ。君のパイプをランプで吸いつけてみたまえ。右ききの君には左がわへ火をもってゆくのがいかに自然だか、よくわかるから。

むろん右ききだって左の手で吸いつけることがないとはいえないが、それはときたまのことだ。ふだんは右手を使うにきまっている。このパイプなんか、もっぱら左手ばかり使ってある。それからこの吸口は歯でかんであるが、これは筋骨たくましい精力家で、丈夫な歯をもっている証拠だ。

だが持主がどうやら階段をのぼってくるらしい。これはパイプなぞ研究しているよりも、ずっと面白いことがありそうだぜ」

ホームズの言葉のおわると共に、ドアが開いて、背のたかい青年がはいってきた。濃《こ》いグレーの服という、上等だがじみな服装《ふくそう》で、茶の中折帽《なかおれぼう》を手にしている。見たところ三十くらいと踏《ふ》んだが、じっさいはそれよりいくつか上だった。

「これは失礼しました」青年はすこし当惑《とうわく》した様子で、「ノックすべきでしたかしら？ いやたしかにノックすべきでした。それというのも私はすこし気が顚倒しているものでして、決して悪気でしたのじゃありません」と、半ば失神したように顔へ手をやって、腰《こし》かけるというよりは倒《たお》れかかるようにいすに着いた。

「この一両日お寝《やす》みになりませんね？」ホームズは独特の気がるさで、愛想よくいった。「不眠《ふみん》というやつは、働いたよりも、遊びすぎたよりも、人間の神経を疲《つか》れさせるものですよ。ところでご用件は……」

「ご意見がうかがいたくて参りました。私はどうしてよいかわからなくなりました。私の生涯《しょうがい》はめちゃめちゃになろうとしているのです」

「私に探偵《たんてい》を依頼《いらい》したいとおっしゃるのですか？」

「そればかりじゃありません。思慮《しりょ》あるあなたの、世故《せこ》に通じておいでのあなたのご意見がうかがいたいのです。私はこれから先どうしたらよいか、それが知りたいのです。どうぞ教えてください、お願いです」

青年はきれぎれに、激情的《げきじょうてき》に話した。口をきくだけでもなみなみならぬ苦痛なのを、意志の力で押《お》さえつけているらしいのが、私にはよくわかった。

「きわめてデリケートな問題なのです。いったい一家の内情を、知らないかたにうち明けるのは、誰にしたって好ましいものではありますまい。まして妻と、見も知らぬ二人の男との行為《こうい》を問題にするなんかは、不愉快《ふゆかい》のかぎりというべきです。しかも私は、その不愉快を忍《しの》ばなければならない恐《おそ》ろしい立場にあるのです。私は思案も分別もつきはてました。ご助言を得る以外、もうどうしようもありません」

「グラント・マンローさん、あなたは……」

ホームズがいいかけると、客の青年はいすからとびあがった。

「ええッ！　私の名をご存じなのですか？」

「名まえを出したくないのでしたら」とホームズは微笑《びしょう》をうかべて、「帽子の内がわに名まえを書いておくのをお止《や》めになるか、さもなければ相手のほうへは山をむけてお置きになるのですね。私はいま、このワトスン君と私とは、この部屋で多くの人のいろんな秘密を聞きとって、幸いにも多くの悩《なや》みある人たちのため、平和をもたらすことができたことを申しあげようと思ったのです。むろんあなたのためにも、大いに尽力《じんりょく》いたしましょう。それでは、手おくれになるといけませんから、さっそく事実をお話しねがいましょうか」

客はここでまた、ひどく話しにくそうに、額へ手をやった。私はその身ぶりや表情の一つ一つから推《お》して、この青年が寡黙《かもく》な、何ごともかるがるしくは他人に相談をかけない性質の男で、自尊心もあり、痛手は痛手として隠《かく》しこそすれ、ぺらぺらとしゃべるのはきらいなほうなのだと見てとった。だが彼は握《にぎ》った手をはげしく振《ふ》ると、すっかり観念のほぞをきめたらしく、とつぜん口をきった。

「実はこういうわけなのです。私には妻があります。三年まえからのことです。三年間、私たちは愛しあい、世の新婚《しんこん》夫婦らしく幸福に暮《く》らしてきました。私たちのあいだには思想的にも、言葉や行為のうえにも、少しの隔《へだ》たりもありませんでした。それがいまは、この月曜日以来、二人のあいだにはとつぜん障壁《しょうへき》が湧《わ》きおこったのです。彼女《かのじょ》の生活や思念のなかに、街頭で行きずりに遭《あ》う女のように、全然私の知らぬもののあるのに気がついたのです。私たちはよそよそしくなってしまいました。その原因を私は知りたいのです。

話をすすめる前に、どうしても申しあげておきたいことが一つあります。エフィーが私を愛していることです。どうぞこの点だけは誤解《ごかい》のないようになすってください。彼女は全精神をうちこんで私を愛しております。しかもその愛は現在でも、少しも変わるところはありません。私にはそれがよくわかるのです。だから、これ以上説明したくはありません。男として、女から愛されているかいないかくらい、すぐにわかることですからね。しかも私たちのあいだには、そうした秘密が生じたのです。これがはっきりするまで、私たちは落ちついてはいられません」

「どうぞもっと詳しく話してください」ホームズは少し焦れてきたようだ。

「ではエフィーの過去について、私の知っているだけのことを申しましょう。初めて知り合ったとき彼女は未亡人だったのですが、年はまだ二十五ですから、若かったのです。そのころはヘブロン夫人といっていました。

彼女は若いころアメリカへ渡《わた》って、アトランタの町に住んでいましたが、そこでヘブロンというかなり腕ききの弁護士と結婚しました。二人のあいだには子供までできましたが、あるとき黄熱病がひどく流行《はや》って、良人《おっと》と子供を一時になくしてしまったのです。良人という人の死亡証明書を見たことがありますから、これはまちがいのない事実です。

これで彼女はアメリカにいや気がさしてイギリスへ戻《もど》ってきて、ミドルセックス州のピナーにいる未婚の伯母《おば》といっしょに暮らすことになりました。それは安楽に暮らせるだけのものを良人が遺《のこ》してくれたからでもありますが、この金は四千五百ポンドばかりですのに、よほどうまく投資されていると見えまして、年七分の利回りになっていました。私と知りあったのはピナーへきて六カ月目で、愛しあった結果それから数週間後に結婚したのです。

私はホップ商ですが、収入は七、八百ポンドになりますので、相当気楽な生活ができます。で、ノーバリに年八十ポンドで小ぎれいな別荘風《べっそうふう》の家を借りましたが、市中にちかい割に大そう田舎《いなか》びた閑静《かんせい》な場所です。少し上のほうに宿屋が一軒《けん》と住宅が二軒あるのと、反対がわの表のほうに畑をへだてて小さな家が一軒あるだけで、そのほかに駅へゆく道の半ばまで、一軒も家がないほどです。

私は商売がら季節によってはロンドンへ出かけなければなりませんが、夏はいたって閑《ひま》ですから、私たちはこの田舎家で思う存分の幸福にひたっていたのです。こんどの厭《いと》わしい事件のおこるまでは、私たちのあいだには何一つ暗い影《かげ》はなかったのです。

ここでちょっとお話しておかなければなりませんが、結婚と同時に妻は自分の財産を全部私に差し出してしまいました。私としてはむしろそれには反対だったのです。というのは万一商売のほうで失敗でもすると、私名義になっていればそれまで巻添《まきぞ》えをくうおそれがあるからです。でも妻がたってそうしてほしいと申しますので、結局預かることにしましたが、今からちょうど六週間まえに、彼女はこんなことをいいだしました。

『ねえあなた、わたしがお金をお渡しするとき、あなたはおっしゃったわね、要《い》ることがあったら何時《いつ》でもそうお言いって』

『いったとも。あれはみんなお前のものなんだもの』

『そう？　ではわたし百ポンドほしいの』

私はこの金額をきいて、ちょっと驚《おどろ》きました。だって着物か何か買いたいのだろうと思っていたものですから、それにしては百ポンドは多すぎますからね。

『いったい何に要るの？』

『あら、あなたはわたしのお金を預かるだけの銀行だっておっしゃったでしょ。銀行がそんなこと尋《き》くもんじゃないわ』妻は冗談《じょうだん》のようにいいました。

『ほんとうに要る金なら、そりゃあげるがね』

『ええ、ほんとに要るのよ』

『ただ何に要るのだか、それはいいたくないのだね？』

『いつかは申しあげるわ。でも、今はいえないの』

そんなことで私は、納得《なっとく》させられてしまいましたが、二人のあいだに秘密らしいものの生じたのは、これが初めてでした。私は妻に小切手をわたして、そのことはそれきり考えないことにしました。そしてこのことは、後に生じた事件とは関連のないことなのかもしれませんけれど、それにしても一応は申しあげておくほうがよかろうと思って申しあげたのです。

さて、私の家のすぐ近くに、小さな別荘が一軒あることは、先ほども申しあげました。これは畑ごしにすぐ近くにあるのですが、そこへ行くには表から道路をまわって、小道を横に入らなければなりません。この別荘の向こうがわにはスコットランド樅《もみ》の美しい林があって、私はそのへんをぶらぶら歩きまわるのが大好きでした。木というものは、いつでも親しみ深いものですからね。

別荘は忍冬《すいかずら》のからんだ古風なポーチなどのある小ぎれいな二階家でしたが、この八カ月ばかり、惜《お》しいことにずっと空家のままでした。私は何度となく家のまえに立っては、これならどんなにか住心地のよい田舎住宅ができるのだがと、いつも感心して見入ったものでした。

するとこの月曜日の夕方、いつもの通りその道をぶらぶら散歩していますと、小道のほうから空の荷馬車が登ってくるのに出あいました。見ると例のポーチのそばの芝《しば》生《ふ》のうえには、絨毯《じゅうたん》だの何だのが積みあげてあるので、いよいよ別荘に借り手がついたのだとわかりました。私はそのまえを通りすぎてから、のん気らしく立ちどまり、どんな人がくるのだろうと、じろじろ見ていますと、二階の窓からじっとこっちを見おろしている顔に気がつきました。

その顔がどうだったというのではなく、瞬間《しゅんかん》私は背すじにぞっと悪寒《おかん》を覚えました。

私のいるところからは離《はな》れすぎているので、容貌《ようぼう》ははっきりしませんけれど、何かこう奇怪《きかい》な、残忍《ざんにん》なものがあったのです。

瞬間にそう感じたものですから、いったい何者だろうとそばへ寄ってよく見定めるため、急いでまえへ出てゆきますと、さっとその顔は消えてしまいました。それがあまり急だったので、私には何だか部屋のなかの闇《やみ》に吸いとられたように思われたほどです。

私は五分間ばかりもそのまま立ちつくして、うけた印象を分析《ぶんせき》してみましたが、第一男だか女だかもはっきりしないのです。ただ色だけはいかにも鮮《あざ》やかに眼底にのこっています。それはまるで死人のような黄いろさで、しかもぞっとするほど不気味にこちらを見すえているのでした。

私は不安のあまりに、この新来の一家をもっとよく観察してやろうと決心しまして、玄関《げんかん》へ入りこんでドアをノックしてみました。するとすぐにドアがあいて、険《けん》のある不快な顔をした、背のひょろ高い女が現われました。

『何かご用ですか?』言葉に北国なまりがあります。

『お隣《とな》りに住んでいるものですが』と私は家のほうを目で知らせながら、『お引越《ひっこ》しのようですから、お手伝いすることでもあったらと思いましてね……』

『いえ、お願いしたいときは、こちらからそう申し出ます』

こういったなり、その女は私の目のまえでピシャリとドアを閉めてしまいました。不作法なことわりかたに苦りきって、私は家のほうへ帰ってきましたが、ひと晩中考えまい考えまいと思いながらも、ともすれば窓に現われたあの不気味な顔や、不作法な女の態度などが心を去りませんでした。

妻はいったいが神経過敏《しんけいかびん》のほうですから、あの窓の顔のことは何もいうまいと心にきめましたが、女の不作法さのほうも、何も私のうけた不快さを妻と二人で分かち味わう必要はあるまいと思いました。でも寝《ね》るまえに、隣りの別荘がふさがったことだけは話してきかせましたが、それにたいして彼女はべつに何もいいませんでした。

ふだん私はごく眠《ねむ》りの深いほうで、いったん眠ったらどんなことがあっても目のさめる人ではないと、家庭でも日常の笑い草にされているほうですが、その晩にかぎって、夕方の例の事件に少しばかり興奮したためでもありましょうか、ふだんのようにぐっすりとは眠れませんでした。うとうとするうち夢心地《ゆめごこち》ながら、何か部屋のなかで動いているのをかすかに意識していましたが、次第《しだい》にそれがはっきりしてくるにつれて、妻がこっそり起きあがって身支度《みじたく》をし、外套《がいとう》をつけているのだとわかりました。

時ならぬ時分に外出の支度をしているのに驚いて、何かいおうとしたのですが、そのときふとねぼけ眼《まなこ》に、ろうそくに照らしだされた妻の顔がうつったので、出かかった寝言まじりの小言をひっこめて、ハッと私は口をつぐみました。彼女はついぞ今まで見せたこともないような顔つきをしているのです。彼女にあんな顔ができようとは、思いもよらなかったほどです。

まるで死人のように青ざめ、呼吸をはずませて、外套を急いでまとったとたんに、彼女は私の眠りをさましはしなかったかと、寝台《しんだい》のほうをひそかに窺《うかが》いました。それから、大丈夫眠っているものと思ったらしく、音もなく部屋をすべり出てゆきました。それからすぐに、鋭《するど》いきしりが聞こえましたが、それは玄関のドアの蝶番《ちょうつがい》以外のものではありません。

私は寝台に起きなおって、夢ではないかと手摺《てすり》をげんこでたたいてみました。それからまくらの下から懐中《かいちゅう》時計を出してみると、午前三時でした。こんな時刻にさびしい屋外へ出て、妻はいったい何をしようというのでしょう?

二十分ばかりというもの、坐《すわ》りこんだなりあれかこれかと、妻の行動の意味をいろいろに考えてみましたが、考えれば考えるほど普通《ふつう》ごとではなく思われるばかりで、いよいよ不可解になってくるのみです。なおも思い悩んでいるうち、静かにドアの音がして、彼女のひそやかな足音が階段をのぼってきました。

『エフィー、お前いったいどこへ行ってきた？』彼女のはいってくるなり私は尋《たず》ねました。

するとと彼女はよほど驚いた様子で、あッと押し殺したような声でさけびました。その態度には、明らかに何かうしろめたいところが見られましたから、いっそう私は心を掻《か》きむしられました。妻は何でもハキハキいう女ですが、それが自分の部屋へはいるのに、良人《おっと》の目を忍ぶようにはいってきて、とがめられてあッと驚き、ビクビクしているのですから、私にとっては全く興ざめなことでした。

『あら、起きていらしたのね』と彼女は神経質に笑って、『だってわたし、どんなことをしても、あなたはお目ざめじゃないと思っていましたのよ』

『どこへ行ってきたんだ？』私はすこしきつく尋ねました。

『さぞびっくりなすったでしょうねえ』といいながら外套のボタンをはずす指先をみれば、ひどく震《ふる》えています。『だって、こんなことこれまでに一度だってなかったんですもの。あのね、こうなのよ。わたし何だかひどく呼吸が苦しいので、そとの空気を吸わないじゃいられなくなりましたの。あのとき出てゆかなかったら、わたしほんとに倒れてしまったかもしれませんわ。五分間ばかりそとに立っていたので、今はすっかりよくなりましたけれど』

話のあいだ妻は一度も私のほうを見ようとはせず、声の調子もいつもとはまるで違《ちが》っていました。彼女のいっていることのうそなのは、むろんわかりきっています。私はなんとも返答しないで、壁《かべ》のほうを向いてしまいましたが、心のなかは恐ろしい疑《ぎ》惑《わく》や猜疑《さいぎ》でいっぱいでした。

妻はいったい何を隠しているのだろう？　姿を消していたあいだに、どこへ行ってきたのだろう？　それを知りつくすまでは、私としても気がおさまらないのはわかりきっていますが、といってうそにもせよ向こうでこうだといっているのに、それを押しかえして尋ねる気にもなりません。夜のあけるまで私は輾転反側《てんてんはんそく》して、臆測《おくそく》に臆測をかさねましたが、考えれば考えるほどわからなくなってくる一方でした。

その日私はロンドンへ出ることになっていたのですが、とうてい商売上の用事などしていられそうもないほど、気持が混乱していました。妻とても同様で、チラッ、チラッと私のほうへ向ける疑わしげな視線を見ても、私が彼女の言葉を信じていないのを悟《さと》り、どうしてよいか途方《とほう》にくれているのがよくわかります。

朝の食事のあいだ、私たちはほとんど一語をも交えませんでしたが、食事がすむとすぐに私は散歩に出かけました。朝の新鮮《しんせん》な空気のなかで、もう一度ようく考えてみようと思ったのです。

私はクリスタル・パレスまでも足をのばして、芝生で一時間ばかり休んでから、一時ごろにノーバリへ帰ってきました。帰りに例の別荘のそばを通りかかりましたので、ふと前日私を見つめていたあの奇怪な顔が見えはしないかと、立ちどまってみました。するとそのときとつぜんドアがあいて、妻がその家から出てきたときの私の驚きをお察しください。

ひと目見るなり、私はあまりの驚きに口もきけませんでしたが、それも二人の視線のぱったりあったとき、妻の顔に現われた激動には比ぶべくもありません。瞬間彼女は家のなかへとって返しそうな様子を見せましたが、いまさら隠しだてしても追っつかないと気がついたらしく、青ざめた顔、おびえた眼差《まなざし》を口もとの微笑にまぎらしながら、近づいてきました。

『あら、あなた、いまね、こんどお隣りへいらしったかたのところへ、何かお手伝いでもと思って、うかがったところなのよ。何だってそんなにわたしの顔ばかりご覧《らん》になるの？　何かお気にさわることでもあって？』

『ふむ、ゆうべ家を出たのもこれだな』

『何よ？　何がこれなのよ？』

『お前はゆうべもここへ来たんだ。ちゃんとわかっている。あんな時分にお前のくるここには、いったい誰《だれ》がいるんだ？』

『わたしここへ来たのは今がはじめてよ』

『うそとわかっているのに、どうしてそんなことが私に向かっていえるのだろう？　そういうお前は声まで違っているよ。今日まで一度だって、私がお前に隠しだてしたことでもあったかい？　よし、この別荘へはいっていって、得心のゆくまで調べてやる』

『いけません、いけません、後生だから！』

彼女はおろおろ声で叫《さけ》びましたが、かまわず私が戸口のほうへ行きかけると、袖口《そでぐち》へしがみついて恐《おそ》ろしい力でひき戻しました。

『ま、あなた、お願いですからどうぞそればっかりはしないでちょうだい。いつかは何もかもお話するときが来ますわ。もしあなたがここへおはいりにでもなれば、それこそとり返しのつかない事になります』

と、振《ふ》りきってゆこうとする私に、狂気《きょうき》のようにとりすがって、哀願《あいがん》するのでした。

『わたしを信じて！　ね、こんどだけでいいから、わたしを信じてちょうだい。決して決して悪いことは申しませんわ。秘密秘密っておっしゃるけれど、これもみんなあなたのためなんですもの。これはね、わたしたちの生涯の危機ですのよ。このままお家へ帰ってさえくだされば、何でもありませんけれど、たってこの家へおはいりになれば、私たちの幸福ももうそれまでですわ』

こういってかき口説《くど》く妻の言葉には真心があり、顔つきには思いつめたところが見えましたから、私もそれに打たれて、入口まではゆきましたが、心をきめかねました。『条件つきでお前を信じよう』ついに私は決心していいました。『それもこういう条件にかぎるのだよ。つまりこの秘密を今日かぎりで終りにするのだ。その内容を私にうち明けるかうち明けないかは、お前の勝手だけれど、夜こっそり出かけたり、そのほか私にかくれて何かするのは、いっさい止《よ》すと、ここで約束《やくそく》してもらわなければならない。こうしてお前が将来のことを約束してくれれば、私も今までのことは喜んで水に流そう』

『信じていただけるのはわかっていましたわ』妻はほっと太い溜息《ためいき》をもらして、『何でもおっしゃる通りにするわ。さ、行きましょう。お家へ帰りましょう』

と、なおも私の袖口をひっぱって、家のほうへ行きかけましたが、そのときそっと振りかえってみますと、二階の窓から例の黄いろい顔がじっと私たちのほうを見まもっているではありませんか。

いったいあの不気味な顔と妻のあいだには、どんな連繋《つながり》があるのでしょう？　また前日みたあの下品な女と妻とは、どう関係があるのでしょう？　それはじつに不思議な謎《なぞ》ではありますが、私としてはその謎のとけないかぎり、心の平和は得られそうもないのがわかっています。

このことがあってから二日間、私は家にじっとしていました。妻は私の知るかぎりでは、家をとびだすようなこともなく、忠実に約束を守っているようでした。けれども三日目になって、彼女の厳《おご》そかな誓《ちか》いも、結局は彼女を駆《か》って、その良人や義務から背《そむ》かせるこの秘密の力には、うち勝てないのだという証拠《しょうこ》が十分あがりました。

その日私はロンドン市中へ出かけましたが、帰りはいつもの三時三十六分のでなく、二時四十分の汽車にのりました。帰ってきて家へ入ると、女中がひどく慌《あわ》てた顔つきでホールへ飛びだしてきました。

『奥《おく》さんはどこにいる？』

『さあ、お散歩かと存じます』

私の胸のうちはたちまち疑惑でいっぱいになりました。で、たしかに家のなかにいないかどうか確かめに、二階へ駆けあがってゆきました。そして二階をさがしながらふと窓からそとを見ると、たったいま私が妻の行方《ゆくえ》を尋ねたばかりの女中が、畑を突《つ》っきってあの別荘のほうへ駆けてゆくではありませんか！　むろん私には、それですべての事情が氷解しました。もし私が帰ってきたら迎《むか》えにこいと命じて、妻はあの家へ行っているのです。

私は怒《いか》りに震えながら二階から駆けおりると、こんどこそきれいに解決してしまわずにはおかないぞと心に誓いながら、あとを追ってゆきました。すると小道のほうを妻と女中が急いで帰ってくるのが見えましたが、立ちどまって声をかけるのは止《や》めました。あの家のなかにこそ、私の生活にくらい影を投げかける秘密が潜《ひそ》んでいるのです。どんなことになったって、それを発《あば》かずにはおくものかと、かたく心に決しました。

で、ノックもせずに、いきなりとっ手をまわして、なかへ飛びこんだものです。

階下はひっそりと静まりかえっていました。台所ではやかんが火のうえでシャンシャン鳴っており、大きな黒ねこがかごのなかで丸くなって寝ていますが、あの女は影も形も見えません。不思議に思いながら、ほかの部屋へ駆けこんでみましたが、やっぱり人気《ひとけ》はありません。いよいよ変だと思って、二階へ駆けあがってみましたが、二階は二間ともがらんとして、誰ひとりいないのです。

つまり家中に誰ひとりいないということになります。家具や装飾《そうしょく》の額などはといえば、これはごくありふれた粗末なものですが、ただ例の黄いろい顔の見えた部屋だけはべつで、ここはいかにも気持よく上品に飾《かざ》りつけができていました。ですがふとそのマントルピースのうえに、妻の全身の写真が飾ってあるのを見つけたときは、疑惑が一時にむらむらと堪《た》えがたいまでに猛《たけ》りたちました。それは三カ月ばかりまえに私がそういって撮《と》らせた写真なのです。

家中にほんとに誰もいないのを確かめると、私はさっさと引きあげましたが、心の重さはかつて覚えたことのないものがありました。帰ってみると妻はホールへ出迎えましたが、私としてはあまりの腹立たしさに、口をきく気にもなりません。押《お》しのけるようにして書斎《しょさい》へはいりました。すると彼女はあとを追ってきて、私がドアを閉めきらないうちに中へはいってきました。

『ごめんなさい、お約束にそむいて。でもわけを申しあげたら、きっと許してくださることですのよ』

『じゃすっかり言ったらいいだろう』

『でもそれが申しあげられないのですもの』

『あの別荘に住んでいるのが何ものだか、お前から誰にあの写真をやったのだか、それを正直にいってくれるまでは、私たちは夫婦でも何でもないのだ』

とこういったなり、私は妻の止めるのを振りきって、家を出てしまいました。それが昨日のことで、それ以来彼女には会いませんし、この奇怪な事件についてはさらに見当もつきません。私たち夫婦のあいだにこんな暗い影《かげ》の生じたのはこれが初めてのことですが、私はどうしてよいやら、まるでわからなくなってしまいました。そこへふと今朝になって、あなたこそこうした場合には力になってくださるかただと気がつきましたから、こうして飛びこんで参ったような次第です。何もかも包まず申しあげたつもりですが、もしまだ何かおわかりにならない点がありましたら、何なりとどうぞお尋ねください。私はこれ以上こんな不幸に堪える力はありません。どうぞ少しでもはやく、どうしたらよいのか、それをおっしゃってください」

ホームズも私も、極度の興奮にかられて早口に、きれぎれに物語られたこの異様な告白に、非常な興味をもって耳を傾《かたむ》けた。話がおわってもホームズはほおづえをついたまま、しばらく黙然《もくねん》と考えこんでいたが、

「窓に現われたのはたしかに男の顔だったのですか？」

「見たのはいつでも相当の距離《きょり》がありましたから、たしかにそうと断言はできないのです」

「それにしても、見ていやな感じがなすったとおっしゃるからには……」

「ええ、色がいかにも不自然で、妙《みょう》にこわばった顔をしていたものですから……でも私が近よってゆくと、ひょいと隠《かく》れてしまうのです」

「奥さまが百ポンドほしいとおっしゃったのはいつごろのことでしたかね?」

「もう二月《ふたつき》ちかく前になります」

「あなたは奥さまのご先夫の写真を見たことがおありですか?」

「ありません。先夫が死んでまもなく、アトランタの町に大火があって、彼女は写真や書きつけの類をすっかり焼いてしまっているのです」

「でも死亡証明書だけはお持ちなんですね? あなたはそれをご覧になったのでしたね?」

「見ました。妻は火事のあとで、その写しをとっておいたのです」

「あなたは奥さまのアメリカ時代を知っている人に会ったことがおありですか?」

「ありません」

「奥さまは、またアメリカへ行きたいなどとおっしゃったことがありますか?」

「いいえ」

「あるいは、アメリカから手紙のきたことなんかは?」

「私の知るかぎりでは、一度もないようです」

「わかりました。そこで私はすこし考えてみようと思うのですが、もしその家に、ほんとうに誰もいなくなったのならば、これは問題がすこしむずかしくなりますね。それに反してその家の人たちが、昨日あなたのやってきたのを見て逃《に》げだしたのだとすれば――おそらく真相はこのほうにあると思うのですが――今ごろは帰ってきているでしょうし、解決は容易だと考えられます。

ついてはお願いしたいのですが、あなたはこれからノーバリへ帰って、もう一度その家の窓を調べていただきたいのです。そしてたしかに誰か住んでいると見きわめがつきましたら、無理になかへはいろうとはなさらないで、そっと私たちに電報を打っていただきたいのです。そうすれば一時間以内に私たちが駆けつけて、ぱたぱたと解決をつけてさしあげられるだろうと思うのです」

「もしまだ誰もいないようでしたら?」

「その場合は明日こちらからうかがって、とくとご相談することにしましょう。ではさようなら。くれぐれもご注意しておきますが、確実な根拠《こんきょ》もないのに、決してくよくよと心配してはいけませんよ」

ホームズはグラント・マンロー君を戸口まで送っていって、もとの席へ戻《もど》ってくると、

「なかなか面倒《めんどう》な仕事らしいね、ワトスン君。きみはこれをどう思う？」

「何だかイヤな話だねえ」

「そうさ。この話には恐喝《きょうかつ》がからまっているのだよ。その点はまず間違いないと思う」

「恐喝というと、誰がやっているのだろう？」

「それはその変な別荘《べっそう》の、一つだけ小ぎれいに飾りつけてあるという部屋にいて、彼女の写真をマントルピースなどに飾っているというやつにちがいないよ。僕はね、ワトスン君、窓からのぞいた土いろの顔というのが、何か曰《いわ》くがあるんだと思う。どんなことがあろうとも、こいつだけは動かぬ事実だよ」

「なにか君は理論的説明をもっているのかい？」

「持っている。いまのところ暫定的《ざんていてき》なものではあるが、しかもこいつが暫定的でなくなる時機がこなかったら、それこそお目にかかりたいくらいのもんだ。別荘にはこの女の先夫がいるんだよ」

「なぜそう考えるんだい？」

「そうでないとしたら、彼女が現在の良人《おっと》をその家に入らせまいと、気ちがいのように騒《さわ》ぎたてる理由が説明できないじゃないか。僕の見当じゃ、真相はまあこんなことだろう。

この女はアメリカで良人をもっていた。ところがその良人というのが、何か忌《いま》わしい性質をあらわしてきた……なにか忌《い》むべき病気――ハンセン氏病か白痴《はくち》になったと考えてもよい。たまりかねて彼女は良人をすててイギリスへまい戻り、名まえをかえて、勝手に新生活に入った。

現在の良人とは結婚《けっこん》してから三年にもなることだし、もはや自分の地位は確実だと安心していた。それにはどこかの男――その男の名を彼女は使っていたのだが――の死亡証明書を見せて、現在の良人を安心させてもあるのだ。

そこへとつぜん、先夫に所在を突きとめられた。あるいは廃人《はいじん》に同情をよせるどこかの女にかぎつけられたと考えてもよかろう。そいつらは細君のところへ脅迫状《きょうはくじょう》をよこして、応じなければ行って暴露《ばくろ》するぞと嚇《おど》かす。そこで彼女は良人にたのんで百ポンドの金をもらい、金の力で彼らの口を封《ふう》じようとしたが、それでも彼らはやってきた。

彼女は世間話として良人から、となりの空別荘に誰か移ってきたと聞かされたとき、それが彼女の脅迫者だと悟る。そこで夜良人の眠《ねむ》るのを待って彼らのところへ出かけてゆき、どうか自分の平和な生活を乱さないでくれと説得につとめる。

うまく話がつかなかったので、翌朝また出かけるが、さっきの話のとおり、出てきたところを良人に見つかる。そのときは、もう二度とあの家へはゆかぬと約束するが、二日目（訳注　八一頁では三日目となっているが、これは作者ドイルの思い違い）に、何としてもこの恐ろしい隣人《りんじん》から逃《のが》れたさにうち勝てず、おそらく先方の要求によるものだろうが自分の写真をもって、話をつけにもう一度出かけてゆく。

話のさなかに女中がとびこんできて、いま良人が帰ってきたと告げるので、細君は、良人がすぐにもこの家へ飛んでくると思うものだから、皆をせきたてて裏口から逃がし、すぐそばにあるという樅《もみ》の林のなかへ隠してしまう。だから良人が踏みこんでみたときには、家のなかは空っぽということになったのだが、今晩もう一度あの男が様子を見にいって、やっぱり誰も人がいないということになったら、それこそ僕はお目にかかりたいもんだ。どうだね、僕の説明は？」

「まったくの臆測《おくそく》にすぎないね」

「それにしても、すべての事実に符合《ふごう》はするからね。この臆測で説明しきれないような新事実が出てきたら、そのときこそ考えなおせばいい。いまのところ、ノーバリから何か新しい通知のあるまでは、どうにも手の下しようがあるまい」

とはいうものの、待つこともなく、ちょうど午後のお茶をすませたばかりのところへ、つぎのような電報がとどいた。――『別荘ハヤハリ住人ガイル。窓ニ例ノ顔ガミエタ。七時ノ汽車デオ出デ請ウ。ゴ到着マデハナニモ手ヲツケズニ待ツ』

列車から降りてみると、彼はちゃんとプラットホームで待っていた。うす暗い駅のあかりのなかでも、顔いろがひどく青ざめ、興奮のためからだの震《ふる》えているのがよくわかった。

「まだいますよ、ホームズさん」彼はホームズの服の腕《うで》に手をかけるようにしていった。「いまも家のなかに灯火《あかり》のついているのが見えていました。いっぺんに、きれいに解決してしまいましょう」

「というとあなたのご計画は？」ホームズがこう反問したときには、私たちはもう並《なみ》木路《きみち》にかかっていた。

「私は無理にもあの家へ踏《ふ》みこんで、何者だか見届けてやろうと思います。お二人はどうぞ立会人になってください」

「この秘密は発《あば》きたてないほうがよいと、奥さまからご注意があったのに、あくまでやり遂《と》げようとなさるわけですね？」

「断然決心しています」

「それが正しいやりかただと思います。どんなことになろうとも、不安な疑惑《ぎわく》よりも事実のほうがましです。これからすぐに行ったほうがよいでしょう。むろん法律的にいえば、われわれのすることは決してよくはないのですけれど、いまはそれをいっている時でないと思います」

まっ暗な晩だった。大通りから、両がわに深いわだちのある狭《せま》い小道に入るころには、細かい雨さえ降りだしてきた。だがグラント・マンローはものともせずに、もどかしげに路をいそぐし、私たちも後《おく》れじとけんめいにあとに続いた。

「あれが私の家のあかりですが」と彼は樹木のあいだにちらつく灯火をさして、「踏みこむ家はこっちです」

そのとき私たちは小道を曲ったが、曲ってみるとすぐ眼前に一軒《けん》の建物があった。まっ暗な前庭に一すじ黄いろいものが見えて、ドアがぴたりと閉めきってないのを思わせ、二階は一つだけ窓が明るくかがやいていた。見あげると黒い影が一つ、日覆《ひおお》いのうえにゆらめいた。

「例のやつがいます！」グラント・マンローがそれを見て叫《さけ》んだ。「ね、ほら、誰《だれ》かいるのが見えるでしょう？　さ、こっちへ来てください。何もかもすぐにわかります」

入口のほうへ近づいてゆくと、とつぜんやみのなかから一人の女が現われて、漏《も》れでるランプの黄いろい光りのなかに立った。顔は暗くてわからぬけれど、哀願するように両腕をさしのべて彼女は叫ぶのだった。

「後生ですから、あなた！　今晩はいらっしゃるような気がしましたわ。ね、ジャック、ようく考えてちょうだいよ。そしてどうぞもう一度だけわたしを信じてちょうだい。信じてさえくだされば、決して後悔《こうかい》なさるようなことはありません」

「もう信じるのはたくさんだよ」マンローはおごそかに叫んだ。「おれを通せ！　どうしても通るんだ！　このかたたちといっしょに、こんな問題はすっぱりと片づけてやる！」

彼が細君を押しのけて通ったので、私たちもすぐその後につづいた。そして彼が玄《げん》関《かん》をさっと押しあけると、奥から年とった女が駆けだしてきて、行く手に立ちふさがって通すまいとしたが、彼はそれをも突きとばした。

とっさに、私たちは階段を駆けあがった。グラント・マンローは階段をのぼりつめたところにある灯火《あかり》のついた部屋へとびこんだ。私たちもすぐそれにつづいた。

そこは家具などのちゃんと整った気持よい部屋で、テーブルのうえに二本、マントルピースのうえに二本、ろうそくがともしてあった。一隅《いちぐう》のつくえにむかって屈《かが》みこむようにしている少女らしい姿がみえた。私たちのはいったとき、彼女は顔をそむけてしまったから、赤い服を着て、白のながい手袋《てぶくろ》をはめていることだけしかわからなかったが、やがて急にこっちを振《ふ》りむいたのを見て、私は思わず驚《おどろ》きと恐怖《きょうふ》の叫びをあげた。こちらへ向けたその顔というのが、何ともいえない土気いろで、しかも表情というものが全然なかったからである。

だが事情はすぐにわかった。ホームズが笑いながら少女の耳のうしろへ手をやると、仮面《かめん》がぽろりと落ちて、墨《すみ》のようにまっ黒な黒人の少女が、そこだけまっ白な歯をむきだして、驚く私たちの顔を面白《おもしろ》そうに見あげたのである。私はそれに釣《つ》りこまれて、思わず笑いだしてしまったが、グラント・マンローはせつなそうに自分ののどをつかんで、目を丸くして叫んだものだ。

「こ、これはどうしたんだッ？」

「そのわけはわたしから申しあげましょう」このときエフィー夫人が、少しも動ぜぬほこらかな顔つきで、しずかに部屋へはいってきた。「申しあげないほうがよいと思っていましたけれど、あなたが無理にこんなことをしておしまいになりました。このうえはわたしたち、できるだけ善処しなければなりません。――わたしのまえの良人はアトランタで死にましたけれど、子供は生きのこりました」

「えッ、お前の子供だって？」

夫人は懐中から銀の大きなロケットをとりだして、「これを開けてごらんになったことはございませんでしたわね？」

「それがあくとは思わなかった」

夫人がバネに手をやると、パチンとふたがあいた。なかには魅力《みりょく》ある好男子で聡明《そうめい》そうな男の写真があった。もっともその顔には、まごうかたなきアフリカ黒人系の特《とく》徴《ちょう》があった。

「これがアトランタのジョン・ヘブロンです。たいそう立派な人でしたから、わたしは人種の絆《きずな》をきってまで結婚しましたが、彼の生存中は寸時もそれを後悔したことはありません。ただしかし、たったひとりの子供がわたしの系統をひかずに、父親に似て生まれたのは不幸でした。こうした結婚には珍《めずら》しいことではありませんものの、ルーシイは父親よりもずっと黒いのです。でも色なぞ黒くとも白くとも、これは可愛《かわい》いわたしの娘《むすめ》には違《ちが》いないのです。母親にとってはかけ替《が》えのない愛児なのです」

この言葉で少女は母親のそばへ駆《か》けより、そのひざにすがりついた。エフィーは言葉をつづけて、

「わたしがこの子をアメリカへ残してきましたのは、この子のからだが弱いものですから、変った土地へつれてきて障《さわ》ってはならないと思ったからに過ぎません。

子供はわたしたちの召使《めしつか》っていました忠実なスコットランド生まれの女にあずけておきましたが、手ばなすつもりなどは片時もありはしませんでした。でも縁《えん》あってあなたという方を知り、愛するようになってからは、子供のことを知られるのが心配になりました。あなたに棄《す》てられるのが怖《おそ》ろしくて、どうしてもうち明けられなかったのです。あなたにつくか子供につくか、二つに一つを選ばなければならない場合になって、心弱くも私は愛する子供に背《そむ》いてしまいました。

そして三年のあいだ、この子のあることをあなたには隠しとおしてきましたが、そのあいだ乳母《うば》からのたよりで、丈夫《じょうぶ》に育っていることだけは知っていました。でもそのうちわたしは、会いたさに矢も楯《たて》もたまらなくなってきました。必死にそれを抑《おさ》えようと苦しみましたが、及《およ》びません。危険は十分知っていましたけれど、数週間だけならばと、そばへ呼びよせる決心をしたのです。

乳母に百ポンド送って、この家のことを詳《くわ》しく知らせてやり、わたしとは何の関係もないような顔で引越《ひっこ》してこさせました。なおそれには注意ぶかく、ひるのうちは子供を表へ出さないように、そして顔と手とを隠させて、もし誰かが窓から見ることがあっても、近所に黒人の子供が来たなどとうわさをたてられないように命じておきました。今から考えれば、こんなに用心ぶかくしないほうが、かえってよかったのかもしれませんけれど、そのときはあなたに知られるのが恐《おそ》ろしくて、わたしは半狂乱《はんきょうらん》だったのです。

となりの別荘へ誰か引越してきたと教えてくだすったのはあなたでした。朝まで待てばよかったものを、いよいよ来たと知っては、おちついて眠っていられません。あなたのお目のさめにくいのを知っているわたしは、思いきって忍《しの》び出ました。でもそれをあなたに見られてしまったので、また新しい心配がふえてきました。

翌日あなたは、わたしの秘密をいったんはお責めになりましたが、男らしくも最後には追及の手をゆるめてくださいました。でもそれから三日目には、あなたが表から飛びこんでいらしったので、乳母は子供をつれて辛《から》くも裏口から逃げだすという騒ぎがおこりました。そして今晩、あなたは何もかも知っておしまいになったのです。わたしたち母子はこれからどう致《いた》したらよろしいのでしょうか、どうぞおっしゃっていただきとうございます」

ながいながい無言の二分間がつづいたのち、グラント・マンローはやっとものをいったが、その答えは思いだすだに気持のよいものだった。彼は子供をだきあげてキスし、それをおろしもしないで、片手を細君のほうへのべてドアのほうへ向かったのである。

「そのことは家へ帰ってから、もっとゆっくり話しあおう。私もたいして善良な男とは思わぬが、お前が考えているよりは少しはましな男のつもりだよ」

ホームズと私とは彼らの後について下へおり、表へ出た。するとホームズは歩きながら私の袖をひいて、

「ノーバリにいてももう用はなさそうだから、ロンドンへ帰ろうよ」

ホームズはそれきり事件のことは少しも口に出さなかったが、その夜おそく、ろうそく片手に寝室《しんしつ》へ引込むというときになって、

「ワトスン君、これからさきもし僕が、自分の力を過信したり、事件にたいしてそれ相当の骨折りを惜《お》しんだりするようなことがあったら、ひとこと僕の耳に、『ノーバリ』とささやいてくれたまえ。そうしてくれれば僕は非常にありがたい」

――一八九三年二月『ストランド』誌発表――

株式仲買店員

結婚《けっこん》後まもなく、私はパディントン区に医者の株を買った。私にそこを譲《ゆず》ったファークァー老は、ひところは内科一般《いっぱん》で盛大にやっていたのだが、何分よる年波でもあり、持病の舞踏病《ぶとうびょう》が思わしくないので、患者《かんじゃ》がめっきり減ってきた。いったい世間というものは、医者は他人の病《やまい》をなおすくらいだから、自分はいつでも無病息災であるべきだと、まア自然そんな風に思いこみがちのもので、それが病気になって、自分の手当でなおしきれないとなると、何だ医者のくせにと、その人の一般的な手腕《しゅわん》まで白眼視しだすものだ。ファークァー老もそんなことからしだいに患者をなくして、ひところは年に千二百ポンドもあった収入が、私の買ったころには三百ポンドあまりに落ちてしまった。だが私は、自分の若さと元気いっぱいの精力をもってすれば、二、三年を出《い》でずして昔日《せきじつ》の繁栄《はんえい》をとり戻《もど》してみせる自信が十分あったのだ。

開業して三月《みつき》というもの、私は仕事に一生懸命《いっしょうけんめい》で、ベーカー街を訪ねている暇《ひま》なんか薬にしたくもなかったし、向こうも仕事の用むき以外にはどこへも出かける男じゃなかったから、シャーロック・ホームズとはまるきり会う折とてもなかったのである。だから六月のある朝のこと、朝食のあとで「英国医学雑誌」を読んでいた私は、玄関《げんかん》のベルの音につづいてホームズのやや耳ざわりなくらい甲《かん》だかい声の聞こえたときは、ほんとにびっくりした。

「やあワトスン君」彼《かれ》はずかずかとはいってきながら、「久しぶりだね、奥《おく》さんも例の『四つの署名』事件ではすこし興奮しておいでのようだったが、もうすっかり落ちついておられるだろうね？」

「ありがとう。二人とも至って元気でいる」私は温かく彼の手をにぎった。

「このうえの希望をいえば」と彼は揺《ゆ》りいすに腰《こし》をおろしながら、「開業して医術のほうが忙《いそが》しいために、僕《ぼく》たちの推理問題に示した君の興味が、あとかたもなくなってしまわなければよいがねえ」

「それが反対なんだ。ゆうべも実はふるいノートを調べて、これまでの結果を分類していたところなんだよ」

「そのコレクションを、もう締《し》めきったというわけじゃなかろうね？」

「いやどう致《いた》しまして。ああいう経験がこのうえ得られるなら、こんなうれしいことはないね」

「じゃ、早速《さっそく》だが、今日どうだろう？」

「いいとも、君がやるというのならね」

「バーミンガムまででも出かける気があるかい？」

「行くともさ、君が行ってくれというのなら」

「診療《しんりょう》のほうはどうする？」

「となりの先生が出かける折は、いつも代ってあげているから、向こうは喜んで、いつでも借りをかえすというよ」

「ハ、そいつは何より好都合だ」ホームズはいすにそりかえって、半眼にひらいた眼《ま》差《な》《ざし》でキッと私を見ながら、「君は近ごろからだの具合がわるかったね？　夏の感冒《かんぼう》は苦しいもんだ」

「先週三日ばかり、ひどく悪寒《おかん》がして一歩もそとへは出られなかった。だがもうすっかりそんな気《け》はないつもりだが……」

「そうらしいね。だいぶ元気そうだよ」

「じゃどうして僕の病気のことがわかった？」

「そりゃ君、僕のやりかたはわかっているじゃないか」

「じゃ推理で知ったというのかい」

「その通り」

「どういうところから？」

「そのスリッパからさ」

　私は自分のはいているエナメルのスリッパへちょっと目をおとして、「いったいどうして……」といいかけると、ホームズはみなまで聞かずにいったものである。

「そのスリッパはまだ新しい。おろしてからまだ二、三週間にしかなるまいが、いま僕のほうへ向けている底を見ると、すこし焦《こ》げたところがあるよ。僕もはじめは、濡《ぬ》れたので火で乾《かわ》かすとき焦げたのかと思ったが、よく見ると甲皮《こうがわ》のちかくに、商店の符牒《ふちょう》をかいた小さなまるい封緘紙《ふうかんし》がはりつけてある。濡れたのならむろんはげてしまう代物《しろもの》だ。してみると君は暖炉《だんろ》のまえに両足をかざしていたということになるが、健康なものならいくら今年のように雨が多いといっても、六月にそんなことをするはずはあるまい」

　例によって、説明をきいてみればじつに他愛《たわい》もないことだ。その気持を私の顔いろで読みとったのだろう、ホームズはほろ苦い微笑《びしょう》をうかべて、

「僕は説明しといちゃ、うっかり口をすべらせて損したという気がするよ。原因をい

わずに結果だけ知らせたほうが、ずっとありがたく聞こえるものだ。――じゃバーミンガムへはいつでも行けるね？」

「行くよ。事件はどんなものなんだい？」

「汽車のなかで万事話す。その依頼人《いらいにん》を表のタクシー馬車のなかに待たせてあるんだ。今からすぐ出られるかい？」

「出られるとも」私はとなりの医者にひと筆走りがきして、二階へ駆《か》けあがり、妻に事情を告げて降りてみると、ホームズは玄関に立って待っていたが、

「となりも医者だね」としんちゅうの看板をあごでしゃくった。

「うん、やっぱり株を買ってはいった口なんだ」

「ふるい医院なのかい？」

「僕のところと同じくらいだろう。二軒《けん》とも家の建ったときから医院なんだ」

「じゃ君はいいほうを手に入れたわけだ」

「僕もそのつもりだがね。君はどういうところからそれがわかるんだい？」

「石段でさ。君の家のはとなりのより三インチもふかく刳《えぐ》れているよ。ところで紹介《しょうかい》しよう。馬車にいるこのかたはホール・パイクロフトさんだ。おい御者君《ぎょしゃくん》、汽車の時間にぎりぎりしか余裕《よゆう》がないから、急いでやってくれ」

私に向きあって坐《すわ》ったその依頼人というのは、体格がよく、血色のすぐれた青年で、飾《かざ》りけのない律義《りちぎ》そうな顔に、縮れた黄いろいチョビ髭《ひげ》があった。よく光るシルクハットをかぶって、黒の渋《しぶ》い服を格好よく着た姿は、チャキチャキの若い金融業者——わけてもロンドン児《カクニー》の名で呼ばれ、そのなかから立派な義勇兵連隊を生み、またいずれの階級の人たちよりも立派な運動家、競技家を出すので知られている階級にぞくする人であるのを、それ自身物語っていた。

従ってその赤みがかった丸顔は、いかにも陽気にできていたが、への字なりに両端をひきさげた口もとだけは、妙《みょう》に悲痛さがあるように私には思われた。だが一等車に乗りこんで無事バーミンガムへ向けて発車するまでは、彼がなぜそんな顔をしてホームズのところへ駆けこんできたのだか、私はなにも聞かせてはもらえなかった。

「これからちょうど七十分かかる」汽車が発車するとホームズがいった。「ではホール・パイクロフトさん、たいそう面白《おもしろ》いあなたのお話をもう一度、いやできればもっと詳《くわ》しく、ワトスン君に聞かせてやってください。私としても重ねてうかがえば、また参考になるというものです。

この話はね、ワトスン君、なにかそこに綾《あや》があるのか、それとも全然なんでもないことなのか、それすらまだわからないのだけれど、いずれにしてもきわめて常軌《じょうき》を逸《いっ》した異様な話だから、君にもきっと面白いよ。じゃパイクロフトさん、もうお妨《さまた》げはしませんから、始めていただきましょう」

パイクロフト青年は私のほうを見て目をぱちぱちやり、こんな風に話しはじめた。

「この話で何より困るのは、私がはしにも棒にもかからないバカになっていることです。むろんこれは大騒《おおさわ》ぎするにも及《およ》ばぬことかもしれませんけれど、私としては、ほかにとるべき方法があったとも思いません。だが万一これで仕事の口は棒にふったわ、新しいほうは駄目《だめ》になったわじゃあ、まったく目もあてられませんからね。話は上手じゃありませんが、こういうわけですよ、ワトスン先生、聞いてください。

私はドレイパーズ・ガーデンのコクソン・アンド・ウッドハウス商会に勤めていたものですが、ご承知でもありましょうけれど、この春早々ヴェネズエラ公債《こうさい》の大暴落《おおがら》をくって、店はめちゃめちゃにたたきのめされてしまいました。勤めたのは五年まえからですが、いよいよいけないとなると、コクソン老人はりっぱな推薦状《すいせんじょう》をかいてくれました。でも何しろ二十七人というものが一時に職をはなれたのです。そこここと心あたりをあたってみましたけれど、ほかの連中もおなじところを漁《あさ》っているんですから、うまくゆくわけがありません。とうとう長いこと遊んでしまうことになりました。

コクソンでは週に三ポンドとっていましたので、七十ポンドばかり貯金もできましたが、坐《ざ》して食えば何とやらで、こいつもたちまちきれいに使いはたし、はては新聞の募集《ぼしゅう》広告に応募しようにも、切手代どころか封筒《ふうとう》を買う金もないという始末です。事務所の階段をあがり降りするので、くつはすっかり擦《す》りきれてしまいましたが、それでもいつになったら職にありつけることか、まるっきりあてもない心細さです。

でもそのうちに、ロンバート街の大きな株式仲買店で、モウソン・アンド・ウイリアムズというのに欠員を見つけました。ＥＣ（訳注　ロンドン市の東中部郵便区）方面はあまりご存じゃありますまいが、この仲買店はロンドンでも指折りの資産ある店ということになっているのですよ。

応募申込《もうしこ》みは手紙にかぎるとありますから、どうせダメとは思いながらも、推薦状をつけてさっそく申込んでおきますと、おりかえし返事があって、来《きた》る月曜日に来店すれば、容貌風体《ようぼうふうてい》などに不満のないかぎり、すぐ採用するときました。いったいどうしてこんなことになるのだか、まったく不思議なくらいです。

話にきくとこういう場合は支配人が、山と積んだ申込み書のなかへ手を突《つ》っこんで、でたらめに一枚ぬきとって、それに決めるのだといいますが、とにかく私に順がまわってきたわけで、このときくらい嬉《うれ》しかったことはありません。しかも給料は一ポンドだけ多く、それでいて仕事はコクソンの店と変りないのです。

さて、いよいよこれからが話の本題でして、何とも奇妙奇天烈《きみょうきてれつ》なことになるわけですが、私はハムステッドのさきに下宿していました。——ポッター・テラス一七番というのがアドレスです。あしたは勤め口のきまるという晩に、ひとりぼんやりタバコをやっていますと、下宿のかみさんが『経理士アーサー・ピナー』という名刺《めいし》をもってやってきました。

聞いたこともない人ですから、どんな用むきで来たのかさっぱりわかりませんが、ともかく通してくれるようにいいました。はいってきたのは中肉中背で髪《かみ》の毛も目も黒っぽく、まっ黒な顎鬚《あごひげ》があって、鼻のあたりのいやにてらてらした男でした。挙動《ものごし》はいかにもはきはきして、寸時もゆるがせにしないといった調子できびきびした口をきくやつです。

『ホール・パイクロフトさんですね？』

『そうです』私はいすを押《お》しやりました。

『最近までコクソン・アンド・ウッドハウスにお勤めでしたね？』

『はい、そうです』

『そしてこんどはモウソンのほうへ？』

『仰《おお》せのとおりです』

『ええ、じつは、あなたがすばらしい経理上の手腕《しゅわん》をお持ちとうかがって、こうしてお訪ねいたしたようなわけですが、あなた、コクソンの支配人のパーカーを覚えておいででしょうな？　あの男が口をきわめてあなたのことを誉《ほ》めちぎっています』

むろんそう聞いて、私はすっかり嬉しくなりました。店ではかなり如才《じょさい》なくやっていたつもりですが、自分のことがこんな風に、世間の評判にのぼっていようとは、夢《ゆめ》にも思っちゃいなかったことです。

『たいへん記憶《きおく》がいいんですって？』

『まあ少しはね』こうなると謙遜《けんそん》が出ます。

『職をはなれてからも、相場には目をとおしていますか？』

『毎朝相場表は見てきました』

『ほう。それでこそほんとの精励《せいれい》というものです。それでなければ出世はできません。失礼ながら、ひとつ試《ため》させていただけませんかな。ええと、エアシャーはいくら？』

『百五ポンドから五ポンド四分の一です』

『ニュージーランド整理公債は？』

『百四ポンドです』

『ブリティッシュ・ブロークン・ヒルスは？』

『七ポンドから七ポンド六シリングです』

『すばらしいものだ！』と彼は大げさに両手をあげて、『まったく話に聞いた通りだ。これは君、モウソンで平の事務員にしとくなんて、もったいない話ですよ』

そうまでいわれては、私も少しびっくりします。

『いや、そんなにまでおっしゃってくださるのはあなただけですよ、ピナーさん。この口だってさんざ苦労してやっと見つけたので、私には不満のところなんか少しもありません』

『何をばかな！　あなたの手腕は決してそんなものじゃありませんよ。あなたは決してそんなところで朽《く》ちるべき人ではない。で、ここは相談ですがね、そりゃ私のもちだす地位だって、あなたの才能からいえば、まだまだ十分とはいえないけれど、それでもモウソンの店とくらべたら、光りとやみほどの違《ちが》いがあるというものです。そこでと……モウソンの店へはいつから行くのです？』

『月曜日からです』

『アハハ、何か賭《か》けてもいいが、結局ゆかないことになりますね』

『モウソンへですか？』

『そうですよ。その日までにあなたは仏英《ふつえい》金物株式会社といって、フランス国内に百三十四カ所と、ほかにブリュッセルとサン・レモに一つずつ支店をもつ大会社の営業部長になるからです』

この話に私は息づまるほど仰天《ぎょうてん》しました。

『そんな会社はいっこう聞いたことがありませんが』

『ごもっともです。何しろ出資者がみんな表むきにしませんし、それに一般に公開するには惜《お》しい有利な事業ですから、ごく秘密裏《ひみつり》に事をはこんでいるのです。私の兄ハリー・ピナーが発起人《ほっきにん》ですが、これは株券割あて率にしたがって、会社成立後は専務取締役《とりしまりやく》に就任します。で兄は私がこっちの事情に詳しいのを知っているので、誰《だれ》かよい人物があったら世話してくれ、活動的で前途《ぜんと》有望な若い人をさがしてくれと頼《たの》んできたのです。そこへパーカーからあなたのことを聞きこんだもので、こうしてお訪ねしたわけですが、はじめはお気の毒ながら五百ポンドしか出せませんけれど……』

『年俸《ねんぽう》五百ポンドですって？』

『ほんの初めのうちだけです。もっともほかに、あなたのきめた代理店扱《あつか》いの取引総額の一分だけは、募集手数料として出すことになっていますから、このほうが年俸よりは多くなること請合《うけあ》いです』

『しかし私は金物のほうにはいっこう不案内なのですが……』

『なんのそんなこと！　あなたは計算に明るいじゃありませんか』

私は頭が混乱して、いすにじっと坐っているのがやっとでした。でもそのうちふと、はげしい疑惑《ぎわく》におそわれました。

『こうなったら正直にいいますが、モウソンは二百ポンドくれるだけですけれど、そのかわり確実です。これに反してあなたの会社のほうは、内容がすこしもわかりませんし……』

『なアるほど、さすが、さすが！』ピナーは有頂天《うちょうてん》によろこんで叫《さけ》びました。『それでこそ私のほうの会社にうってつけの適任というものだ。もうこれ以上資格を詮議《せんぎ》するには及びません。ではここに百ポンドの小切手があります。私のほうへ来ていただけるのでしたら、俸給の前渡《まえわた》しとしてこれを納めてください』

『よくわかりました。で、あなたのほうはいつから勤めたらよいのですか？』

『あすの一時までに、バーミンガムへ行ってください。兄あての紹介状を用意してきていますが、バーミンガム市のコーポレーション街一二六番Bに仮事務所がありますから……兄もお目にかかったら一応の考査はするでしょうが、話はこれで決定しているのだから、心配することはありません』

『いやどうも、あなたには何とお礼を申しあげてよいやらわかりません』

『なァになに、君は当然のものを受けただけのことだから……そこで一つ二つ、ほんの形式だけだけれど、きまりをつけておかなければならないことがあるのですが、そこに紙があるようだから、それへちょっと書きつけてほしいのです。文句は、私は最低年俸五百ポンドをもって、仏英金物株式会社に営業部長たることを承諾《しょうだく》するものなり』

いわれる通りに書いてわたしますと、ピナーはそれをポケットに納めていいました。

『それからもう一つ尋《き》いておくことがありますが、モウソンのほうはどうします？』

私はあまりのうれしさに、モウソンのことはすっかり忘れていましたが、『手紙でことわってやりましょう』といいますと、

『それが困るから尋いてみたのです。私はモウソンの支配人と口論しましたよ。じつは君のことを問いあわせに行ってみると、失礼なヤツですね、うまい口車か何かで君を騙《だま》して引きぬいてゆく気だろうの何のと、あんまりなことをいうものだから、私も腹にすえかねて、そんなに役にたつ人物なら俸給だって立派に出したらいいじゃないか、といってやりますとね、あの男は君のところなんかで高い俸給をもらうよりは、給料は安くともこっちで働きたがっているのさといいます。

こっちも負けていないで、へん、あの男はひと言こっちから話しさえすれば、こんな店なんかけとばしちまうに決まっているんだから、五ポンド賭《か》けてやらあ。すると向こうも、よし、いったな！　おれのほうじゃ溝《どぶ》から拾いあげてやった男なんだ。そうやすやすと逃《に》げだす気づかいはないさ、というやつです』

『何という失敬な！　モウソンの支配人だなんて、私は会ったこともないのに！　私がどうしようと、そんな奴《やつ》からかれこれいわれる道理はありませんよ。あなたがそのほうがいいとおっしゃるんなら、誰が手紙でことわったりなんかするもんですか！』

『よろしい。じゃ約束《やくそく》しましたね？』とピナーは立ちあがって、『兄もこんないい人が見つかって、定めし喜んでくれるでしょう。ではこれが俸給の前渡しで百ポンド、そしてこれが紹介状です。ところはコーポレーション街一二六番Bですから、ちょっと控《ひか》えておいてください。そして午後正一時の約束だから忘れないようにね。じゃさようなら。立派な才能を活用して、存分のご成功あらんことを祈《いの》っていますぞ』

というのが、そのとき話しあった私たちの話の内容なんです。このすばらしい幸運をひきあてた私がどんなに喜んだか、ワトスン先生お察しください。

私はこの幸運をじっと抱《だ》きしめたなり、目がさえて夜半まで眠《ねむ》れないくらい幸福にひたっていました。そして翌日は十分時間の余裕をみて、バーミンガム行きの汽車に乗りこみました。向こうへ着いたらまずニュー・ストリートのあるホテルへいったん荷物をもちこんで、それから指定の事務所へ出かけてゆきました。

指定の正一時にはまだ十五分ありますが、早すぎるのは差支《さしつか》えないと思ってはいってゆきました。一二六番Bというのは二軒の大きな店舗《てんぽ》のあいだにある通路でして、そこをはいるとすぐに石の回り階段があり、そのうえに会社や個人の事務所がたくさんあるのでした。

各部屋には壁《かべ》のすそのほうにその事務所の名が書いてあるのですが、仏英金物株式会社なんて名まえはどこにも見あたりません。こいつはまんまと一杯《いっぱい》くわされたかなと、そろそろ不安になってそのへんをまごついているところへ、のこのこ近づいて私に声をかけた男があります。まえの晩やってきた男にそっくりで、声までよく似ていますが、これはひげが一本もありません。髪の毛のいろも少し薄《うす》いようです。

『もしもし、君がホール・パイクロフトさんですか？』

『そうです』

『ああそれは……お待ちしていたところですよ。それにしても、約束の時刻にすこし早かったものだから……じつはけさ弟から手紙がきましてね、たいそう君のことを誉めてありました』

『いま会社をさがしていたところです』

『ほんの仮事務所のつもりで、先週借りたばかりだから、まだ名まえも出してないような始末ですよ。さ、こちらへ。よくご相談しましょう』

その男のあとについて、おそろしく高い階段のうえまで登ってみると、そこの屋根のすぐ下に汚《きたな》らしい小さな空部屋が二つあって、敷物《しきもの》もなければカーテンさえないその一室へ、私はつれこまれました。たくさんの社員たちが、ぴかぴか光る机に向かってずらりと並《なら》んでいる――そうした普通《ふつう》の事務所の有様を想像していた私は、小さなテーブルが一つと粗末《そまつ》な椅子《いす》二脚《きゃく》、それに大きな帳簿《ちょうぼ》が一冊とくずかごだけなのを見ては、しばらくあいた口がふさがりませんでした。相手の男はその様子を見て、

『失望しちゃいけない。ローマは一日にしてならずです。事務所の外見はまだ整っていないが、うしろには豊富な資金が控えているのですからな。ま、腰《こし》でもおろして、弟の手紙を見せてもらいましょうか』

私は紹介の手紙を出して渡しました。すると彼はひどく念いりにそれを見てから、

『弟はすっかり君にほれこんだものと見えますな。弟が人を見る目のなかなか鋭《するど》いのは私もよく知っていますが、何事もロンドンでなければならないようなことをいうし、私は私でバーミンガムびいきなので、いつもケンカしているのだけれど、こんどはま

あ弟のいうのに従いましょう。君を採用することにしますから、どうぞそのつもりで』

『それで私の仕事は？　どんなことをするのですか？』

『ゆくゆくはパリ総支店の支配をしてもらいます。これはこちらから送りだす陶器類《とうきるい》を百三十四の支店に配給する大きな仕事だが、仕入れにまだ一週間ほどかかるから、それまでしばらくは、バーミンガムにいて、余暇《よか》を利用してもらいたい』

『と申しますと？』

ピナーの兄はいきなり引き出しから大きな赤い本を一冊とりだして、

『これはパリの人名録だが、幸い名まえのつぎにいちいち職業が出ているから、これを宿へもって帰って、金物商だけ全部書きぬいてもらいたい。こいつが出来あがるとずいぶん重宝《ちょうほう》するにちがいない』

『それには職業別人名録というものがありましょう？』

『あるにはあるが、信頼《しんらい》できないのでね。編集がわれわれには向かないように出来ている。頑張って月曜日の十二時までに表にして持ってきてください。じゃよろしく。君が熱心によくやってくれれば、会社じゃいくらでも優遇《ゆうぐう》の方法はありますよ』

私はその大きな本を小脇《こわき》に、胸には相矛盾する気持をいだいて、ともかくもホテルへ帰ってきました。何といっても私はちゃんと就職して、ポケットには俸給の前渡し百ポンドというものを持っているのです。しかし一方から考えてみると、あの汚らしくも見すぼらしい事務所といい、壁に会社の名の出ていなかったことといい、そのほかビジネスマンなら誰でも気のつくいろんな点が、会社そのものの印象をきわめて悪くします。

だがこれがどんなことになろうとも、とにかく私は金を握《にぎ》っているのだからと、思いかえして仕事にとりかかりました。で日曜をまるまるつぶして懸命《けんめい》にやってみましたが、月曜日までかかってやっとHの部までしかどうしてもできません。

会社へ行ってみますと、相変らずガランとした部屋にピナーの兄がいましたから、そのことを話すと、では水曜日まで待つということになりました。しかし水曜日にもまだできあがらないので、金曜日——つまり昨日までのばしてもらって、やっと出来あがったのでそいつを持って、会社にハリー・ピナーを訪ねてゆきました。

『やア、ご苦労でした。ずいぶん骨が折れたでしょう。おかげで非常に役に立ちますよ』

『意外に手がかかりました』

『じゃこんどは家具商の表をこしらえてくれませんかね。やはり陶器類を扱《あつか》うのだから』

『承知いたしました』

『あすの晩七時にここへ来て、進行の模様を聞かしてくれたまえ。だがあんまり無理はしないようにね。うんと働いたら、夜なんかデイのミュージック・ホールへ出かけるのなんか、決して悪かないですよ』といって彼はアハハと笑いましたが、そのとき私は彼の左がわの二枚目の歯が、見っともなく金を塡《つ》めてあるのをみて、どきりとしました」

ホームズはうれしそうに手をこすり合せた。私は何のことやらわからず、目を丸くするばかりである。

「いや、ワトスン先生のびっくりなさるのも無理はありませんが、実はこういうわけですよ。ロンドンでピナーの弟というのと話したとき、私がモウソンの店へはもう行かないというと、彼は口をあけてアハハと笑いましたが、そのとき偶然《ぐうぜん》にも、これとおなじ場所に金の塡めてあるのを見ていたのです。二度とも同じ歯がピカリと光ったわけですな。声もおなじ、容貌《ようぼう》もおなじ、歯までがおなじで、違うところは髪とひげだけですが、こいつは剃刀《かみそり》と仮髪《かつら》さえあれば何とでもなるものだと考えてみると、二人はどうやら同じ男なのに違いないと私が疑いだしたのは、無理ではありますまい。

こういうとあなたは、兄弟だから似ているのは当然だとおっしゃるかもしれないが、いくら似ているからって、おなじ歯をおなじように塡めているってのは、ちとうけ取れませんからね。私は無我夢中《むがむちゅう》でそとへ出ました。そしてホテルへ帰って、洗面所でよく頭を冷してから、いろいろ考えてみました。なぜあの男は私をロンドンからバーミンガムまでつれ出したのか？　何のために先回りして私を待ちうけるようなことをしたのだろう？　自分から自分あての紹介状なんか書いて、何になるのだろう？　まったく私には手にあまる疑問ばかりで、いくら考えてみてもわかりません。そのうちふと考えついたのが、私にはまるっきりわからなくとも、シャーロック・ホームズさんにならわけなくわかることかもしれないということです。ちょうど夜行列車にまにあったので、けさ早くロンドンについてホームズさんをお訪ねしたようなわけで、そのためこうしてお二人をバーミンガムまでお連れ申すようなことになったのです」

株式仲買店員パイクロフト青年が、いとも不可思議なその経験談を語りおわると、しばらく話がとぎれたが、やがてホームズが、彗星年《すいせいどし》のブドウの美酒をひと口ふくんだ鑑賞家《かんしょうか》のように、座席によりかかって何ともいえずうれしそうな、味わうような顔つきでじろりと私を流し目に見ていった。

「なかなか面白《おもしろ》いじゃないか、ワトスン君。僕はうれしくてならない点がたくさんある。仏英金物株式会社の仮事務所で、アーサー・ハリー・ピナー氏に会見するのはずいぶん面白いだろうと思うが、君も同感だろうね？」

「だがどういう風にやったら会えるかな？」

「そいつは何でもありませんよ」パイクロフトが気軽に引きうけた。「お二人を私の友人で、職をさがしていることにするんですな。そうすれば向こうは専務取締役ですから、私から紹介して頼んだって、ちっともおかしかありますまい」

「むろんそうですよ。その通りです。その紳士《しんし》にお目にかかって、何か仕事のほうに使ってもらえないか、頼んでみるのですな。あなたの勤務がそれほど高く評価されているという原因だが、いったいどういう点が向こうの気にいっているんですかね？それともことによるとこれは……」でホームズは言葉をきって、窓外をぼんやりながめながら爪《つめ》をかみはじめたきり、バーミンガムに着いてニュー・ストリートのホテルへ行くまで、ほとんど口をきかなくなってしまった。

その晩七時に、私たちは三人でコーポレーション街をその会社のほうへ歩いていた。

「時間まえに行ったって、なんにもなりませんよ。あの男はただ私に会うためにやって来るらしいのです。約束の時刻までは、事務所は空っぽですからね」パイクロフトがいった。

「そこに曰《いわ》くがありそうですね」ホームズがいった。

「そうら、ね、だからそういったんだ。あそこに行くのがそうですよ」

パイクロフトは向こうがわの歩道を急ぎ足に歩いてゆく小柄な、色の白いりっぱな服装《ふくそう》の男を指さした。見ているとその男は夕刊の最終版を呼び売りしている少年を認めて、タクシー馬車や乗合馬車のあいだを駆《か》けぬけていって一枚買った。そして夕刊を手に、とある戸口へ消えていった。

「あ、はいってゆきましたよ。あのなかに会社の事務所があるんです。さ、いっしょに来てください。できるだけうまくやりますから」

彼のあとについて、私たちは六階のうえまでのぼっていった。するとそこに半ばあいたドアがあって、パイクロフトがそれをノックすると、なかから、「どうぞ」という声がした。

私たちは話にきいた通りのがらんとした部屋へはいっていった。たった一つのテーブルをまえにして、いま表で見かけた男が粗末ないすに腰をおろし、夕刊をひろげていたが、はいっていった私たちを見あげたその顔には、何とも名状しがたい悲痛な表情があった。悲痛を通りこして、一種の恐怖《きょうふ》——それも人の一生にめったには見られない恐怖におそわれた表情といってもよい。額はねっとりとあぶら汗《あせ》がにじみ、両ほおは魚の腹のように血の気を失い、両眼は大きく見ひらかれて狂気じみた光りをおびているのである。

彼はパイクロフトの顔を見ても、誰だかわからなかったらしいが、パイクロフトのほうがそれを見てかえって不思議そうな顔をしたので、いつもはこんなではないのだなと私は思った。

「どうしました？　どこか悪いのですか、ピナーさん？」

「ああ、少し気分がわるかったものだから」とピナー専務はしきりに気を落ちつけようとして、乾《かわ》ききった唇をしめしながら、「お連れのかたはどなたですか？」

「こちらはバーマンジーのハリスさん、こちらはこのバーミンガムのプライスさんです」パイクロフトはすらすらといってのけた。「どちらも私の友人で、それぞれ経験もある人ですが、いましばらく失職していますので、なにか適当な仕事でもあれば、社のほうで使っていただけないかと思ってお連れしたわけです」

「ああそうでしたか。いや、そんなことなら何でもありません。何かやっていただくことがあるでしょう」とピナーは気味のわるい微笑《びしょう》をうかべて、「ハリス君、あなたの専門はなんですか？」

「私は会計のほうで」とホームズが答えた。

「なるほど、そういう人のほしいところでした。そしてプライス君、あなたは？」

「私は事務のほうで」とこれは私。

「なんとかして必ず都合をつけましょう。決ったらすぐに通知しますが、今日のところはこれでみんな引きとってもらいましょう。お願いだ、私はひとりでいたいんだ」

最後の一言は、おさえにおさえていた自制の綱《つな》がぷつりと切れでもしたように、彼の口からほとばしり出た。ホームズと私は顔を見あわせたが、パイクロフトはテーブルのまえへすすみ出て、

「ピナーさん、お忘れですか？　私はなにかお指図をうけるはずで来たのですが……」

「そうだ。その通りでした」ピナーはよほど落ちついてきて、「ではちょっとここで待っていてください。お友だちにも待ってもらえぬはずはないでしょう？　お待たせして誠《まこと》にすまないが、ほんの三分ばかりだから……」

と立ちあがり、いんぎんな態度で私たちに会釈《えしゃく》しながら、ドアを押して向こうへ出てゆき、あとをぴたりと閉めてしまった。

「どうしたんだ？　すっぽかして逃げたのかしら？」ホームズがささやいた。

「そんなことはできませんよ」パイクロフトがいった。

「どうして？」

「あのドアは向こうの部屋に通じているだけですから」

「出口はないのですか？」

「ありません」

「あっちには家具の類が備えてありますか？」

「きのう見たときは空っぽでした」

「じゃ一体どうしようというのかな？　なんだか合点のゆかぬところがある。恐怖で三分どおり気が変になったというのはあの男のことだが、何だってあんなに震《ふる》えだしたのだろう？」

「われわれを探偵《たんてい》だと思ったのだろう」私がいった。

「きっとそれですよ」パイクロフトもこの説に賛成だった。

だがホームズばかりは頭をふって、

「あの男はわれわれを見て顔いろをかえたのじゃない。はいってみたとき、もうすでにまっ青になっていたのだ。ことによると……」

このとき向こうの部屋のほうから、コツコツという鋭い音が聞こえてきたので、ホームズは急に口をつぐんだ。

「なんだって自分の部屋をノックなんかしやがるんだ!」パイクロフトが叫《さけ》んだ。

トントントン……音はいっそう高くなった。私たちは今にもドアが開くかと、じっとそのほうばかり見つめていたが、ふとホームズの顔に目をやると、これは厳《いか》めしい顔つきを極度に緊張《きんちょう》させ、首を前へつきだすようにしているのだった。

とつぜんゴロゴロとのどをならすのと、ガタガタと急速に木を打つような音が聞こえてきた。ホームズは狂気のように跳《おど》りかかってドアを押した。だがドアは向こうがわから錠《じょう》がおろしてあった。彼にならって、私たちは全力でドアにぶつかっていった。何回目かにちょうつがいが一つぽきりと折れた。つづいて一つ、ドアはパタリと向こうへ倒《たお》れた。それを踏《ふ》みこえて、私たちはつぎの部屋へとなだれこんだ。

そこは空っぽであった。

だがすぐに事情がわかった。部屋の一隅《いちぐう》に――いままで私たちのいた部屋よりの一隅に、第二のドアがあったのだ。ホームズはそのドアにとびかかって、ぐっと引きあけた。すると上衣《うわぎ》とチョッキとがその床《ゆか》に落ちており、わが仏英金物株式会社の専務取締役は、自分のズボンつりを首にまいて、ドアの裏がわのかぎに首をつっているのであった。ひざを折りちぢめ、首を前へつきだし、両足のかかとでガタガタとドアをけっている。

私はいきなりその腰に手をかけて、抱《だ》きあげた。するとホームズとパイクロフトが、なまりいろの皮膚《ひふ》にくいこんでいるゴム入りのズボンつりをはずした。それから一同で彼を別室へはこんで横たえた。その顔はすっかりスレートいろをていし、紫《むらさき》いろになった唇は、一息ごとにあえいでいる――五分まえまではぴんぴんしていたのに、いまは何という浅ましさだろう！

「助かるだろうか、ワトスン君？」ホームズの質問だ。

私は早速《さっそく》かがみこんで、検《あら》ためてみた。脈はよわくて結滞《けったい》があるけれど、呼吸はしだいに長くなってくる。糸のように細くあいた眼瞼《まぶた》は、かすかに震えていた。

「まさに危機《きき》一髪《いっぱつ》というところだったが、もう大丈夫《だいじょうぶ》だろう。ちょっとその窓をあけて、水さしをもってきてくれたまえ」

私は彼の胸をひろげて、顔に冷たい水をそそいでやった。それから自然な力づよい呼吸をしだすまで、両腕《りょううで》を上下して人工呼吸をしてやった。

「もうあとは時間の問題だ」私は大丈夫と認めてそばを離《はな》れた。

ホームズはズボンのポケットふかく両手を突《つ》っこんで、あごを胸につけて立ってい

たが、

「こうなったら巡査《じゅんさ》を呼んだほうがいいだろうね。ただ残念なのは、僕からいっさいの事情を説明してやりたいのに……」

「私は何が何やらさっぱりわかりません」パイクロフトは頭をかきながら、「何のために私をこんなところへ来させたり……」

「ぷッ、もうそんなことはわかっているんですよ。ただこの最後のとつぜんの行動だけが問題なのです」

「ほかのことは万事おわかりなんですか？」

「わかっているつもりです。ワトスン君、きみはどうだい？」

「正直のところ、僕の手にはあわない」私は肩《かた》をつぼめた。

「そうかねえ。はじめからのいろんな出来事をいちいち思い浮《う》かべてみさえすれば、そいつがたった一つの方向を指しているのがすぐわかるんだがなあ」

「どういう風に？」

「いいかい、すべてのことが、ただ二つの点につながっているよ。まず第一は、パイクロフトさんがこの結構な大会社に勤めますと、誓約書《せいやくしょ》をかかされたことだ。これはいかにも暗示的だとは思わないかい？」

「どうも要点がよくのみこめない」

「困ったな。会社はなぜそんなことをさせたのだろう？　こういうことは口約束《くちやくそく》だけですますのが普通《ふつう》で、とくにこの場合だけそんなことをする必要なんか、どこにもないはずだ。ね、パイクロフトさん、会社はあなたの筆跡《ひっせき》の見本がほしかったのだが、それにはそんなものでも書かすよりほかに方法がなかったのがおわかりでしょう？」

「なぜそんなに私の筆跡がほしかったのでしょう？」

「そこです。それは何のためか？　この疑問に答え得たとき、われわれは解決にむかって一歩近づくわけです。何のためか？　理由と認められるものは一つしかありません。何ものかがあなたの筆跡をまねるため、まず第一にその見本を手にいれる必要があったのです。

つぎに、第二の点を考えてみるのに、第一と第二の点はたがいに関連して明白になってきます。第二の点というのは、あなたがモウソンへ辞職の手紙を送るのを、ピナーがとめたことです。辞職通知を出させないで、モウソンの支配人に、ホール・パイクロフトというまだ会ったことのない男が、月曜日の朝やってくるものと思わせておいたのです」

「あっ、そうか！　私はなんという馬鹿なんだろう！」

「さて、そこで筆跡のことがまた問題になります。いまかりに、誰かがあなたの代りになってモウソンへ行ったとしても、そのものの筆跡が、募集に応じて申しこんだあなたの手紙とまるっきり違《ちが》っていたら、化《ばけ》の皮はたちまちはがれてしまいます。けれどもあらかじめあなたの筆跡を手にいれて、それを巧《たく》みにまねてさえいれば、ホール・パイクロフトになってモウソンへ化けこむことができます。あの店では、誰ひとりあなたを知っているものはないのでしょうからね」

「そうです。誰ひとり知りゃしません」

「そこで、それについてはむろんあなたに、そのことを深く考える余裕《よゆう》をあたえぬこと、モウソンの店にあなたの身代りが働いているのを、あなたに知らすおそれのある人物を近づけないようにすること、この二つがもっとも肝要《かんよう》です。そこであなたには俸給《ほうきゅう》の前渡《まえわた》しをたっぷり出して、バーミンガムへ追いやったうえ、からくりの発覚するおそれのあるロンドンへ帰さぬため、さかんに仕事をあてがったわけです。ここまでは明白な事実です」

「でもこの男はなんだって兄になったり、弟になったりしてみせたのでしょう?」

「それもわかりきったことですよ。この計画には仲間が二人しかいないのです。この男と、もう一人ロンドンであなたになりすましている男です。この男はロンドンであなたを雇《やと》いいれたが、考えてみると雇い主の役をするものが不足している。といって別の男を仲間に加えるのも困るので、自分ができるだけうまく変装してごまかすことにしたが、ごまかしきれぬところは、兄弟だからよく似ているのだで通すつもりだったのです。結局あなたはそれを見破ったけれども、もし運よく金歯があなたの目につかなかったら、永久にあなたは何も知らずじまいだったかもしれませんね」

「ああたいへんだ！」ホール・パイクロフトは握《にぎ》りこぶしを振《ふ》りまわして、「私がこんなバカをしているあいだに、もう一人のホール・パイクロフトはモウソンの店で何をしているのでしょう？　ホームズさん、どうしましょう？　どうしたらよいか教えてください」

「モウソンへ電報を打つのです」

「でも土曜日だから正午で店をとじています」

「大丈夫です。門番なり宿直なりがいるでしょうから……」

「あ、そうです。有価証券をたくさん保管していますから、いつでも守衛がいるはずです。そんなことを市中で耳にしたことがあります」

「よろしい。さっそく電報をうって、異状はないかどうか、あなたの名で働いている男がいるかどうか、問いあわせましょう。この点私の推定に万《ばん》まちがいはないと思うのですが、ただ一つわからないのは仲間の片われのこの男が、私たちの姿を見るやいなや飛びだして、首をつった理由です」

このときうしろにしゃがれた叫び声がおこった。

「新聞！」

見ると例の男がゆかのうえに上半身を起こして、死人のように青ざめた顔ながら、目だけはかなり正気づいた様子で、まだ咽喉《のど》のあたりにありありと残っている幅《はば》ひろい紫斑《しはん》をそっとなでているのだった。

「新聞！　そうだ！」ホームズはカッと興奮してわめいた。「なんて大ばかなんだ、おれは！　ここへ来るについては、これほどよく考えておきながら、新聞のことにまるで気がつかなかったなんて！　むろん秘密は新聞にあったんだ！」

彼はテーブルのうえに、はいってきたときピナーの読んでいた新聞をひろげてみて、たちまち勝ちほこった声をあげた。

「見たまえ、ワトスン君！　これはロンドンの新聞だよ。イヴニング・スタンダードの今日の早版だ。ほら、ここに出ている。見出しはこうだ。――下町《シティ》の大犯罪。モウソン・アンド・ウイリアムズ商会の殺人。不敵の強盗捕《ごうとうとら》わる。――ね、ワトスン君、みんなが知りたいのだから、一つ大きな声で読みあげてくれないか」

第一面のトップに出ているのだから、これが今日の呼びものに違いなかった。その記事はつぎの通りである。

今日の午後下町《シティ》に不敵な強盗が現われ、守衛一名を惨殺《ざんさつ》したが、当局の機転により逃走《とうそう》まぎわに犯人を捕え得た。知名の株式仲買店モウソン・アンド・ウイリアムズ商会では、以前から総額百万ポンドを遥《はる》かに越《こ》える巨額《きょがく》の有価証券を保管中であったが、重大なる責任を感じ万一をおもんぱかって最新式構造の金庫を使用するとともに、昼夜の別なく武装した守衛に内外を警戒《けいかい》させていた。犯人は同商会が先週雇い入れたばかりのホール・パイクロフトと称する男だが、パイクロフトとは偽名《ぎめい》で、この者はベディントンといって兄とともに有名な偽造および金庫破り常習者で、最近五カ年の懲役《ちょうえき》をおえて出所したばかりの男の見こみである。詳細《しょうさい》の径路《けいろ》は目下取調べ中だが、彼は巧みにパイクロフトの偽名で店員になりすまし、各種のかぎの型をとり、金庫室や金庫の位置等を調べていたものと見える。

モウソンでは土曜日は半休となっているが、本日午後一時二十分ごろ下町《シティ》警察のツーソン巡査部長は同商会から一名の紳士《しんし》風《ふう》の男が出てくるのを認めて不審《ふしん》をいだき、これを尾行《びこう》するうちついにポロック巡査の応援《おうえん》をえて大格闘《だいかくとう》の後ようやく取押えた。取調べの結果右はおどろくべき大胆《だいたん》な強盗犯人と判明し、かばんのなかからは十万ポンドに近い米国鉄道社債《しゃさい》をはじめとし鉱山関係その他諸会社の株券多数が現われた。また同商会の事務所内を検査したところ、守衛は死体となって最も大きい金庫内に投げこまれているのを発見したが、ツーソン部長の敏速《びんそく》なる活動がなかったら、おそらくこの犯行は月曜日の朝まで発見されるに至らなかったものと考えられる。守衛は背後から鉄棒で殴《なぐ》られたらしく、頭蓋骨《ずがいこつ》が粉砕《ふんさい》されていたが、ベディントンは忘れものにかこつけて店内に入りこみ、守衛を殺害したうえすばやく大金庫を開いて死体を押しこみ、証券類をかき集めてまさに逃走しようとしたところを幸運にもツーソン部長が認めたわけだった。なおベディントンの犯行にはつねに兄が荷担《かたん》するのが例で、当局は極力その行方《ゆくえ》を追及中《ついきゅうちゅう》であるが、目下のところ今回の犯行には関係していないらしいと認められる。

「なるほど、ある点では警察の手数がはぶけそうだな」ホームズは窓ぎわにぐんなり蹲《うずくま》っているピナー――いやベディントンを見やって、「人間の本性というものは、まったく不思議に入りくんだものだねえ、ワトスン君。欲ゆえには人をころすほど凶悪《きょうあく》なやつでも、自分の肉親の首になわがかかると知れば、自殺を企《くわだ》てるほどの愛情を示し得るんだからねえ。だがわれわれは下手なまねなんかしてはいられない。さ、パイクロフトさん、ここは私たちが番をしていますから、あなたはちょっと巡査を呼んできてください」

——一八九三年三月　『ストランド』誌発表——

グロリア・スコット号

「ここにこんな書類があるんだがね」

ある冬の夜、暖炉をはさんで坐《すわ》っているとき、シャーロック・ホームズがいった。

「まあ一度見ておくだけのものはあるよ。グロリア・スコット号事件といって、毛いろのかわった事件の記録なんだが、こいつが治安判事のトリヴァを一読して文字どおり驚死《きょうし》せしめた手紙なんだ」

ホームズは引き出しから古びて変色した、くるくる巻いてあるものをとり出してひもをとき、何やら走りがきしてある灰いろの半切の紙を私に手わたした。

万雉《ち》の　静穏《せいおん》なる　事　ロンドン　市の　休　日の　如《ごと》く　ハドスン　河の
上流は　凡《すべ》て　雌雉《しち》　住むと　語れり　蠅取紙《はえとりがみ》の　保存は　生命　ある　ものを
危険　なる　状態より　直ちに　救いて　よく　脱出《だっしゅつ》せよ。

このなぞの文面から顔をあげてみると、ホームズは私の顔いろを見て、にやにや笑っているのだった。

「いささか面くらったな」

「こんな手紙が、なんだってそれほど恐怖《きょうふ》をおこさせたんだろう？　ただ不思議な手紙だというだけのことじゃないか」

「まったくね。しかも事実は、これを受けとって読んだ老人は、りっぱなしっかりした人物だったのに、まるでピストルの台じりでたたきのめされでもしたように、いっぺんに参っちゃったんだからな」

「なんだか面白《おもしろ》そうだね。君はいま、とくにこの事件は僕《ぼく》が研究してみる価値があるといったが、それはどうしてなのだい？」

「僕が初めて手がけた事件だからさ」

ホームズはいったいどういう動機から、犯罪捜査《そうさ》の方面に心をむけるようになったのか、それを聞きだしてやろうと、私はこれまで何度ということなく努めてみたのだが、いつでも憎《にく》めない冗談《じょうだん》にまぎらされて、ついに成功したことがない。それがいま、ちゃんと自分のひじ掛《か》けいすに坐って、ひざのうえに記録をひろげているのである。彼《かれ》はそのままパイプに火をうつして、煙《けむり》をはきだしながら、しばらくは書類をひっく

り返していたが、

「ワトスン君にはまだ、ヴィクター・トリヴァの話はしなかったね？　ヴィクターは僕がカレッジにいた二年間に得た唯一《ゆいいつ》の親友なんだ。僕はそのころもきわめて非社交的な男だった。いつも自分の部屋にくすぶって、独りでつまらない思索《しさく》にふけっていたものだから、自然同年輩《どうねんぱい》の男とは交わったことがなかった。剣術《けんじゅつ》と拳闘《けんとう》をのぞいては、運動競技のほうにもあんまり趣味《しゅみ》がなかったし、それにまた、ほかの連中とは研究の方面がまるで違《ちが》っていたから、従って接触《せっしょく》する機会というものがまるでなかったのだ。

そのなかにあって、知っている男というのはヴィクター・トリヴァがたった一人だった。それも彼のブルテリヤがある朝、チャペルへ行くとき僕のくるぶしにかみついたという珍事《ちんじ》がもとで、知りあったにすぎない始末なのだ。

散文的な友だちのなりかたさ。だが効果的ではあった。おかげで僕は十日ばかり病床《びょうしょう》にはいたけれど、そのあいだトリヴァはよく見まいに来てくれた。それもはじめはほんのちょっと、見まいをいって行くだけだったが、まもなく坐りこんでしゃべってゆくようになった。そしてその学期の終らないうちに、僕らは親しい友人関係にはいっていったんだ。

ヴィクターは多血質の元気のいい男で、全身これ意気と精力とでもいうか、ほとんどどの点からみても、僕とは性質相反する男なのだが、それでいて共通する点のいくつかあることもわかった。そして彼もまた友人がないのだと知ってから、二人はいよいよ親密さをましてきた。

最後にヴィクターは僕を、ノーフォークのドニソープにある親父《おやじ》の家へ招待してくれたので、僕は喜んでながい休暇中《きゅうかちゅう》を一カ月も、彼の田舎《いなか》へいって歓待をうけた。

トリヴァのおやじというのは相当の資力もあり、尊敬もうけていて、治安判事の職にある地主だった。ドニソープはノーフォークの沼湖地帯《ブロード》でもラングメアの北になる小さな村だ。家は菩提樹《ぼだいじゅ》の美しい並木路《なみきみち》を通ってゆく、古風でだだっ広い、梁《はり》に樫材《かしざい》をつかったレンガ建てだった。沼地《ぬまち》にはすばらしくいい野鴨《のがも》の猟場《りょうば》があったし、魚釣《さかなつ》りならもってこいの場所もあり、たぶんまえの家主から譲《ゆず》りうけたのだろうと思うが、小規模ではあるけれど内容のなかなか精選された図書室もあるし、それにコックは悪くなし、ここで一カ月を愉快《ゆかい》にすごせないなんて男は、よくよくの気むずかしやででもなければなるまい。

トリヴァ老人は男やもめで、ヴィクターはその独り息子《むすこ》だった。女の子も一人だけあるにはあったのだが、バーミンガムへ行っているとき、ジフテリアにかかって亡《な》くなったんだそうだ。

老トリヴァはたいそう面白い人物だった。教養はあまりないが、無教養は無教養なりに精神的にも、肉体的にもかなり多量の力をもつ人物だった。本などほとんど読んだことはないのだが、ずいぶん広く旅行しており、一度知ったことは何でも決して忘れないというふうだった。人柄はずんぐりした無骨《ぶこつ》な老人で、ゴマ塩あたまをもじゃもじゃさせ、風雨にさらされた浅ぐろい顔、すごいほど鋭《するど》く光る青い眼《め》をしていた。それでいてこの地方では、親切なことと慈悲《じひ》ぶかい点とで評判がよく、判事としても宣告が寛大《かんだい》だといわれていた。

僕が行ってからまもないある晩、食後のブドウ酒のグラスをまえに、話しこんでいる時だった。ヴィクターが、あとあとそれが僕の生活にどれほどの役割を演ずるようになるかなんてことは、まだわかっていなかったのだが、そのころからすでに体系化していた僕一流の観察と推理の習慣のことを話しだしたものだ。老人はむろん、僕が一、二度ほんのつまらない推理をやってみせたのを、息子がまた誇張《こちょう》して、針小棒大に話しているものと思ったらしかった。

『じゃホームズ君』と老人は上きげんで笑いながらいったものだ。『わしはどうです？　そんなにみごとに推定できるとしたら、わしのことを何か推定してみせたまえ』

『そうですね。大したこともわかりませんが、あなたはもしや今から十二カ月以内に、ある人から襲撃《しゅうげき》されそうで、びくびくなすったことがおありじゃないでしょうか？』

トリヴァ老人の口もとから、笑いがさっと影《かげ》をひそめた。老人はひどく驚《おどろ》いた様子で、僕をじっと見つめて、

『うむ、それはたしかに事実です。な、ヴィクター』と息子のほうへ向いて、『あのほれ、いつぞやの密猟者の一味をやっつけた時な、向こうじゃすごいことをいって嚇《おど》かしたばかりか、サー・エドワード・ホビイはじっさい凶器《きょうき》のお見まいを受けたんじゃや。わしはあれ以来つねに用心しとる。だがそんなことがどうしてあんたにわかったか、わしにはさっぱり見当がつきませんて』

『あなたはたいへん立派なステッキをお持ちですが、銘字《めいじ》で拝見しますと、おこしらえになってからまだ一年にならないようですね。わざわざ頭へ穴をあけて、なまりを溶《と》かして流しこんだのは、有力な武器とするためでしょう。なにか危害をうける恐《おそ》れがなければ、そんなご用心をなさるはずがないと思います』

『それだけかな？』老人はまた微笑《びしょう》をふくんでいった。

『お若いとき、かなり拳闘をおやりでしたね？』

『またあたりました。どうしてわかります？　わしの鼻がパンチで曲っとるとでもいうのかな？』

『いいえ両のお耳ですよ。拳闘をやったかたは耳が妙《みょう》に平べったく、肉厚になるものです』

『それだけかな？』

『たいへんなたこですが、よほど採掘《さいくつ》のほうをおやりでしたね？』

『わしの財産はみんな金鉱のほうで得たものです』

『あなたはニュージーランドにいたことがおありのはずです』

『それもあたりました』

『日本へいらしたことも』

『たしかにあります』

『そしてJ・Aの頭文字《かしらもじ》の人とたいへん親密な関係がおありでしたが、その後はその人のことを忘れてしまいたいと努めていらっしゃいます』

トリヴァ老人はその大きな青い眼に、妙に狂《くる》わしい光りを浮《う》かべてじっと僕を見すえたまま、静かに立ちあがったが、急に失神してそのままテーブルへ倒《たお》れかかり、胡桃《くるみ》の皮の散乱している白いテーブル・クロスのうえへ顔を伏《ふ》せてしまった。

そのときの僕らの驚き方は、君にもよくわかるだろう。もっともながくそうしていたわけではない。二人でカラーをくつろげて、フィンガー・ボールの水を顔にふりかけてやると、二、三度あえいでから気がついて、自分で立ちあがった。

『ああ、どうも！』老人はむりに笑ってみせながら、『驚かんでもよい。丈夫《じょうぶ》にみえても、わしには心臓に故障があるんでな。ちょっとのことで造作《ぞうさ》なく倒れてしまう。ホームズ君はいったいどうしてこれまでになったのか知らないが、実在の人物でも架《か》空《くう》の人物でも、今までの探偵《たんてい》なんかあんたの前へ出たら、子供のようなもんじゃ。あんたはこれからこれで身をたてなさるんじゃな。これは世のなかというものをいくらか知っとる者のいうことじゃから、信用しなさっても間違いはない』

僕の才能を誇張してほめちぎったうえ、こういってすすめてくれたトリヴァ老人の言葉が、じつは、それまで単なる道楽くらいにしか考えていなかった探偵の仕事の、職業として十分成立し得《う》ることを覚《さと》ったそもそもの動機だったんだよ、ワトスン君。もっともそのときは老人が急にそんなことになったので、ほかのことは何も考えている暇《ひま》なんかなかったけれどね。

『私の申したことをお気になさらないでください』僕はあやまった。

『そう、あんたのいったことは、どうやらわしの急所にあたっとる。それにしても、どうしてそんなことがあんたにわかったのかな？　そしてどこまで深くあんたに知られたかしらんて』

老人のいいかたは半ば冗談のようではあったが、目の底にはたしかにある恐怖が現われていた。

『わけもないことですよ。ボートへ魚をあげるため、あなたは片袖をまくりあげたことがありますね。あのときひじの曲りめに、J・Aという字が刺青《いれずみ》してあるのが見えました。それが、読めることは判然と読めたのですが、文字のぼやけていることといい、そのへんいったいの皮膚《ひふ》が引きつれになっていることといい、その刺青を消そうとなすったことがわかりました。それで、この頭文字の人と一時は親しくしていらしたが、あとではその人の名さえ忘れてしまいたくおなりになったことがわかります』

『なんという目のはやい人じゃろう！』老人はほっとして叫《さけ》んだ。『まったく君のいう通りです。だがその話はもう止《や》めにしよう。お化《ば》けの話でも、むかし親しかった人の話は一番よくないものだ。さ、撞球室《どうきゅうしつ》へいって、ゆっくり葉巻でもやりましょう』

その日からというもの、トリヴァ老人の歓待ぶりには、なんとなく僕にたいして疑惑《ぎわく》をいだいている様子がみえだした。そのことは実の息子でさえ口にしていたくらいだ。

『あれ以来おやじは気がかわって、二度と再び君が知っているかいないかを確かめる気がしなくなったんだね』と彼はいっていた。

おやじ自身は、しかし、そんなけぶりも見せようとはしなかったが、何かにつけてそういう様子は見えすくほど現われていた。そして僕は、これでは僕のいることが老人に不安をあたえるばかりだから、早く暇《いとま》をつげたほうがいいと考えるようになった。だが帰るまえの日になって、事件がおきた。それが、のちになって考えてみると、じつに容易ならざることだったんだ。

そのとき僕たちは三人で、庭の芝生《しばふ》へ出ていすをならべ、沼地のほうをながめながら温かい太陽を楽しんでいたのだが、そこへ女中がやってきて、老人に会いたいという男が玄関《げんかん》にきていると告げた。

『お名まえは?』

『それをおっしゃいませんのでございます』

『ふむ、どういう用件かね?』

『旦那《だんな》さまがご存じのかたでございますそうで、ほんのちょっとだけお話がなさりたいのだとおっしゃいます』

『じゃ、ここへ通しなさい』

まもなく乾《ひ》からびたような小柄な老人が、へいへいしながら、足をひきずりひきずりその場へ現われた。袖にタールの汚《よご》れのついたジャケットを着て、下には赤と黒の弁慶縞《べんけいじま》のシャツをのぞかせ、厚地の青木綿《あおもめん》のズボンをつけ、ひどく損《いた》んだボテぐつをはいている。やせた、色のくろいずるい顔に、黄いろい乱ぐい歯を見せて、いつもうす笑いを浮かべており、しわだらけの両手を半握《はんにぎ》りにしていた。船乗りに特有の癖《くせ》だ。その男が前こごみになって芝生をこっちへ歩いてくると、トリヴァ老人はのどから、しゃっくりでもするような声を出したが、そのまま椅子から立って、家のなかへ走りこんだ。そしてすぐに出てきはしたが、そばへ来たときはブランディの強烈《きょうれつ》な悪臭《あくしゅう》がぷんと僕の鼻をうった。

『やあ君か。どういう用件ですかい？』

老人がこういうと、水夫あがりらしい男はまごまごしたような目つきで、じっと老人を見つめながら、顔にはあい変らずしまりのない微笑を浮かべたままで、

『あっしをご存じないってんですかい？』

『ふむ、やっぱりハドスンだな！』老人はひどく驚いた様子だった。

『ハドスンですよ。何しろあれからもう三十年のうえになるんだからな。ところでお前さんはこうして自分の家に納まっていられるが、あっしときたらあれからずっと、

あいも変らず塩物おけからからい肉を出しちゃ食ってる始末なんで』

『これッ！　いまにわかるが、わしは昔《むかし》のことを忘れておりはせん』と老人は立って老水夫のほうへ歩いてゆき、低い声で何やら話してから、改めて大きい声で、『台所へゆけば何か食う物と飲む物があるじゃろ。お前ひとりの仕事くらい、むろん何とかならんことはないからな』

『ありがとう』老水夫はちょっと前髪《まえがみ》のところへ手をやって、『八ノットの不定期船《トランプ》に二年の契約《けいやく》で乗りこんだのが、ちょうど期限がきれて下船したところなんだが、何しろ困るからどうにかしなきゃならない。それでベドーズさんかお前さんのところへ行けば、何とかなるだろうと思ってね』

『ほう、お前はベドーズさんの居どころを知っておるのか？』

『はばかりながら、ふる馴染《なじみ》の居どころなら、みんな心得ていまさアね』ハドスンは気味のわるいうす笑いを浮かべて、女中について台所のほうへ立ちさった。

トリヴァ老人はそのあとで、あの男は自分が鉱区へ帰るとき同船した船員だというようなことを、弁解がましく二、三話してから、僕たちを芝生にのこしておいて、ひとりで家のなかへはいっていった。それから一時間ばかりして、僕たちが家へはいってみると、ハドスン老人はどろのように酔《よ》って、食堂のソファに大の字になっていた。

これらの事柄が、僕の胸底に醜悪《しゅうあく》な印象をのこした。それで僕としては翌日ドニソープを後にすることに、少しも思い残すことはなかった。僕がいては、かえってヴィクターの困難のたねだと思ったからだ。

以上はながい休暇のはじめの一カ月内に起こったことだ。僕はロンドンの下宿へ帰ってから、有機化学のちょっとした実験をやって七週間をすごした。だが秋もだいぶ深くなり、休暇の終りもまぢかくなってから、ある日僕はヴィクターから、君の助言と尽力《じんりょく》を得なければならないから、ぜひもう一度ドニソープへ帰ってきてくれという哀願《あいがん》の電報をうけとった。いうまでもなく、僕は万事をうっちゃっておいて、再度北のほうへ向けて出発した。

ヴィクターは小さな二輪馬車で駅まで出迎《でむか》えてくれたが、ひと目で僕は、あれからの二カ月を彼が極度に悩《なや》んだことを知った。面やつれがして、彼の特色だったほがらかで快活なところをすっかり失っている。

『おやじは死にかけている』これが彼の最初の言葉だった。

『ほんとか？　いったいどうしたんだ？』

『卒中だ。ひどく気を使ったからだ。いつ異変《いへん》がおこるかもしれない。いま帰っても、臨終にまにあわないかもしれないんだ』

この意外な知らせに、僕がどんなに驚いたか、ワトスン君十分察してくれたまえ。

『いったい何が原因なんだ？』

『そいつが問題なんだけれど、ま、乗りたまえ。馬車をやりながら話せばいい。――君の帰るまえの日に、妙な男のきたのを覚えているだろう？』

『よくおぼえている』

『あの男が、家へ入れてやったあの男が何者だか、君にはわかるかい？』

『さっぱりわからないね』

『あいつは悪魔《あくま》なんだ！』

僕は面くらって、ヴィクターの顔を見つめたまま、つぎの言葉の出てくるのを待った。

『まったくだ。あいつは悪魔そのものなんだ！　僕らはあれ以来、一刻も心の安まる時というものがなかった。おやじはあの晩からすっかり意気消沈《いきしょうちん》してしまい、とうとう命までとられることになったんだ。おやじの胸はあののろわしいハドスンのやつめに、かき破られてしまったんだ』

『ハドスンはいったいどんな力をもっているというんだ？』

『僕もどうかしてそれが知りたいと思うんだが……優《やさ》しくて慈愛《じあい》にみちたあの善良な

おやじが、どうしてあんな悪人の毒手にかからなければならないのか？　僕は君の判断力と思慮《しりょ》にふかく期待する。君なら最善の処置を教えてくれるに違いない』

馬車は、白けた坦々《たんたん》たる田舎道《いなかみち》を駆《か》けていた。行くてには沼地の一端《いったん》がひらけて、沈《しず》みゆく太陽のあかい光りにかがやいている。左のほうの森のうえに、地主の家のたかい煙突《えんとつ》や旗ざおが見えだした。

『おやじはあの男を園丁《えんてい》に採用した』ヴィクターは語りつづける。『だが本人がそれじゃ不服だというので、執事《しつじ》ということになった。それからというもの、家中はまるであの男の意のままで、ぶらぶらとどこでも構わず歩きまわっては、勝手ほうだいのことをしていた。女中たちはあいつがのんだくれで、そのうえ言葉が汚《きたな》いといってこぼしだした。そこでおやじは不平をいわせまいために、雇人一般《やといにんいっぱん》の給料をあげてやった。

あいつはおやじの一番いい鉄砲《てっぽう》を持ちだして、ボートで勝手にひとりきりの狩猟会《しゅりょうかい》を催《もよお》したりするんだ。それがみんなあざけるような、意地のわるいごうまんな顔でやるんだから、憎《にく》らしいとも何とも、あれがもし僕と同年輩の男だったのなら、二十ぺんもなぐり倒してやりたいくらいに思ったことだった。ホームズ君、じっさい僕はこのごろ、どんなに我慢《がまん》していなければならなかったろう！　いまとなってみれば、もっとビシビシやっていたほうが、利口だったんじゃないかと、ひとり疑ってみるんだがね。

で事態はますます悪いほうへ傾《かたむ》いていった。ハドスンのやつはいよいよいい気になって出しゃばりだし、とうとうある日僕のまえで、おやじに失礼な返答をしたもんだから、たまらなくなって僕は肩《かた》を押《お》さえて部屋のそとへ突《つ》きだしてやった。あいつはまっ青な顔をして、こそこそ逃《に》げていったが、そのときギロリと見かえした両の目は、どんな嚇《おど》し文句にもまして怖《おそ》ろしく感じられた。

そのあとでおやじとのあいだにどんな話があったのか知らないが、翌日おやじは僕のところへ来て、すまないがハドスンに謝ってもらえまいかと頼《たの》んだ。僕がそれを承知しなかったのは、君もわかってくれるだろう。僕はおやじに反問してやった。――なんだってお父さんはあんな下劣《げれつ》なやつに、自分ばかりか自分の家のなかまで自由にかきまわさせておくのですか？　とね。

するとおやじの答えはこうだった。――ああ、むりもない。だがわしがどんな立場にあるか、お前にはなにもわかっていないのだ。でもわかるときがくる。わかるようにしてあげよう、どんなことになるとしてもな。お前はお父さんがひどい痛手をうけているのを、わかってはくれんじゃろうなあ。おやじはひどく動揺して、終日書斎《しょさい》に閉じこもっていたが、窓からのぞいてみると、せっせと何か書きものをしている様子だった。

その晩、ハドスンが家を出てゆくといいだしたので、僕らはほっとして重荷をおろす思いだった。ちょうど夕食のすんだところへ、あいつは食堂までのこのこはいってきて、だいぶ酔いのまわったらしいだみ声で、そのことをいいだしたのだった。

――ノーフォーク州はもうこれでたくさんだから、こんどはハンプシャー州のほうへ、ベドーズさんのところへ行こうと思うだ。ベドーズさんはおれが訪ねていったら、ここの家同様によろこんでくれるだろうぜ。

――お前は気をわるくして出てゆくのじゃあるまいね、ハドスン？　おやじは聞いていても歯がゆいほどやさしく尋《たず》ねた。

――おれは謝っちゃもらえねえんだ。ハドスンはふくれ面《つら》をして、僕のほうを盗み見ながらいった。

――ヴィクターや、お前はこの立派な男に、少々よくない態度をとったとは思わぬかい？　おやじも僕のほうを見た。

――正反対です。僕はお父さんにしても僕にしても、この男にはすぎるくらいの我慢をかさねてきたと思います。

——おお、いったなッ！　よしッ、覚えていろ！　ハドスンはこう罵《ののし》って食堂を出ていったが、それから三十分ばかりして、いたいたしいまでおどおどしているおやじを残して、家をたち去った。

それから夜ごとにおやじの部屋からは、こつこつとしきりに歩きまわる足音が聞こえた。そしておやじがやっと落ちつきを回復しかけた昨今になって、とうとう思いがけない災害がやってきたのだ』

『ふむ、どんな風に？』

『すこぶる異様な状態でだ。——きのうの夕方フォディングブリッジの消印のある手紙が一通おやじあてにまいこんだ。それを読むとおやじは、両手でぴしゃぴしゃ頭をたたきながら、まるで気の狂った人かなんかのように、部屋のなかを小さい円を描《えが》いて歩きまわりだした。そして僕がやっとソファへ落ちつかせると、口と眼瞼《まぶた》とを一方へ引きつらせてしまったので、これは卒中の発作がきたんだなとわかった。フォーダム先生がすぐに来てくれたから、とにかく寝床《ねどこ》にかつぎこみはしたが、麻痺《まひ》状態が大きくなって、意識を回復する様子はさっぱり見えない。おそらく今ごろはすでに息を引きとっているんじゃないかと思う』

『ぞっとする話だ。じゃそんな怖ろしいことになった手紙というのは、いったい何が書いてあったんだ』

『なんにも怖ろしいことなんか書いてありゃしないんだ。だから説明がつかないんだがね。手紙はまったくばかげたものなんだ。――ああ神さま！　やっぱりそうだった！』

ちょうどこのとき馬車が、並木路《なみきみち》の曲り角まできたので、ヴィクターの家の窓という窓がすべて鎧戸《よろいど》を閉めてあるのが、うすれゆく夕やみのなかに見られた。二人が玄関へ駆けよると、なかから黒衣の紳士《しんし》がたち現われた。ヴィクターの顔は悲痛にゆがめられた。

『先生、いつでした？』

『ほとんどあなたがお出かけになるとすぐでした』

『意識を回復しないままですか？』

『ご臨終のまえにちょっと回復されました』

『私への遺言《ゆいごん》はございませんでしたか？』

『日本箪笥《たんす》のうしろの引き出しに、書類があるとおっしゃっただけでした』

ヴィクターは医者といっしょに父の臨終の部屋へあがっていったから、僕は書斎にいのこって、ひどく陰気《いんき》な気持で、事件ぜんたいを頭のなかで反覆《はんぷく》し考えてみた。

トリヴァという人の過去はどうだろう？　拳闘家《けんとうか》であり旅行家で、金鉱採掘家《きんこうさいくつか》であった。その男があんな水夫あがりのよからぬ男の掌中《しょうちゅう》に翻弄《ほんろう》されるというのは、何のためだろう？　さらにまた、消えかかった腕《うで》の刺青《いれずみ》のことをいわれて失神したり、フォディングブリッジからきた手紙を見て恐怖のあまり死んでしまったというのは、これはいったい何のためだろう？

フォディングブリッジはハンプシャー州の村だ。ハドスンが訪ねていった——おそらく恐喝《きょうかつ》しにいったと思われるベドーズ氏というのも、ハンプシャー州に住んでいるという。してみるとその手紙はハドスンから、トリヴァになにかの旧悪でもあって、それを発《あば》いたぞと知らせてきたか、あるいはまたベドーズから、昔の仲間にそうした暴露《ばくろ》のさけがたいのを知らせてきたのであるかもしれない。そこまではまず、間違《まちが》いのないところといってよかろう。

けれどもそれならば、その手紙というのはなぜヴィクターのいうように、ばかげたものであり得よう。ヴィクターはなにか読みちがいをしているのに違いない。読みちがえているとすれば、その手紙は一見べつのことのように見えて、そのじつ恐《おそ》ろしい意味をふくんでいる、巧妙《こうみょう》な暗号で書かれているのに違いない。よし、手紙が暗号であるなら、それを解読するくらいの自信は僕にある。

むっつりとそんなことを考えながら、一時間ばかり待っていると、そこへ女中が泣きながらランプを持ってきてくれた。そのあとについてヴィクターが、青ざめてはいるがとり乱したところはなく、いま僕のひざのうえにあるこの書付をつかんではいってきた。そして僕の正面に腰《こし》をおろして、ランプをテーブルの端《はし》へひきよせ、この灰いろの紙片《しへん》に走りがきした短い手紙を、僕に手渡《てわた》したのだ。

万　雉《ち》の　静穏《せいおん》なる　事　ロンドン　市の　休　日の　如《ごと》く　ハドスン　河の
上流は　凡《すべ》て　雌雉《しち》　住むと　語れり　蠅取紙《はえとりがみ》の　保存は　生命　ある　ものを
危険　なる　状態より　直ちに　救いて　よく　脱出《だっしゅつ》せよ。

僕が初めてこの手紙を読んだときは、いま君がしたのと同じように、途方《とほう》にくれた顔をしたのに違いなかった。だが僕は黙《だま》って、きわめて注意ぶかくそれをもう一度読みかえしてみた。それは果して僕の考えていた通りで、一見でたらめの単語をならべたにすぎないこの手紙には、何らかべつの意味が隠《かく》されているのに違いなかった。それともまた、蠅取紙だの雌雉だのという言葉には、あらかじめ何かの意味が与《あた》えてあるのだろうか？　そうなると意味のあたえかたは勝手ほうだいだから、それを突きとめるのは不可能だといえる。

だが僕はそんな方法がとられているとは信じなかった。ハドスンという字のあるところからみて、この手紙が僕の考えた通りの問題に関連するものであるのは明らかだし、それに差出人も、ハドスンではなくてベドーズだと考えたほうが正しい。

僕は手紙を逆に読んでみたが『脱出せよよく救いて直ちに状態より……』では意味をなさない。一語おきに読んでみたが『万静穏なるロンドン休如く……』となってこれも駄目《だめ》だった。

だがついに解読のかぎは手に入った。最初からはじめて、三語目三語目と読んでいくと、トリヴァを落胆《らくたん》のあまり死にいたらしめるに十分の意味をもつ文句になった。ごく簡単なものだが、僕はそれをヴィクターに読んできかせてやった。

――万事休す。ハドスン凡《すべ》て語れり。生命危険、直ちに脱出せよ。

ヴィクターは震《ふる》える両手に顔を埋《うず》めて、『それに違いない。これは死にまさる汚辱《おじょく》だ。それにしても、雌雉だの蠅取紙だのというのは、いったい何を意味するのだろう？』

『それはべつに何という意味もないことなんだよ。もっとも差出人がわかっていなかったら、この言葉のためにうんと悩まされたことだろうけれどね。この文面は「万

事　休す……」という風になかを空けて書いておいて、あとから、かねて定めてある暗号法に従って、あいたところへ二語ずつ勝手に書きこんだものなのだ。あいだを埋める言葉を書くのは、いちばん先に心に浮かんだことを書くのが自然の順序だが、その埋め言葉のなかにスポーツに関する言葉の目だって多いのを見れば、書き手が猟好きか、品種改良に興味をもつ人物かだということがわかる。ベドーズというのはどんな人物だか、君知らないかね？』

『ああ、そういえば、おやじは毎年秋になると、この人の禁猟場《とめば》へ猟に招かれていったものだよ』

『じゃこの手紙は、いよいよベドーズからきたものと決った。そこで残された問題は、ハドスンがこのベドーズと君のお父さんと、富裕《ふゆう》で身分のある二人の頭を押さえつけていたのは、いったいどんな秘密を握《にぎ》っていたかということだけだ』

『それを発《あば》くのは罪悪じゃなかろうか、ホームズ君？　恥《は》ずべきことじゃあるまいか？』ヴィクターは悲しげに叫《さけ》んだ。『しかし君には隠してみたってダメなことだ。ここに、おやじがハドスンのために破滅《はめつ》をまぬがれないと悟《さと》ったとき、書きのこした告白がある。おやじのいい遺《のこ》した言葉によって、日本箪笥《たんす》のなかから捜《さが》しだしたんだ。さ、それを読んで聞かせてくれたまえ。僕にはとても自分で読むだけの気力もなければ、勇気もない』

そのときヴィクターの渡したのがこれなんだよ、ワトスン君。その晩ドニソープのあの古風な書斎で、ヴィクターに読んできかせたように、いま僕が読んでゆくから、聞いていたまえ。ごらんのとおりそとがわに書きこみがある。――『三檣帆船《しょうはんせん》グロリア・スコット号が、一八五五年十月八日ファルマス港を出帆《しゅっぱん》してより、北緯《ほくい》十五度二十分、西経二十五度十四分の海上において、十一月六日難破するに至るまでの航海記録』とある。なかは手紙体になっている。

愛するヴィクターよ、父は身辺にせまれる汚辱のため、晩年のいとど暗きを加えんとするいま、うたた断腸の思いあるは、法の手を恐るるのゆえにあらず、はたまた知人諸君より見すてられんことを厭《いと》うがためにもあらず、父のため御身《おんみ》が――父を愛し、つねに尊敬以外の観念をもって父に対したることなき御身が、赤面することあるべきを思うがために他《ほか》ならざるを、名誉《めいよ》と誠実とにかけて、父はここに書きしるすものなり。

されど、いつ落つるやも測られざるこの危険が、父の頭上に落下したるうえは、御身ただちにこの一文を読みて、御身の父がいかにとがむべきものなるかを知りなん。御これに反して無事平穏にすぎなば（おお神よ、然《さ》あらんことを！）偶然《ぐうぜん》この書の残存するありて、御身が手中に入ることありとも、御身が聖なるもののため、御身が母上の想《おも》い出のため、われら相互《そうご》間《かん》に厳存《げんぞん》したる愛情のため、御身この書を火中に投じ、ふたたび念頭に浮かぶることなからんことを切に願うものなり。

さて、御身このあたりを読むときは、父はすでに摘発《てきはつ》されて家にあらざるか、はたまた御身のよく知れるがごとく、父は心臓よわき身なれば、多分は死の床《とこ》に冷たく横たわりて、永遠の沈黙《ちんもく》に入りおることならん。いずれにするも差止めの時機はすぎたるなり。これより父の語るところ、一として赤裸《せきら》の事実ならぬはなきことを誓《ちか》うものなり。

ヴィクターよ、父の姓《せい》はトリヴァというにあらざるなり。若きころ父は名をジェームズ・アーミテイジと称したり。かくいえば過日御身の学友が、この秘密を察知せるにはあらずやとも疑わるる言を口にしたるとき、父の驚《おどろ》きの大きかりし理由も了解《りょうかい》さるるならん。父はアーミテイジとしてロンドンのさる銀行に入り、アーミテイジとして法に触《ふ》れ、流刑《るけい》に処せられたるなり。

愛するヴィクターよ。ふかく父を追及《ついきゅう》することなかれ。当時父には若干《じゃっかん》の信用借金ありて、別途入金の算当《さんとう》ありしがままに、一時行金を流用してこの借金をば返済しおきたり。されど、ああ何たる不幸ぞや！　当になしたる金子《きんす》は期日にいたるも父の手に入らず、帳簿《ちょうぼ》検査の結果はおそるべき暴露となれり。事実は寛大《かんだい》なる扱《あつか》いをうけ得らるべき事情なきにあらねど、三十年前の法律は今日のそれに比して峻烈《しゅんれつ》に行なわれたり。父は二十三歳《さい》の誕生日《たんじょうび》を、オーストラリア行き三檣帆船《しょうはんせん》グロリア・スコット号が甲板《かんぱん》下に、三十八名の同囚《どうしゅう》中重刑囚の一人として迎《むか》うることとはなれり。

右は一八五五年のことにして、当時はあたかもクリミヤ戦争たけなわなりしころなれば、古き流刑用船舶《せんぱく》は多く黒海にて軍用船として就航《しゅうこう》しいたるがため、政府はやむなく不適当なる小型船を護送用に代役《だいえき》したり。

グロリア・スコット号はもと支那《しな》茶《ちゃ》貿易船として就航しいたるものなれば、旧式にして船首重く、船体幅《はば》ひろければ、新式の快速船に容赦《ようしゃ》なく追いぬかれたり。噸数《トンすう》五百、三十八名の囚人をのぞけば船員二十六、監視兵《かんしへい》十八、船長一、航海士三、医員一、教戒師《きょうかいし》一、看守四、すなわち合計百にちかき人々乗り組みて、ファルマス港を出帆せるなり。

グロリア・スコット号上の各監房間《かんぼうかん》の間仕切《まじきり》は、通例の護送船に見るごとき、堅固《けんご》なる厚きオーク材にはあらで、薄《うす》くしてずいぶん軟弱《なんじゃく》なるもの用いられたり。父の監房より船尾《せんび》寄りの監房には、乗船の際よりとくに父の目をひきたる人物在り。かしこげなる無髯《むぜん》の青年にして、鼻ほそく高く、あごやや尖《とが》りたり。つねに昂然《こうぜん》として、肩で風きらんばかりの歩みぶり、ひときわめだつは身長衆にぬきんでて高きことなり。何人《なんぴと》といえどもこの男に対するときは、その頭《あたま》肩を出《い》ずることあるまじく、おそらく六フィート半を下るまじく見えたり。

いずれを見るも悲嘆《ひたん》にくれざるはなきなかにありて、ただ一人元気満々、自信ありげなる顔を見るは、いと不思議に感ぜらる。吹雪《ふぶき》のなかに焚火《ふんか》を見るが如き心地するなり。その焚火が父の隣房《りんぼう》に入れるを知りてさえ喜びいたるに、たまたま一夜あたりの静まりてより、父が耳にささやく者あり。この男がいかにしてか間仕切の板に穴をうがちたるを知りたる時の父が喜悦《きえつ》、いかばかりなりしぞ。

「おい仲間、君はなんていうんだ？　なんでこんなことになったんだ？」彼はささやけり。

父はこれに答えたるのち、彼が名を聞かんことを求めたり。

「ジャック・プレンダガストっていうんだ。君はおれと知りあいになったことを、きっと感謝するようになる」

父は彼の事情を思い出したり。彼が名は父の就縛《しゅうばく》前、すでに故国においていたるところ評判高かりければなり。よき家柄《いえがら》に生まれたる有為《ゆうい》の人物にてありしを、彼はよからぬ風習脱しがたく、ついにいと巧妙なる詐欺《さぎ》手段によりて、ロンドン市中の大商店より、巨額《きょがく》の金銭を瞞着《まんちゃく》したるなり。

「ははあ、君はおれのことを知ってるな？」彼は誇《ほこ》らかにいえり。

「ようく知っているとも」

「じゃあの事件には一つ不思議なところのあるのに気がついたろうな？」

「さあ、それは何だろう？」

「おれは二十五万ポンドばかりも手に入れたんだっけな？」

「そういう評判だった」

「しかも一銭だって出てはこなかったね？」

「出なかった」

「それじゃその金はどうなったんだと思う？」

「さあ、――わからないな」

「いいか、よく聞けよ。おれは君がその頭にもっている髪《かみ》の毛よりも多くの金を手に入れたのだ。金をもっていて、この金をいかに扱い、いかに散ずべきかを知っている男なら、何事でもなしとげ得《う》る金額だ。ところで、かりにもいかなることをもなしとげ得るほどの男がだ、ねずみのくいかじった、油虫だらけの支那航路船の、かびだらけの古いボロ船のなかへ押しこめられて、だまってズボンのしりをすり切らしていられると思うかい？　どう致《いた》しましてだ！　そうした男は自分一個のうえを考えるばかりではない。仲間のことをだって、同じように心配してくれるものなのだ。その点は賭《か》けをしてもいい。君はその男にすがっているだけでいい。その男がかならず君を、いいほうへ連れてってくれるのだ。聖書にキスして誓ってもいい」

これすべて彼が話しぶりなり。最初は父もふかくは意にとめざりしが、暫時《ざんじ》の後彼は、きわめて真面目《まじめ》なる態度にて、彼にこの船の支配権を得るの計画ある由《よし》を語り出《いだ》したり。十二人の囚人あい計りて、船内に監禁さるる以前より、すでに秘《ひそ》かに企《くわだ》てたるものの由。首謀者《しゅぼうしゃ》はもとよりプレンダガストにして、彼のもてる金子が団結の中心なり。

「おれには相棒があるんだ。ノミとツチとでもいうか、珍《めずら》しいほどの良い男だよ。金はその男が持っているんだ。どこの誰《だれ》だと思う？　ふふ、じつはこの船の教戒師なのさ。まさに教戒師さまさ。服もちゃんと牧師服を着て、それぞれ必要な書類も用意し、キールからメーンマストまでどんなものでも買収できるほどの金を、しこたま箱《はこ》につめて、この船に乗りこんだよ。船員はみんなあいつの手先のようなものだ。みんなうんと金をやって、買収したうえで連判さしてあるんだ。看守も二人は抱《だ》きこんだし、二等航海士のマーサーもこっちのもんだ。船長だって、買収する値うちがあると思えば、すぐにも買収しちまえるんだからな」

「で、いったいどんなことをするんだ？」

「どんなことをするんだと思う？　あの兵隊たちのうち何人かの赤い服を、仕立てろしの時よりも赤くしてやろうというのさ」

「でも向こうは武装《ぶそう》している」

「だからこっちもそうするまでのことさ。仲間にゃ一人一人ピストルが二丁ずつ渡ることになってるんだ。船員たちに手伝わせても、われわれの手だけでこの船が動かせなかったら、それこそわれわれは男の子じゃないんだから、さしずめ女学校の寄宿舎へでも行くことさ。今晩君の左がわの独房の男と話してみてくれ。信用のおけそうな人物だかどうだか見るんだ」

　父はいわるるがままに行なえり。左がわの男はこの身と似かよいたる境遇《きょうぐう》の若ものなりしが、罪名は文書偽造罪《ぶんしょぎぞうざい》なりといえり。名はエヴァンズなりしも、父と同様後年改名して、現にイングランド南部地方にて富裕なる生活を営めり、他にはこの監禁を脱する術《すべ》とてなき身なれば、彼も直ちにわれらに荷担《かたん》したり、而《しこう》して船がいまだビスケイ湾《わん》をすぎざるに、三十八名の囚人中この密謀に荷担せざるはただ二人のみとなれり。一人は心よわくして恃《たの》むにたらず、他は黄疸《おうだん》を病みてとうてい参加しえざる人物なりしなり。

船の支配権を得んことは、最初より何らの支障ある理《ことわり》なかりしなり。船員はすべてその目的に従いて選ばれたる悪漢の一味なり。教戒師は小冊子の充満《じゅうまん》せりとおぼしき黒き鞄《かばん》もて、教戒のためしばしばわれらが監房を訪《おとず》れたり。よって三日目には早くもわれらが寝床の下には、ヤスリ一本、ピストル二丁、火薬一ポンドならびに弾丸《だんがん》二十発が隠匿《いんとく》さるる始末となれり。

看守二人はプレンダガストが代弁人にして、二等航海士はその片腕なり。のこりは船長、航海士二人、看守二人、マーチン中尉《ちゅうい》以下十八名の兵士、医員あるのみ。これわれらの対抗《たいこう》すべき全員なり。事態はかくの如く安全なれども、われらは万全を期し、襲撃《しゅうげき》は夜間不意にこれを行なうことと定めたり。されど事はかねて期したるよりも早く突発《とっぱつ》せり。いざその次第《しだい》を語らん。

一夜、出帆後約三週間の後なりしが、囚人中病者の生じたるため診察《しんさつ》に降り来れる医員が、その寝台《しんだい》に手をつきて、毛布の下にピストルの外形を触知《しょくち》せるなり。もしこのとき彼が平然として立去りいたらんには、われらの計画はおそらく根本より阻止《そし》せられたるならん。されど彼は心小さき男なりければ、驚きて声を発し、顔色蒼白《そうはく》に変じたり。よって病囚はことの次第を早くも心づき、ただちに医員をとり押さえたり。医員は声も得出《えいだ》さでその場にサルグツワをはまされ、寝床《ねどこ》にかたく縛《いまし》められたり。医員は甲板への通路をあけ放ちたるまま降り来りいたれば、われらは直ちにそこより甲板上へと躍《おど》り出でたり。二名の哨兵《しょうへい》は即座《そくざ》に射殺されたり。つづいて、物音ききて駆《か》けつけたる伍長《ごちょう》をも仆《たお》せり。

船室の入口にはなお二名の哨兵ありたれど、銃《じゅう》に装弾《そうだん》しあらざりしものか一回も発射せず、銃剣《じゅうけん》つけんとするところを直ちに射殺したり。船長室へ殺到《さっとう》してドアを押しあくれば、間髪《かんはつ》をいれず室内に爆音《ばくおん》あり、船長は卓上《たくじょう》にピン留めせし大西洋の海図上に頭をつけて倒《たお》れおり、かたわらにはかの教戒師、いまだ煙《けむり》の出ずるピストル持ちて立てり。航海士両人はいずれも船員に捕《とら》えられたるをもって、これにてすべては決着せるかに見えたり。

広間は船長室に隣《とな》れり。われら一同そこに集合し、自由の身となる歓喜に心もそぞろなれば、おのおのソファにくつろぎて弄舌《ろうぜつ》せり。

室内には多くの戸だなあり。かの偽《にせ》教戒師ウイルソンその一つをうち破りて、シェリー酒一ダースあまりを取りいだせば、みなみな争ってビンの口うち砕《くだ》き、コップに注ぎて一気にそのみほさんとするに、突如《とつじょ》、ごう然たる小銃のとどろくあり、サロンは煙のためテーブル一つへだてたる先も見えざるに至れり。やがて硝煙《しょうえん》散ずるとともに、そこに一個の屠殺場《とさつじょう》こそは出現したり。すなわちウィルソンはじめ八名の同志は、たがいに上になり下になりて床上をうごめき、赤き血と濃《こ》きシェリー酒のこんこんと流るるさま、いま往時を回想するだに暗然たるものあり。されば、もしかのプレンダガストのありてわれらを勇気づけざりせば、われらは即座に解散し、行動を中止したるならん。それほどこの光景は惨憺《さんたん》たるものありしなり。プレンダガストは牡牛《おうし》のごとくに怒号《どごう》し、残れる全員を従えて戸口へ突進せり。甲板上に出でみれば、船尾上甲板にかの中尉が、十人の監視兵を従えて控《ひか》えたり。広間のテーブルの上方の明りとり少しく開かれあるにより、彼らはそこより小銃さし入れて、われらを射撃せるものとは知られたり。

われらは兵士たち未《いま》だ装弾しなおさざるに先だち、いっせいに射撃をあびせかけたり。ついで彼らも応射せり。されど多勢に無勢、五分間をいでずして戦いは終局をみたり。ああ神よ！　かくのごとき人間屠殺の行なわれたること、いずくにかあらんや！　プレンダガストは怒《いか》れる悪魔《あくま》のごとく、小児《しょうに》を扱うがごとくに兵士らをつまみあげて、生けるも死せるもすべて海中へと投じたり。そがなかにいたく傷つける一軍曹《ぐんそう》のありて、驚くべき長時間海上に漂《ただよ》いいたりしが、ついに何者かの憐憫《れんびん》によりて船上より頭部ねらいて射殺せられたり。

戦いは終れり。残るは看守と航海士と医員あるのみ。而してわれら同志間に一大争闘《とう》の起これるは、じつに彼らがためなりとす。

再び自由を得んことを願うは一様ながら、なかには殺人を犯《おか》してまでこれを得んとは欲せざるものあり。小銃を手にせる兵士らを倒すことと、人の無惨《むざん》に殺害さるるを拱手傍観《きょうしゅぼうかん》するとは、まったく別事なりとす。同志中八名、すなわち囚人五名と船員三名とは、殺人行為《こうい》を見るに忍《しの》びずと申しいでたり。されどプレンダガストの一派は、これがため毫末《ごうまつ》も動かさるることなく、同志の安全をはかるには、将来証人となり得べき者の命をことごとく断つのほかなしと主張せり。

かくて一時はほとんどわれらも、生き残れる五名と同様の運命におちいらんかを疑われしが、最後にいたりて、希望あらば八名のものだけボートをおろして、この場より漕《こ》ぎ去るもよしと許されたり。同志八人、残忍《ざんにん》なる行為に暗然たる折なりしかば、欣然《きんぜん》この条件を承諾《しょうだく》なしたり。すなわち一様に水夫服一着をあたえられ、一荷《いっか》の飲料水、塩漬《しおづけ》牛肉およびビスケット各一樽《たる》、コンパス一個とともにボートに乗り移れり。プレンダガストはなお海図一葉を投げこみくれ、もし問われなば北緯十五度西経二十五度の洋上にて難破したる船の乗組員たりと告げよと命令し、舫索《ほうさく》を断てり。

ヴィクターよ、父の物語はこれよりいよいよ奇々怪々《ききかいかい》をきわむるなり。暴動中水夫は前檣下帆《ぜんしょうかはん》を逆帆となしおきしが、われらボートにて去るとき、ふたたび旧位に復したれば、おりからの北東微風《びふう》により、グロリア・スコット号は静かにわれらを遠ざかりゆけり。

われらのボートは、ながくなだらかなる大浪《おおなみ》のまにまに上下しつつ漂えり。エヴァンズと父とは同勢中もっとも教育ありしがため、たがいに今後の進路をいかに選ぶべきかを研究したり。いま、われらはヴェルデ岬《みさき》諸島の南方約五百マイル、アフリカ海岸へは東方約七百マイルの海上に漂えるなれば、その問題はなかなかの問題たるなり。されど風位はすでにして北方へと向かいたれば、まず英領のシェラ・レオーネこそ最良の目標ならめと決し、艇首《ていしゅ》をばその方向へと向けたり。

いまやグロリア・スコット号は右舷《う》《げん》艇尾《ていび》の波間にほとんど船影を没《ぼっ》せんとしつつあり。そをながめありたる瞬間《しゅんかん》、見よ！　グロリア・スコット号上には突如として、水平線上にたつ魔の巨木のごとき黒煙《こくえん》もうもうとたち昇《のぼ》れり。つづいて数秒後、万雷《ばんらい》のごときごう然たる音響《おんきょう》耳朶《じだ》をうてり。而して煙の消散するをまちて海上はるかに見わたすに、グロリア・スコット号の姿はすでにあらざるなり。同志はただちに艇首をめぐらし、いまだ余煙のただよう現場めがけて、懸命《けんめい》の力漕《りきそう》をつづけたり。

必死と力漕はなしたれども、ボートの現場に到達《とうたつ》するにはかなりの時間を要したり。せっかく来《きた》りながら、もはや一人の生存者をも見得ざるもののごとく、波間にただよえるボートの破片《はへん》、箱《はこ》の類、船材の一部など、本船難破の位置のみは判定さるるも、生けるものとては見あたらざるなり。

空《むな》しく漕ぎさらんとせしとき、ふと救《たす》けを求むる声あり。見れば少しく隔《へだ》たれるところに、船材の破片にすがりて漂える一人物あり、直ちに救いあげ見るに、若き船員ハドスンなり。いたく火傷をうけ、翌日まで何ごとをも語るを得ざるまでに困憊《こんぱい》したり。

後にハドスンの語るところによれば、われら下船したる後、プレンダガストの一味は生きのこれる五名のものを殺害せんとし、まず看守両名を射殺して海中に投じ、三等航海士をも同様に始末したり。ついでプレンダガストは中甲板に降りゆき、哀《あわ》れなる船医の咽喉《いんこう》を自《みず》からかき切りたり。のこるはただ一等航海士あるのみ。一等航海士は大胆《だいたん》かつ機敏《きびん》なる人物なりしかば、プレンダガストの血に染《し》みたるナイフを擬《ぎ》して近づくを見るや、かねてゆるめおきたる縛《いま》しめを脱《だっ》して脱兎《だっと》のごとくに後部船艙《せんそう》へと逃《に》げ降りたり。

逃げ降りたる一等航海士を捜索《そうさく》すべく、直ちに十余人のものども手に手にピストル擬して降りゆけば、彼は百たる積みこまれてありたる火薬の一個のふたを取り、マッチを手にそのかたわらに坐《ざ》しおりて、一指だに触《ふ》れなば、火薬に点火すべしと大声叱《しっ》咤《た》したり。

その一瞬後にかの大爆発は起これるものなるが、ハドスンの推定にてはおそらく右は航海士の点火せるがためにはあらで、同志中の何ものかの発したるピストルのそれ弾《だま》が、火薬たるに命中したるものならんといえり。原因はいずれにありとするも、以上がグロリア・スコット号と、同船を乗りとれる囚人一味の最後たりしものなり。

愛するヴィクターよ、要するに以上記《しる》すところは、父がみずから関係したる恐るべき事件の顚末《てんまつ》たるなり。

翌日われらはオーストラリア行き二檣帆船ホットスパー号に救助されたり。同船の船長は、われらを難破客船の船員なりと、容易に信じくれたり。海事部も護送船グロリア・スコット号は洋上にて行方《ゆくえ》不明《ふめい》となれるものと簡単に認定《にんてい》し、事実の真相はついに世に現わるることなくして終れり。

ホットスパー号は無事航海をつづけ、われらをシドニーに上陸せしめたり。シドニーにおいて父はエヴァンズとともに姓名《せいめい》をかえ、金鉱地へと赴《おもむ》きたるなり。金鉱地方は、世界各国の人種雑然と集まれるところなれば、われら両人とも変名以前の素性《すじょう》を容易につつみ得たり。

ここまで記せば余事は何ら語るの必要なからん。両人は大いに成功をおさめ、各地を旅したるのち、故国に帰りてそれぞれの地に領地を買い求めたるなり。以来二十余年、われらの日常は平和にすぎたり。然《しか》して今後も平和裡《り》に余生を終り得るならんとせり。

然るに、おお、一日わが家を訪れたる男の顔みて、そが三十余年前難破せるグロリア・スコット号より救いあげやりたる男なりと知りたるときの、父の胸中やいかばかりなりしぞ！　御身《おんみ》も今となりては了解《りょうかい》せん。父が彼と争わざらんといかに努めたるかを。同時に、父の苦しみたる恐怖《きょうふ》にたいし、御身いまとなりては同情するならん。

最後にほとんど判読にも苦しむくらいの震《ふる》え字で、『ベドーズは暗号にて、Hがすべてを語れる旨《むね》申し来れり。おお神よ！　われらに憫《あわ》れみを垂れたまえ』と書いてある。

以上がその晩ヴィクターに読んできかせた全文なんだ。事情が事情だから、じつに劇的な場面じゃないか、ワトスン君。ヴィクターは悲嘆《ひたん》にくれ、学校をやめてインドのテライ茶園へ行ってしまったが、その後なかなか成功しているという話だ。

ハドスンとベドーズに関しては、警告状のきた日以来、杳《よう》として消息が知れない。二人とも完全に姿を消してしまったのだ。二人の行方不明になったことに関して、警察へ照会したものすらないという。

ハドスンがベドーズの家の付近をうろついていたということで、警察では彼がベドーズを殺しておいて、高飛びしたのだろうと見ているが、僕の考えでは、事実はその正反対だろうと思う。ベドーズが自棄的《じきてき》になり、ハドスンがもう旧悪をあばいたものと信じて、自から復讐《ふくしゅう》の刃《やいば》を加えたうえ、集められるだけの現金をかき集めて、どこかへ逐電《ちくてん》したものと思うんだ。

とにかく事実は以上の通りだ。もしこの話が君の収集に役だつなら、どうぞ遠慮《えんりょ》なく使ってくれたまえ」

——一八九三年四月『ストランド』誌発表——

マスグレーヴ家の儀式《ぎしき》

シャーロック・ホームズの性格のうちで、異常な点として、いつも私の気になっていたことは、思索《しさく》の方法こそ世にも整然と、そして簡潔で手ぎわよく、また身のまわりの服装《ふくそう》、身だしなみこそいつも几帳面《きちょうめん》に端然《たんぜん》としているが、日常の起居出入、その他やることが、同宿者でもあればほとほと持てあますだろうほど、だらしのないことである。

とはいっても、私もだらしがあるほうでは決してない。アフガニスタン出征《しゅっせい》という仕事が、乱暴でめちゃくちゃで、自然気持も極度に放縦自堕落《ほうじゅうじだらく》に流れるところから、これでは医者などするには向かないかと思われるばかり、万事なげやりな人間になって帰ってきた。けれども私のだらしなさには際限がある。葉巻を石炭いれのなかへしまっておいたり、きざみタバコをペルシャ製の室内くつのなかへ入れておいたり、返事を出すべき手紙を海軍ナイフでマントルピースの木わくのまん中へ突《つ》きさしておいたりする男を見ると、私だとてつい自分が謹直端正《きんちょくたんせい》であるようなことをいってみたくもなるのだ。

また、ピストルの射撃《しゃげき》というものはかならず野外でなされるべきスポーツだと私はかたく信じていたが、ホームズがその変な好みから、微力発射装置《びりょくはっしゃそうち》つきのピストルとボクサー弾《だん》を百発もって、ひじ掛《か》けいすにおさまったまま、正面の壁《かべ》に弾痕《だんこん》でV・R（訳注　Victoria Reginaの略で、ヴィクトリア女王の意味）という愛国的な文字をかざったときには、さすがに呆《あき》れてしまった。部屋の空気も空気だし、体裁《ていさい》だってそんなことをされたんじゃ、たまったものでない。

私たちの部屋は薬品と犯罪関係の記念品とでいっぱいで、それがよく思いもかけないところへ紛《まぎ》れこんでいたりした。時にはバターいれのなかから出てきたり、またもっといやなところから飛び出したりもした。だがホームズの書類は私にはまったくの困りものだった。彼《かれ》は記録、ことに自分の関係した事件の記録の失われることをひどく恐《おそ》れた。そのくせ自分でその整理に本気で骨折るのは、一年にたった一度か二度にすぎない。それというのが、いつかも私のつたない回想録のなかで説明しておいたように、本気になったとき、――つまり情熱の爆発《ばくはつ》したときは、事件を明快に解決して著《いちじる》しい功績をあげるときであり、それからすぐ引きつづいて反動的な冬眠《とうみん》状態がおこり、ヴァイオリンを奏するか本を読むか、ときどきテーブルからソファへゆくほかには、ほとんど動きもしない彼だから、その暇《ひま》がないわけなのである。

かくして月々に書類はつもりにつもって、焼きすてられることもなければ、またホームズ以外には手をつけるわけにもゆかないままに、部屋の隅々《すみずみ》は記録の束《たば》でいっぱいになってゆくのだ。

ある冬の夜、いっしょに火にあたっているときだった。備忘録《びぼうろく》へ書きぬきをはりこむ仕事もすんだのなら、これから二時間ばかり費して、部屋のなかをもっと気持よく整頓《せいとん》したらどうだろうと、私は思いきっていいだしてみた。

べつに無理な注文でもないので、ホームズも渋い顔はしながらも、寝室《しんしつ》へはいっていったが、やがてそこから大きなブリキの箱《はこ》をもちだしてきた。そして、そいつを部屋のまん中にすえ、そのまえに腰掛《こしかけ》を引きよせ、腰をおろしてふたをとった。みると、なかには赤いテープでべつべつにからげた書類が、三分の一ほども詰《つ》まっている。

「このなかには事件がうんとあるんだぜ」彼はいたずらっ児《こ》の目で私を見ながらいった。「このなかの事件の話を知ってさえいれば、君だってほかの記録をしまいこむどころか、そいつをいくつか取りだしてくれというに決ってるぜ」

「じゃこれが青年時代の業績なんだね？　僕《ぼく》も一度そのころの事件を筆にしたいもの

だと、かねがね思っていたんだよ」

「そうさ。ここにあるのはみんな初期の、君が僕のことを書いて偉《えら》くしてくれるまえの時代のものなんだ」ホームズはひと束ひと束、人形をでも扱《あつか》うようにやさしくとり出しながら、「みんな成功した事件ばかりというわけじゃないよ。しかしなかにはちょっと面白《おもしろ》いものもある。こいつはタルトン殺人事件の記録、それからヴァンベリという酒屋の事件、ロシアの老婆《ろうば》事件、アルミニウムの松葉杖《まつばづえ》事件、それから蟹足《かにあし》のリコレッティとその憎《にく》むべき事件とね。そしてこいつは――ああ、こいつはちょっと毛いろの変った事件だよ」

彼は箱の底に手を突っこみ、子供の玩具《おもちゃ》ばこのような、横にすべらして開けるふたのついた小さな木の箱をとり出した。そしてその箱のなかからさらに、しわくちゃな紙を一枚と、古風なしんちゅうのかぎを一個と、糸の玉のついた木の棒を一本と、それして三枚のさびついたふるい金属の円板とをとりだした。

「どうだね、ワトスン君、こいつをなんだと思うね？」ホームズは私の顔を見てにこにこしている。

「妙《みょう》なものばかり集めたもんだな」

「妙だろう？　ところがこいつにまつわる物語ときたら、もっともっと妙なんで驚《おどろ》くよ」

「ではこれらの記念品には歴史があるんだね」

「まったく歴史だ」

「どういう意味だい？」

ホームズはそれらの品を一つ一つとっては、テーブルの端《はし》へならべた。それからいつもの自分の席へおさまって、満足そうな眼差《まなざし》をそのうえに落した。

「これはみんな『マスグレーヴ家の儀式』事件の思い出にと思って保存しておいたんだ」

『マスグレーヴ家の儀式』事件というのは、一度ならず彼が口にしたことがあるので、名だけは知っているが、私もその内容はまだ少しも知らなかった。

「じゃぜひその話を聞かせてもらいたいもんだねえ」

「掃除《そうじ》のほうはほったらかしてかい？」ホームズはいたずらっ児のように叫《さけ》んだ。

「君のきれい好きもどうやら怪《あや》しいもんだね、ワトスン君。だがまアいいや。この事件はわがイギリスの、いや世界中どこを探してもおそらく古今独歩の珍《めずら》しい事件なんだから、君の記録にこの事件を加えてもらうのは大いにありがたいよ。この奇《き》怪《かい》きわまる事件が加わらなかったら、僕のつまらない成功談も、決して完全とはいえないんだ。

君はグロリア・スコット号事件で、死んだトリヴァ老人との話の結果が、僕をして現在のような職業に趣味《しゅみ》をもたせる最初の機縁《きえん》になった次第《しだい》を、まだ覚えているだろう？　今でこそ僕の名もひろく天下に知られるし、むずかしい事件の最後の持ちこみ場として、民間からも警察方面からも認められるようになった。君が初めて僕を知った——例の『緋色《ひいろ》の研究』事件として君が書きつづってくれたあの事件の時分でさえ、大した収入にこそならなかったが、僕はすでにかなり認められてはいたんだ。だが最初はいかに困難を感じたか、少しでも仕事を開拓《かいたく》したいと、どんなに骨を折ったかなんて、話してもおそらく君はほんとうにはしまい。

最初ロンドンへ出てきた時はモンタギュー街の、大英博物館の角を曲ったところに間借りして、おそろしく退屈《たいくつ》な時間を、将来役にたちそうな学問をうんと手びろく勉強して潰《つぶ》していたもんだ。

ときどき事件はころがりこんできた。主としてそれは学生時代の友だちの紹介《しょうかい》によるもので、それというのが学生時代の最後の一年間に、僕が探偵《たんてい》をやるという話がかなりうわさにのぼったのが原因なのだ。『マスグレーヴ家の儀式』事件はその第三番目の事件だった。そして僕が現在の地位を得る第一歩を踏《ふ》みだし得たのは、事件が非常に奇怪をきわめたため、世間の興味をひき起こしたのと、大問題になった事件だったためなのだ。

レジナルド・マスグレーヴは僕とおなじカレッジに学んでいた男で、僕とも面識はあった。卒業組のなかでもあまり人望のあるほうではなかったが、みんなからは自負心がつよすぎるように見られていたのも、そのじつ生来の極端な内気さを隠《かく》そうがためにすぎないと僕は見ていた。

見たところやせて鼻がたかく、目が大きく挙動《ものごし》ははきはきしないが礼儀《れいぎ》正しい、いかにも貴族タイプの青年だった。事実、彼はイギリス屈指の名門の生まれで、十六世紀のころ北マスグレーヴ家から出て西サセックスに一家を起こした、分家といえば分家ではあるが、ハールストンにある領邸《りょうてい》のごときは、おそらく州内最古の邸宅といってよいほどの家柄《いえがら》だった。

そのまた家郷《かきょう》の匂《にお》いがマスグレーヴの身にはこびりついているとみえ、僕はその色白の敏感《びんかん》らしい面差《おもざし》や、格好のいい頭つきなど見ていると、封建《ほうけん》時代の城砦《じょうさい》や拱道《アーチウェイ》や竪框《たてかまち》のはまった窓や、そのほかすべて森厳《しんげん》な遺跡《いせき》などを連想せずにはいられなかった。ちょいちょいその男と話しこむことなどあったが、今でも思いだすのは、彼が僕の観察と推理の法を知って、ことのほか面白がったことも一再ではなかった。

卒業後はその男ともたえて会ったことはなかったのだが、四年目のある朝、ひょっくりモンタギュー街の僕のところへ姿を現わした。四年まえの俤《おもかげ》をそのままに、流行の服装をして——彼はいつでも身形《みなり》には気を配っていた——昔《むかし》ながらの落ちついた上品な物腰をそっくり保っていた。

『どうです、その後は？』僕はていねいに握手《あくしゅ》をかわしてから、まず尋《たず》ねた。

『父の亡《な》くなったことは、たぶんお聞きおよびでしょうが、ちょうど三年ばかりまえに、とうとう他界しました。それ以来ハールストンの領地は、自然僕が管理しなければならないわけで、地方のことにも顔出しをしなければならず、これでなかなか忙《いそが》しくやっていますよ。ところで君は、学生時代によくわれわれをあッといわせたあの才能を、いまでは実地に応用しているんだそうですね？』

『まあね、自分の知恵《ちえ》で生活を才覚しなければならなくなったわけですよ』

『それを聞いてすこぶるありがたいですよ。というのは、僕はいま君の知恵を貸していただくとたいへん助かる事情があるわけなんです。じつはこんどハールストンにはなはだ不思議なことが持ちあがりましてね、土地の警察も手を焼いている始末なんです。まったく奇怪な、なんとも説明のつかない事件なんですがね』

それから僕がどんなに熱心に、マスグレーヴの話に耳を傾《かたむ》けたか、ワトスン君はよくわかってくれるだろう。何しろ数カ月間もたった一つの事件さえなくて、無聊《ぶりょう》に苦しんでいるところへ、まちこがれた機会が向こうから飛びこんで来たんだものね。そして内心では、他人の失敗した事件ならかならず成功してみせるぞ、それが自分の腕《うで》だめしだぞと叫んだものだ。

『どうかその内容を話してくれたまえ』僕は叫んだ。

するとレジナルドは僕と向かいあわせに腰をおろして、勧めるがままに葉巻をとって火をつけて話しだした。

『ホームズ君、まず第一にご承知をねがわなければならないのは、僕はまだ独身でこそあるけれど、ハールストンにはかなりの召使《めしつかい》をおかなければならないことです。なにしろ古いだだっ広い家なので、なかなか手がかかるからです。それにまた、雉子猟《きじりょう》の季節には、毎年お客をしますから、どうしても手が足りないと困るのです。みんなで女中が八人とコックと執事《しつじ》と、下男が二人に子供が一人、それに庭園と厩舎《きゅうしゃ》はむろんこのほかです。

このなかで一番ふるくからいるのは、執事のブラントンという男で、初めは失業した若い学校教師だったのを、父が拾いあげて執事にとりたてたのですが、たいへん精力家でまた意地のつよい男だったので、まもなくなかなか役にたつ執事になりました。

からだのよく発達した、額の大きい好男子で、家にはもう二十年もいるのですが、まだ四十にはなりません。男前もよし、数カ国語に通じているうえ、楽器ならたいてい何でもこなせるほどの才人なのに、どうして執事くらいにこう長く甘《あま》んじていられるのか、不思議なくらいですが、じっとしていればまあ安泰《あんたい》だし、かといって今さらひと旗あげるだけの元気もないからだろうと思います。ハールストンの執事といえば、家へくるお客さんたちは誰《だれ》でも忘れられないものになっているくらいです。

しかしこの模範的《もはんてき》人物にも一つの欠点があります。それは少々女たらしなところのあることですが、そうした男が、せまい田舎《いなか》のドン・ファンになるのが大した難事でないのは、君もよくおわかりでしょう。妻のあったころはよかったのですが、妻に死なれてからは、いざこざの絶えたことがありません。二、三カ月まえに、二番女中のレーチェル・ハウェルズという女と婚約《こんやく》ができましたから、こんどこそ身持もおさまるだろうと喜んでおりますと、それも僅《わず》かのまで棄《す》てて、こんどは猟場番頭《りょうばばんがしら》の娘《むすめ》ジャネット・トリジリスという女に鞍《くら》がえしました。

レーチェルはいい娘ですが、ほてりやすいウェールズ生まれの気性《きしょう》ときているので、そのため熱病患者《かんじゃ》のように精神が錯乱《さくらん》して、いまでは昔の自分の影《かげ》のようにふらふらと、家のなかを歩き回っています。

これがハールストン事件の第一なのですが、つづいて、そんなことには構っていられないほどの大事件が起こりました。その序曲は執事が体面をけがして解雇《かいこ》されたところから起こります。

事情はこういうわけです。執事が利口ものだということは、まえに申しましたが、わが身の利口さのゆえに、彼は身の破滅《はめつ》をまねいたのです。なぜならば、利口ものであるばかりに、自分にはなんの関係もないことに、あくなき好奇心を燃やしたからです。およそいつごろから彼はそれに気がついたものか、こんどふとしたことからそれを知るようになってからも、まだ僕には全然わかりません。

まえにも申したとおり、屋敷《やしき》はだだっ広いところですが、先週のある晩――正確にいえば木曜日ですが、――僕はよせばよいのに夕食後牛乳ぬきの濃《こ》いコーヒーを一杯やったものですから、さあどうしても寝《ね》つかれません。二時までも輾転反側《てんてんはんそく》したあげくが、どうにも寝つかれないものですから、あきらめて読みかけの小説でも読むつもりで、起きてろうそくをともしました。しかしその小説は撞球室《どうきゅうしつ》においき忘れていたので、ガウンをひっかけて取りに降りてゆきました。

撞球室にゆくには階段をおりて、図書室や銃器室《じゅうきしつ》へゆく廊下《ろうか》のはずれを通らなければなりません。その廊下までできたとき、開けはなたれた図書室から、かすかな灯火《あかり》がもれているのを見たときの僕の驚きはどんなでしたろう？ そのドアは僕が寝るまえに自分でランプを消してから、ちゃんと閉めておいたものなのです。

とたんに、これは泥棒だなと僕が思ったのは無理ではありますまい。ハールストンの廊下には、ふるい戦利品の武器がたくさん壁にかざってあります。そのなかから僕は戦斧《せんぷ》を一本とって、ろうそくはそこへ残したまま、ぬき足さし足歩いていって、そっと図書室をのぞいてみました。

みると、執事のブラントンがそこにいるのです。ブラントンはまだ服も昼間のままで、安楽いすに腰をおろしてひざのうえに地図らしい紙片《しへん》をおき、両手にあごをのせてじっと何やら考えこんでいます。あまりのことに声もたてず、僕は暗いところからじっと様子を見ていました。テーブルのはじには小さなろうそくが燃えていて、ぼんやりあたりを照らしています。彼がちゃんと服をつけていることくらいはわかる明るさです。

見ているうちに、ブラントンは不意に立ちあがって、壁ぎわの用だんすのところへ行き、かぎをだして引き出しを一つあけました。そしてそこから一枚の紙をだして、もとの席へもどって紙をろうそくのまえにひろげてのべ、細心にそれを調べはじめました。

自分の一家の記録をそんな調子で研究されだしたので、僕はかっとなって、思わず一歩まえへ出ました。不意をうたれたブラントンが顔をあげてみると、僕が戸口にぬっと立ちふさがっているので、さっとその場へ突ったちました。そして土気いろの顔をして、はじめに調べていたほうの、地図らしいものをいきなり胸の内ポケットへ突っこみました。

――ふむ、おれのほうではこれほど信じていたのに、貴様は恩をあだでかえすつもりだな？　あすの朝出ていってもらおう！　僕はどなりつけてやりました。

するとブラントンはガンと打ちのめされたように首垂《うなだ》れて、しおしおと言葉もなくその場を去りました。ろうそくはまだテーブルのうえで燃えています。それによって、ブラントンが引き出しから出した書類のなんであるかを僕は見ました。ところが、これはまた意外なことに、その書類というのは大切なものでも何でもない。マスグレーヴ家の儀式文といって、奇妙《きみよう》な問答体の式文の写しにすぎません。それはわがマスグレーヴ家に独特の一種の式法で、過去何世紀かにわたって、代々の長男が丁年《ていねん》になるとき行なうもので、まったく純然たる一家の問題であって、考古学者にでも見せたら、また何とか理屈《りくつ》もあるでしょうが、実際上には何らの用をなさないものなんです』

『書類のことは、また後でゆっくり聞くことにしましょう』僕はいった。

『君がどうしても必要だとおっしゃるならね』とレジナルドはちょっと躊躇《ちゅうちょ》してからいって、『そこで話のつづきですが、僕はブラントンのおいていったかぎで引き出しを閉めてから、いざ部屋を出ようとして後をむくと、いつのまにきたかブラントンが入口に立っているので、びっくりしました。ブラントンはのどにからまった感情的な声でいいました。

――旦那《だんな》さま、私には汚辱《おじょく》を忍《しの》ぶことができません。私はこれまでいつも自分の地位を誇《ほこ》りとして参ったものでございます。汚辱は私には死でございます。もし絶望の淵《ふち》に沈《しず》みでも致しますれば、きっと私は旦那さまをお恨《うら》みいたします。でもこんなことで、もしどうあっても暇をやるとの思召《おぼしめ》しでございましたら、後生でございます。私一身の都合でお暇を願い出ました体《てい》にして、どうか一カ月のご猶予《ゆうよ》をいただかせてくださいまし、それでございましたら、立つ瀬《せ》もございます。けれどもお暇が出たとありましては、知り人にもあわす顔がございません。

――いや、ブラントン、貴様にそんな容赦《ようしゃ》をしてやる義理はないぞ。貴様のしたことは、じつに見さげはてた所業だ。しかし永年つとめたことでもあるから、おれも貴様の悪行を表ざたにしようとはいわん。だが一カ月はながすぎる。そうだ、今から一週間のうちに出ていってもらうことにしよう。出る理由なんざ、なんとでも貴様のほうで勝手につけておけ。

——たった一週間でございますか？　せめて二週間……どうぞ二週間のご猶予をくださりませ。ブラントンは落胆《らくたん》していいます。

——一週間だ。それでもどんなに寛大《かんだい》な処置だか感謝していいのだぞ。

ブラントンは屠所《としょ》にひかれるひつじのように、首垂れてしおしおと去りました。僕はろうそくを消して、寝室へ帰ってゆきました。

このことがあってから二日間、ブラントンはじつに熱心に役目をつとめました。僕もすぎたことには一言も触《ふ》れないで、彼が自分の不面目をどうとり繕《つく》ろってゆくかを、内心好奇の目でながめていました。

ところが三日目の朝になると、いつもなら食後に僕のところへその日の命令を聞きにくるのが、どうしたことか姿を見せません。食堂を出たとたんに、女中のレーチェルとばったり会ったものですが、さきほども申した通り、この娘はまだ病気あがりで、いたいたしいほど血色がわるく、面《おも》やつれがしているので、僕はまだ働きだすには早いと思って、労《いた》わってやる気になりました。

——お前はもっと寝ていなくちゃいけないね。もう少しよくなってから、起きて働いたらよかろう。

するとレーチェルはじつに妙な顔をして、僕の顔をまじまじと見ました。それで僕は、この娘はほんとうに頭がどうかしたんじゃないかと不審《ふしん》をおこしたほどです。

――いいえ旦那さま、もうすっかりよろしいのでございます。

――医者がなんというか、それを聞いてからだね。とにかく今は働いてはいけない。そしてついでにお前、下へいったらブラントンにちょっと来るようにいっておくれ。

――執事さんは行ってしまいました。

――行った？　どこへ？

――行ってしまいです。どこですか、誰も見たものがございません。お部屋にもいません。ですから行ってしまいなんでございます。そうだわ、行ってしまいなんだわ。

とレーチェルは甲《かん》だかい声でとめどもなく笑いながら、うしろの壁《かべ》に倒《たお》れかかりましたので、僕はヒステリーの発作《ほっさ》におどろいて、急いでベルを引いて人を呼びました。やがて彼女は泣き叫びながら、自分の部屋へつれてゆかれましたから、僕はブラントンの行方《ゆくえ》をさがしにかかりました。

なるほど彼が姿を消してしまったことは事実でした。前夜自分の部屋へ退《さが》ったことはたしかなのに、寝床《ねどこ》には寝た形跡《けいせき》がなく、しかも前夜以来誰も姿を見たものがないのです。

それにしても朝見たところでは、どの窓もどの戸もなかからちゃんと締《しま》りができていたというのですから、家からそとへ出たとは考えられません。服も時計も金までも、部屋のなかにそっくりありますが、ただふだん着ている黒い服だけが見えません。また室内ぐつだけは見あたりませんけれど、外出用の深ぐつはちゃんと残っています。いったいブラントンは夜中にどこへ行ったのでしょう？　そしていまどこにどうなっているのでしょう。

むろん地下室から屋根部屋の隅《すみ》まで、残るくまなく探しはしましたが、ブラントンの足跡すらありません。前にも申したように、屋敷は迷宮《めいきゅう》のような古い建物で、ことに今はまったく使ってはいませんが、旧館のほうがひどく入りくんでいるのですけれど、僕らはこのほうも屋根部屋一つのこさず調べました。無断で出てゆくにしても、持物をそっくり残してゆくはずがありません。しかもこれだけ探していないとすれば、いったいどこを探せばいいのでしょう。

仕方がないから土地の警察へも頼《たの》んでみましたが、いっこう埒《らち》があきません。問題の晩には雨がふりましたから、もしや足跡でもあるかと屋敷のまわりの芝生《しばふ》や小路《こみち》も調べてみましたが、それもむだでした。そういう騒《さわ》ぎの最中に、またもや新しい事件がもちあがったので、こんどはすっかりそのほうへ気をとられてしまうことになりました。

というのは女中のレーチェル・ハウェルズですが、この娘はそれから二日間というもの、どうも容態がはかばかしくなくて、譫語《うわごと》をいうかと思うとヒステリーの発作をおこすという始末なので、看護婦を雇《やと》って夜だけ寝ずの番をさせることにしておきました。

ところがブラントンが失踪《しっそう》してから三日目の夜のこと、看護婦のやつレーチェルがぐっすり眠《ねむ》っているのを見て、安楽いすにもたれてうつらうつらやり始めたものです。そして明けがたふと目をさましてみると、彼女の寝床がもぬけのからで、窓があいていたという始末です。

すぐ僕のところへ知らせてきましたから、大急ぎで下男を二人つれて駆《か》けつけ、レーチェルを探しにかかりました。その結果彼女がどの方角へいったかということだけはすぐわかりました。というのは、その窓の下から女の足跡が芝生を横ぎって、池のほうへ走っていたからです。

足跡をたどってゆくと、邸外《ていがい》へ出る砂利《じゃり》道《みち》の付近で、池のふちでその足跡は消えていました。池はその付近では水深が八フィートもあります。気の狂《くる》った哀《あわ》れな女の足跡が池の岸でつきているのを見たときの、僕らの胸のうちがどんなだったか、どうぞお察しください。

むろんすぐに撈錨《さぐり》をとりよせて、死体のひき揚《あ》げにかかりましたが、どうしたことかさっぱり手ごたえがありません。そして死体のあがらない代りに、思いもよらないものをひき揚げてしまいました。

それは一個の亜麻《あま》の袋《ふくろ》で、なかには赤さびになった大きな金物と、石だかガラスだかえたいの知れぬどんよりした色のものがいくつかはいっていました。池の底からひき揚げたのはまったくこれだけで、昨日も八方手をつくして捜索《そうさく》してはみましたけれど、レーチェルの行方もブラントンの運命も、かいもくわからないのです。土地の警察もこれにはほとほと手を焼いています。それで最後のたのみの綱《つな》として、君をたよってきたというわけです』

ワトスン君、この重なる異常な出来事を、いかに熱心に僕が傾聴《けいちょう》したことか、そして各事件のあいだの関係をたどり、ぜんたいを一貫する原因結果の筋道を発見しようとして、いかに僕が努力したことか、十分察してくれたまえ。

執事が失踪した。女中も失踪した。女中は執事を愛していた。だがのちにはかえって憎《にく》んでいたと認められる理由がある。女中はウェールズ人の血をひいて、火のように熱烈《ねつれつ》な女だ。そして男が姿をかくした直後には、おそろしく興奮していた。さらにまた、何やらえたいの知れぬ品のはいった袋を池へ投じた。これだけの事実が考察にいれられるべき材料だ。しかも一つとして事件の核心《かくしん》にふれているものはない。してみるとこの一連の事実の出発点はどこにあるのか？　どこかに事件の発端《ほったん》というものがなければならない。そこで僕はマスグレーヴにいった。

『僕はぜひその書付を見なければなりません。執事が自分の地位を棒にふってまで見たがったというその書付をね』

『どうも少しばかげたものなんですがね、自家《うち》の儀式文《ぎしきぶん》というやつは。古雅《こが》なところが値うちとでもいうんですかね。幸いここにその問答文の写しを持っていますから、見たければ読んでみてください』

そういってマスグレーヴが渡《わた》してくれたのがこの紙なんだ。つまり代々のマスグレーヴが、家憲《かけん》として、丁年になるとき行なわなければならないという、不思議な問答だ。ひとつ原文のとおり、この問答文を読んで聞かそう。

そは何人《なんぴと》のものたりしや？
ゆきたる人のものなり。

そは何人《なんぴと》のものたるべきや？
　来《きた》るべき人のものなり。
何月なりしや？
　最初より第六番目なり。
陽《ひ》はいずこにありしや？
　樫《かし》の木のうえに。
影はいずこにありしや？
　楡《にれ》の木の下に。
いかに歩みしや？
　北へ十歩、而《しこう》して十歩、
　東へ五歩、而して五歩、
　南へ二歩、而して二歩、
　西へ一歩、而して一歩、
　かくして下に。
いかにわれら守るべきや？
　われらの持つすべてをかけて。

いかなればわれら守るべきや？

　信と義とのゆえに。


『原本にも日付はありませんが、綴字《つづりじ》の古風さからみて、十七世紀半ばごろのものです』マスグレーヴが説明した。『しかしホームズ君、こんなものをひねくってみたって、この事件の解決にいかほど貢献《こうけん》するか、すこぶる疑わしいもんですねえ』

『しかし少なくとも第二のなぞを僕らに提供するものですね、この問答文は。しかもブラントンやレーチェルの事件よりは、どうやらこのほうが面白《おもしろ》そうだ。それに一方がわかれば、一方は自然に解決を見るのかもしれません。失敬ながら君の執事というのはなかなかの利口もので、マスグレーヴ家十代の当主がたばになって掛《か》かっても及《およ》ばないほどの、知恵者《ちえしゃ》じゃないかと思われますね』

『そうですかねえ。こんな問答文なんか、なんといっても実用になるものじゃありませんよ』

『ところが僕はきわめて重大な意味があると思いますよ。おそらく執事もおなじ考えだったんです。ブラントンはまえにも、この問答文を見たことがあったんでしょうね？』

『それはありそうなことです。僕らとしてはべつだん骨折ってまでこんなものを隠《かく》す気なんかないんですから』

『だからその晩は、単に記《き》憶《おく》を新たにするために見にいったんでしょう。たしかそのとき、なにか地図のようなものをこれと照らしあわせていて、君が来たのであわてて隠したとかいいましたね？』

『それは事実です。しかし他人のふるい慣例なんかひねくりまわして、いったいどうしようというんでしょう？　そしてこの寝言みたいな文句が、いったい何を意味するというんでしょう？』

『それを解決するのはそう困難でもあるまいと思いますがね。ではマスグレーヴ君、きみの同意を得てサセックス行きの最初の列車で現場へ行って、もっとよく調べることにしましょう』

その日の午後、僕らはハールストンに着いた。ワトスン君もあの有名な古い建物は、たぶん写真で見るか、書物で読むかしたことがあるだろうから、説明はごく簡単にしておくが、建物は L こういう形にかぎの手になっていて、短いほうの翼《よく》がふるい本館で、長いほうがあとからそれに建てました新館になっている。

旧館の中央部のひくい、頑丈《がんじょう》な楣石《まぐさいし》の乗った戸口のうえには、一六〇七年と彫《ほ》りこんであるが、専門家の意見は、梁《はり》や石壁の部分はそれよりも古いものだというのに一《いっ》致《ち》している。旧館は外壁がばかげて厚いうえに、窓が小さいときている。それでやりきれなくなって、前世紀のころ先祖がついに新館を建てましたんだ。だから旧館のほうは今ではほとんど使わず、ただ物置につかい、穴倉を使っているといえば使っているくらいのものだ。

建物のまわりには老樹のしげったみごとな庭があり、さらに建物からは二百ヤードばかり離《はな》れて、問題の池が並木路《なみきみち》に接している。

僕はここへ着いたときすでに、三つの不思議な事件のなぞは、三つの無関係ななぞではなくて、そのじつただ一つの事件であり、まずマスグレーヴ家の儀式文が正しく判読できさえしたら、あとはブラントン事件といいレーチェル事件といい、その真相を知るべき手掛りは一挙にして得られるのだということを信じていた。だから僕は、その方向にむかって全精力を集中したものだ。

なぜブラントンはこの古文書にそんなにまで精通したいと思ったか？　むろん彼はこの古文書のなかに、今まで幾代もの当主の気のつかなかったものを発見し、しかもそれによってある利益が得られる見こみを抱《いだ》いていたのだ。然《しか》らばその秘密とはなんだろう？　その秘密が彼にどんな運命を招来するというのだろう？

儀式文を読んでみれば、僕には、その文句がどこかある地点の割りだしかたをいっているので、その地点さえ探しだし得たら、マスグレーヴ家の祖先がかくも奇妙な方法で子孫に伝えなければならないと考えたその秘密の発見が、容易になるのだということがよくわかった。それにはまず二つの手引がある。樫の樹《き》と楡の樹がそれだ。そのうち樫の樹については、何ら問題がなかった。建物の正面の、馬車回しの右がわに樫の樹が一群あって、そのなかに、こんなすばらしいやつは見たこともないほど一きわ大きなやつが一本、にゅっとそびえているのだ。

『この樹は儀式文の書かれた時代から、ここにあるんでしょうね？』僕は馬車がそのわきを通るとき、マスグレーヴに尋《たず》ねてみた。

『これはたぶんノルマン征服時代からあったんでしょうね。胴《どう》まわりが二十三フィートあります』という答えだった。（訳注　ノルマン民族は一〇六六年イギリスを征服した）

『楡の樹のふるいのがありますか？』一つの定点が与《あた》えられたので、僕はさらに尋ねた。

『あそこんところにたいへん古いのが一本あったんですが、十年ばかりまえ、雷《かみなり》に打たれたので、幹は切ってしまいました』

『その場所にはっきりした記憶がありますか』

『ありますとも』

『ほかにはもう楡の樹はないのですか？』

『ふるいのはほかにありません。 橅《ぶな》ならいくらもありますけれどね』

『じゃその楡のあった場所が見たいですね』

馬車はそのとき玄関《げんかん》まで乗りつけていたが、マスグレーヴは家へはいろうとしないで、そのまま僕を案内して、芝生のなかの株跡へつれていってくれた。それは樫の樹と建物とのほとんど中間の地点だった。僕の踏査《とうさ》はどうやら首尾《しゅび》よくはかどるらしい。

『その楡の樹の高さがどれほどあったか、おわかりにならないでしょうね？』

『高さならすぐ答えられます。六十四フィートありました』

『どうして知ったんですか？』僕は自分で尋ねておきながら、この返事には少しおどろいて尋《き》きかえした。

『僕の子供のとき家庭教師が、三角法の演習というと、いつも高さを測らせたからです。年ごろになるまでには、屋敷内《やしきない》の樹という樹、建物という建物はみんな測ってしまいましたよ』

これは思いも設けぬ幸運だった。僕の必要な材料は、意外に早くどんどん手に入るようだ。

『執事《しつじ》がこうした質問を持ちかけたことはなかったですか?』

するとレジナルド・マスグレーヴはさも驚《おどろ》いたらしく僕の顔を見つめて、

『そういわれてみると、何カ月かまえにブラントンが、あの樹の高さを尋ねたことがありますよ、馬丁《ばてい》となにか議論をやったとかでね』

これはいかにも耳よりな話だった。とりもなおさず僕が正しい軌道《きどう》を進んでいる証拠《しょうこ》だからだ。僕は太陽を仰《あお》いでみた。太陽は斜《ななめ》に空にかかっていて、一時間以内にはちょうど例の樫の老樹の頂上まで落ちてくるはずだ。そのときこそ儀式文に書かれている、陽は樫の樹のうえに、の条件に一致するのだ。そして楡の樹の影とあるのは、その影のもっとも遠いところを意味するのでなければならない。さもなければ幹のほうを規準にしなければならないはずだ。そこで僕は、太陽が樫の樹のまうえにかかるのを見はからって、楡の樹の影のいちばん遠いところが、どこへ落ちるかを見届けなければならない順序になった」

「しかし楡の樹はもうなくなっているんだから、そいつはむずかしい問題だね」私はいった。

「だが少なくともブラントンにできたことなら、僕にだってできなくはないと思った。それに、じっさいさしたる難事でもないんだ。僕はマスグレーヴについて彼の書斎《しょさい》へいって、自分でこの木のくいをこしらえて、それにこの長い糸をむすびつけて、一ヤードごとに結び目をこしらえた。それから釣《つり》ざおの折れるようになっているやつを二本分だけ、ちょうど六フィートあるやつをもって、マスグレーヴといっしょに、楡の樹のあったところへ出ていった。太陽はまさに樫の樹のうえにある。僕はさおを地のうえに立てて影の方向にしるしをつけ、その長さを測ってみた。ちょうど九フィートあった。

ここまでくれば、計算はむろん簡単だ。六フィートのさおが九フィートの影を印するとすれば、六十四フィートの樹なら九十六フィートの影を投ずるはずだ。影の方向はいずれの場合も変りはない。でそこから九十六フィートの距離《きょり》をはかってみると、それはほとんど家の外壁《がいへき》にちかいところだった。そこへ僕はくいをうちこんだ。ところが僕のくいから二インチほどのところに、円錐形《えんすいけい》の小さなくぼみがあるじゃないか！　僕はすっかり喜んだ。いわずと知れたブラントンのくいのあとだ。僕はやっぱり彼と同じ軌道を追っているのだ。

この出発点から、まず一応ポケット磁石によって、方角を確かめておいてから、僕は歩測をはじめた。

『北へ十歩、而して十歩』とある通り、両方の足で十歩ずつ北へ進むのは、ちょうど家の外壁に沿って歩くことになる。僕はその最後の地点にくいでしるしをつけた。それから注意して東へ五歩ずつ、つぎに南へ二歩ずつ歩くと、ちょうど旧館の玄関の敷居のところで、そこから西へ二歩ゆくことは、石鋪《いしだたみ》の廊下《ろうか》へそれだけはいってゆくことだ。これが儀式文に明示された場所なんだ。

しかし僕としてはこれほど失望したことはなかった。初めのうちは、自分の計算になにか根本的の誤りがあるんじゃないかと思ったほどだ。沈《しず》みゆく太陽はいまや廊下の床《ゆか》いっぱいに照射しているので、足摺《あしず》れのした古い灰いろの鋪石《しきいし》が、すべて漆喰《しっくい》でしっかりつなぎ堅《かた》められているのがよくわかる。どこにもすきなんかはなくて、たしかに長いあいだ石《いし》をはがしたことなんかあるとも思えない。ブラントンの手をつけたのはここではないのだ。

僕は床をこつこつとたたいてみたが、どこも同じ音がするばかりで、割れ目やひびのある様子もない。しかし幸いなことには、そろそろ僕の行動の意味を了解《りょうかい》しかけて、僕に負けないほど夢中《むちゅう》になっていたマスグレーヴが、このとき、例の儀式文をとりだしてみて、僕の推定に横槍《よこやり》をいれてくれた。

『かくして下に――です！　君はかくして下にを忘れていますよ！』

僕の考えでは、かくして下にとは掘《ほ》ることを意味するものと思っていたのだ。しかし、こういわれて僕は自分の考えの誤っているのに気がついた。

『それではこの下に穴倉があるんですね？』

『あります。この家のできたときからある古い穴倉です。ここから、このドアから降りてゆくのです』

僕らは石の回り階段を降りていった。マスグレーヴはマッチをすって、片隅の樽《たる》のうえにおいてあった大きな角灯に火をいれた。明るくなると同時に、僕らはほんとうの場所をたずねあてたこと、最近誰《だれ》かがここへ来ていることを知った。

そこは薪《まき》の置場になっているのだが、最近まではたしかに床のうえ一面に散らばっていたと思われる薪が、まん中の部分だけきれいにとり片づけて、両がわに積みあげてある。そしてそのまん中の部分は一枚の大きな重い平らな石で、その中央にさびついた鉄の輪がついており、その輪には厚地のこまかい千鳥格子《ちどりごうし》のマフラーがむすびつけてあった。

『やッ、これはッ！』マスグレーヴが叫《さけ》んだ。『これはブラントンのマフラーです！僕はたしかにブラントンがしているのを見たことがある。ブラントンのやつ、ここでいったい何をしていたんでしょう？』

僕の注意で、まず土地の巡査《じゅんさ》を呼んで立ちあわせることにした。巡査がきてから、僕はマフラーをもって、石を持ちあげようとした。だが石はちょっと動いただけで、一人ではどうにもならない。巡査の一人に手つだってもらって、やっとそれをわきへ取りのけた。石の下はまっ暗な穴だ。マスグレーヴが穴のふちにひざをついて、ぐっとさしこんだ角灯の光りにすかして、僕らはいっせいに穴の底をのぞきこんだ。

なかは深さ約七フィート、広さ約四フィート四方だった。その一方によせて、しんちゅうの帯を打ったずんぐりした木の箱《はこ》があって、ふたは蝶番《ちょうつがい》でぱくりと開いており、ここにあるこの古風な、妙《みょう》なかぎをさしこんだままになっていた。

箱のそとがわは厚く埃《ほこり》をかぶっており、それに中がわまで湿気《しっけ》と虫食いとが透《とお》っているので、箱の内面にはなまなましい茸《きのこ》のようなものがいくつも生えている始末だった。そして底には金属のうすい円板が――古い貨幣《かへい》らしいのだが、ここにあるようなさびたやつが散らばっているほかなんにもなかった。

とはいうもののわれわれも、そのときはそんな箱のことなぞ考えている暇《ひま》はなかった。なぜかといえば、僕らの眼はそのとき箱のまえにうずくまっている一人の人間に、くぎづけにされたからだ。黒い服を着た男で、しりを地につけて、胡坐《あぐら》のような姿勢で額を箱のふちにつけ、両腕《りょううで》を箱の両がわに投げだすようにしていた。そんな姿勢のために古血が顔にあつまって、一見何ものとも見わけのつかぬほど相好《そうごう》がゆがんで、紫《むらさき》いろになっていた。死んでいるのだ。

死体を引きあげてよく見ると、背のたかさや着衣や頭髪《とうはつ》によって、マスグレーヴにはこれこそ問題の執事ブラントンだということがすぐにわかった。すでに死後数日を経過していたが、からだには死因を思わすような外傷もなければ、斑点《はんてん》のようなものも現われてはいなかった。僕らは依然《いぜん》として手におえぬ難問に直面したままであり、はじめから見ていっこう解決に近づいていないのを痛感した。

正直にいうと、ここまでのところ僕の苦心は、ただ失望を報《むく》いられたばかりだったのを認めなければならない。ひとたび儀式文に示された場所を発見し得たときは、もうなぞを解決し得たつもりでいた。しかしそこまで来てみると、疑問は依然として疑問で、先祖がこれほど念いりに保存法を講じた本体は果して何ものであるのか、まるきりわからない。

なるほどブラントンのどうなったかを発見し得たのは事実だ。しかし、ではどうしてブラントンはこうした運命におちいったのか？　また行方《ゆくえ》の知れぬ女中レーチェルは、果してこれとどういう関係をもつのか？　これらの点になると、からきし見当もつかないのが事実だ。僕は片隅《かたすみ》のたるのうえに腰《こし》かけて、事件のぜんたいにわたって熟考をはじめた。

ワトスン君、こうした場合に僕がどんな方法をとるか、君はよく知っている。僕はブラントンの立場に自分をおき、あらかじめブラントンの知力の程度をさだめておいて、さてその僕がそういう立場にたちいたったら、果してどうするだろうかと考えてみた。この場合、ブラントンの知力が人並《ひとなみ》すぐれているということが、この問題をきわめて造作のないものにしてくれる。天文学者たちのいわゆる個人誤差（訳注　各人の観測には癖のあるもので、ある人はいつも高く読みすぎ、ある人はいつも低く読みすぎるなどの例）というやつを考慮《こうりょ》にいれる必要がないからだ。

ブラントンは何かしら貴重なものの隠されているのを知った。その場所を探しだした。だが石のふたがあって、一人の力では動かすことができない。ではどうするか？　たとえ信用のおける者があったとしても、外部から援助《えんじょ》を求めるとすれば、戸締《とじま》りをはずしてやらねばならず、著《いちじる》しい危険があるからそれはできない。できれば内部に助力者を求めるに越《こ》したことはない。

では誰に頼《たの》むとするか？　それには女中のレーチェルが彼に熱くなっている。女というものはどんなに男からひどくされても、とことんまで男を憎《にく》みきれるものじゃないと、男というものはタカをくくるのが常だ。ブラントンは少しばかり優《やさ》しい言葉でもかけて、レーチェルと仲なおりする。そして相棒にひき入れる。二人は夜なかにこの穴倉へくる。二人がかりでやれば、石を持ちあげるのも何とかなる。――ここまでは僕も、二人の行動を見ていたようにたどることができた。

だがこの二人には、一方が女なんだから、石を持ちあげるといってもそう造作なくはできない。現に大の男の巡査と僕とで力をあわせても、決してやすやすとあがったわけじゃないからね。二人はどういう知恵をしぼったろう？　おそらく僕がその場におよんでもやる方法をとったのだろう。

僕は立ちあがって、床の周囲に散らかっている長短さまざまの木片を調べてみた。するとすぐに、ひそかに予期していたものを探しあてた。それは長さ三フィートばかりの一本で、一端《いったん》が潰《つぶ》れているやつだ。なおまたよほどの重さのもので圧《お》されたとみえ、腹の部分が平らにひしゃげているのも数本あった。彼らは石のすきに棒の一端を突っこんで抉《こ》じあげては、その下にべつの棒を食《か》ませ食ませして、人がもぐりこめるだけになったとき、一本のやつをつっかい棒にしたのだ。そのために棒の下端がつぶれたのだ。なにしろ石ぜんたいの重みが下端にかかるのだからねえ。――と、ここまでは僕の推定に決して無理なところはない。

ところで、これから先のできごとをどういうふうに推定していったものか？　穴のなかへはむろん一人しか降りられない。従って降りたのはむろんブラントンだったのに違《ちが》いない。そのあいだ女はうえで待っていたのだ。ブラントンは箱の錠《じょう》をはずして、中身をとりだして女に手わたした。――箱が空になっている以上、そう考えなければなるまい。それから――さて、それからどうなったか？

自分を苦しめた男――彼女の苦悩はおそらくわれわれの想像以上だったのだろう――その男がいまという今、自分の思いのままになるのだと感じたとき、情熱的なケルト族の血をうけたこの女の胸のうちに、どんなにか復讐《ふくしゅう》のほのおがめらめらと燃えあがったことだろう。

つっかい棒が倒《たお》れて、重い石が穴の口をふさいで、ブラントンを生きながら埋《う》めこんだのは、単に一つの偶然《ぐうぜん》だったろうか？　レーチェルの罪はたんに彼女がこの不慮のできごとを、口を緘《かん》して口外しないでいたというだけのことだろうか？　それともまた彼女がとつぜん手をくだして支柱を倒して穴の口をふさいだのだろうか？　それはいずれであるにしても、僕のこの目にうつる光景は、男から手渡《てわた》された宝の袋を小《こ》脇《わき》にして、回り階段を狂女《きょうじょ》のように駆《か》けあがってゆく女のうしろからは、男の悲鳴が穴にこもってわんわんと追っかけてくる。やがて窒息《ちっそく》させられるであろう石のふたを、なかから気ちがいのようにばたばたと必死にたたく音も聞こえてくる……

レーチェルがつぎの朝、顔いろ青ざめて神経がたかぶり、ヒステリーの発作《ほっさ》をおこしてげらげら笑いだした秘密は、ワトスン君ここにあるのだよ。だが箱のなかにはいったい何があったのだろう？　それを彼女はどう始末したのだろう？　むろんマスグレーヴが池の底からひき揚《あ》げたという、古金物と石ころのようなものがそれだったのに違いない。レーチェルは自分の罪の足のつく唯一《ゆいいつ》の証拠を湮滅《いんめつ》するために、早いところ池のなかへ投げこんでしまったのだ。

二十分ばかり、僕は腰かけたなりでじっと考えていた。マスグレーヴは青い顔をして、まだそこに立って角灯をふり回しながら穴のなかをのぞいていたが、

『これはチャールズ一世の貨幣です』と箱のなかに残っていた例の貨幣を見せながらいった。

『これであの儀式文の年代の考証の正しかったことがわかるでしょう？』（訳注　チャールズ一世は、一六二五年に即位し、一六四九年クロムウェルのため処刑される）

『いや、ほかにもチャールズ一世に関するものが、何か出てくるかもしれませんよ』僕はふと儀式文の冒頭《ぼうとう》の二つの問答を思いだして叫んだ。『池からあがった袋の内容を調べてみましょう』

二人はそれからマスグレーヴの書斎《しょさい》へあがっていった。マスグレーヴはごたごたとそこへがらくたを並《なら》べてみせた。それを見て僕は、マスグレーヴがそれをつまらないがらくたと思っているのも、無理はないと思った。何しろ金物はまっ黒によごれてい

るし、石はどんよりと、光沢《こうたく》もなにも失っているのだからね。だがその一つをそでこすってみると、おどろくべし、それは手でつくった暗い穴のなかでさえ、さんぜんと輝《かがや》いたではないか！　金物のほうは輪を二つかさねたような構造だったが、ねじまげられて、まったく原形はなかった。

『王党の一味はチャールズ一世の死後もなお、イギリスの地に頑張っていたが、最後に旗をまいて亡命するとき、恐《おそ》らくもっとも貴重な所有物をすぐって、他日戦乱がおさまってからとり戻《もど》すつもりで、すべて隠匿《いんとく》しておいたらしいことを忘れてはなりませんよ』

『僕の祖先のサー・ラルフ・マスグレーヴというのは有名な王党で、チャールズ二世の流浪《るろう》時代にはその片腕とよばれた人です』（訳注　チャールズ二世は一世の子で革命党クロムウェル共和政府の倒れた後、一六六〇年即位した）

『あっ、そうですか！　それでどうやら話のつじつまがあう。おめでとう。君はそれ自身の価値も大したものだが、歴史上の参考珍品《ちんぴん》として、より以上に貴《とうと》い品を手に入れたんですよ。ただし、それについてはこうした悲しむべきできごとも、あるにはありますがね』

『というと、いったいそれは何なのですか？』

『ほかでもない、古代のわがイギリスの王冠《おうかん》ですよ』

『えッ、王冠！』

『王冠です。儀式文のいうところをよく考えてごらんなさい。何とあります？　それは何人《なんぴと》のものたりしや？　ゆきたる人のものなり。これはチャールズ一世の処刑《しょけい》後のことをいっているのです。そは何人のものたるべきや？　来《きた》るべき人のものなり。これはチャールズ二世のことを指すもので、二世の即位がすでに予想されていたのです。これだから今でこそ形もとどめずに潰れてはいるけれど、この王冠こそかつてはイギリス国王のやんごとない頭を飾《かざ》ったものに相違《そうい》ありません』

『それがどうして池の底なんかにあったんでしょう？』

『それを説明するには、ちょっと時間を要しますがね』

と僕はそれから自分の試みた推測と、それを立証した次第《しだい》とを、初めから簡単に説明して聞かせた。話のすんだときには、いつしか黄昏《たそがれ》のいろが濃《こ》くなって夜の幕がおり、月がこうこうと空に浮かんでいた。

『じゃチャールズ二世は帰国後に、どうしてこの王冠をとり戻さなかったんでしょう？』マスグレーヴは王冠を袋におさめながら尋ねた。

『さあ、その点になるとおそらく僕らにも、永久に説明がつかないでしょうねえ。思うにラルフ・マスグレーヴ卿《きょう》がこの秘密を握《にぎ》ったまま途《みち》なかばにして亡《な》くなって、何かの手ちがいから、手引になるこの問答書だけが、その説明もあたえられずに、代々伝えられたものではないでしょうかね。そして今まで、伝家の儀式文としてのみ代々継承《けいしょう》してきたのを、たまたまそれに近づいたある男の知恵《ちえ》にその秘密を見破られて、そのためその男もあたら一命を落すようなことになったのかもしれません』

これがマスグレーヴ家の儀式物語だよ、ワトスン君。王冠はいまでもハールストンのマスグレーヴ家に保管されている。もっともそれを家宝として私有するについては、面倒《めんどう》な法律上の問題を解決したり、かなりの金を払《はら》わされたりもしたものだがね。僕から聞いたといって行けば、マスグレーヴは喜んでその宝物を見せてくれるだろう。例の女レーチェルについては、その後杳《よう》として消息を聞かない。おそらくイギリスを立ちのいて、罪の記憶《きおく》をいだいたまま、どこか海外へでも行ったものだろうよ」

——一八九三年五月『ストランド』誌発表——

背の曲った男

私の結婚《けっこん》後二、三カ月たったある夏の夜、寝《ね》がけのパイプに火をつけて、暖炉にちかいいすにおさまり、小説本をひろげて、何しろその日は忙《いそが》しかったものだから、こくりこくりとやっているときのことだった。妻はとっくに寝室《しんしつ》へあがっていったし、さっき玄関《げんかん》の締《しま》りをする音が聞こえたから、女中たちももう寝にいったのだろう。立ってパイプの灰をはたき落していると、ふいに玄関のベルが鳴った。

柱時計をみると、あと十五分で十二時だ。いまごろお客のくるわけはないから、患《かん》者《じゃ》だろうが、ことによると徹夜《てつや》させられるのかもしれないと、苦りきって出てみると、おどろいたことにシャーロック・ホームズが立っている。

「やあワトスン君、まだいいんだろうね？」

「君だったのか。まあはいりたまえ」

「はは、びっくりしているね。無理もない。それに患者じゃなくてほっとしたろう。ふむ、相かわらずアルカディア・タバコを愛用しているね。服についているその綿みたいな灰ですぐわかるよ。それに君は制服を着なれてきた男だってことも、すぐにわかるぜ。袖口へハンカチを押《お》しこんどくその癖《くせ》をやめないかぎり、誰《だれ》の目にも軍医あがりとひと目だよ。今晩泊《と》めてもらえるかい？」

「いいとも」

「一人だけなら泊められる設備があるとかいっていたが、帽子《ぼうし》かけをみると、今晩は患者もないらしいから……」

「泊ってくれるなら大いにうれしいよ」

「ありがとう。じゃその帽子かけをふさがせてもらおう。君のところは近ごろ職人をいれて騒《さわ》いだね？　排水管の故障かい？」

「いいや、ガス管だ」

「そうか、リノリウムのうえへくつのくぎのあとを二つものこしていってるぜ、灯火《あかり》のとどくところだけでね。いや、食事ならウォータルーですませてきた。それよりもタバコだったら喜んでつきあおう」

タバコいれを渡《わた》してやると、私に向いあって腰《こし》をおろし、しばらく無言でタバコをのんでいた。こんな時刻に訪ねてくるのは、むろんなにか重大な用件があるのに違《ちが》いないと思ったから、私は向こうからその話をもちだすのを、辛抱《しんぼう》づよく待っていた。

「近ごろ仕事のほうが忙しいようだね」と彼《かれ》は鋭《するど》い視線を私へむけた。

「きょうはばかに忙しかった。こんなことを尋《たず》ねると君は笑うだろうが、いったいどうしてそれがわかるんだい？」

「都合のいいことに僕《ぼく》は君の癖を知っている」ホームズはニヤリとして、「回診《かいしん》がすぐすむなら君は歩いてゆくが、たくさんあるときはタクシー馬車に乗る。いま見れば君のくつは今日穿《は》いてるのに大して汚《よご》れていない。そこで、ははあこれは馬車を使うほど忙しいのだなというわけさ」

「おみごと！」

「なに、初歩さ。推理家が、はたのものには非凡《ひぼん》にみえる一種の効果をあたえ得《う》るのは、はたのものが推理の根底になる小さな事象を見おとしてくれるからだということの一例だよ、これは。おなじことは、いやに思わせぶりな君の事件録についてもいえる。君の書く事件録は俗悪そのものだが、あのなかで君は問題の要点の一部をしっかり自分の手に握《にぎ》っていて、読者には決して知らさないじゃないか。ところで僕はいま、その読者とおなじ立場にあるんだよ。というのはね、かつて人類の頭をなやました問題のうちでもっとも奇怪《きかい》なというべき問題にこんどぶつかってね、それを解くべきかぎを二、三もってはいるんだが、完全な推理を組みたてるには、もう一つ二つかぎを手にいれる必要があるわけなんだ。だがなに、すぐだ。すぐ手にいれて見せはするがね」

彼は双眼《そうがん》を輝《かがや》かし、こけたほおをかすかに紅潮させた。精神力の旺盛《おうせい》な彼の天性が、ちらりと表に現われたのだ。だがそれはほんの一瞬間《しゅんかん》だけだった。おやと思って見なおしたときはもう、人間というよりは機械といったほうが遥《はる》かに適当なアメリカ・インディアンの沈着《ちんちゃく》さに復していた。

「面白《おもしろ》そうな事件だ。ずばぬけて面白そうな事件といってもよい。だいたいのことは調べてみたが、どうやら解決はつきそうな見こみだ。ついてはお願いだが、いよいよこんど最後の一歩を踏《ふ》みだすについて、君が手をかしてくれると非常に助かるわけなんだ」

「よろこんでお手伝いするよ」

「あしたオルダーショットまで、出かけられるかい?」

「患者のことならジャクソンが代ってくれる」

「それは好都合だ。十一時十分ウォータルー発で行くつもりだがね」

「だと準備の時間も十分だ」

「じゃ眠《ねむ》くなければ、事件のだいたいと、これからやるべきことを話しておこう」

「君のくるまでは眠かったが、いまはすっかり目がさめた」

「要点を落さないかぎり、なるべく簡単に話すとしよう。君も新聞で知っていると思うのだが、事件というのはオルダーショットのロイヤル・マロウズ連隊のバークレイ大佐殺しだ」

「何も聞いていないね」

「もっともまだロンドンの新聞では騒がれていないからね。事件からたった二日にしかならないが、かいつまんでいうとこうだ。

　ロイヤル・マロウズ連隊というのは、知ってのとおり英国軍でも音に聞こえたアイルランドの連隊だ。クリミヤ戦争のときも、ベンガル兵の叛乱《はんらん》戦のときも、すばらしい働きをした隊で、それ以来なにか事あるごとに名をあげてきたわけだが、この月曜日の晩まではジェームズ・バークレイ大佐を連隊長に頂いていた。バークレイ大佐は勇敢《ゆうかん》な老巧者《ろうこうしゃ》だが、もともと一兵士から身をおこした人で、ベンガル兵討伐《とうばつ》のときに小銃《しょうじゅう》を現わした剛勇《ごうゆう》が認められて将校に特進したのだ。そしてかつては一兵士として率いて出征していた隊を指揮《しき》するまでになったわけだ。

　大佐は軍曹《ぐんそう》時代に結婚した。細君は娘《むすめ》時代の名をナンシー・ディヴォイといって、おなじ隊のもと軍旗軍曹の娘だ。だからこの若夫婦が――二人は若くて結婚したのだから――結婚後に周囲との関係で多少の気まずさを生じたのは、想像にかたくあるまい。だが二人は急速に環境《かんきょう》に順応していったものらしい。良人《おっと》が僚友《りょうゆう》間の気うけがよかったように、細君は連隊内の婦人たちの人気ものになった。それに彼女《かのじょ》は非常な美人で、結婚後三十年以上になる今日なお人の目をひく容貌《ようぼう》をもっている。

バークレイ大佐の家庭生活はずっと幸福だったらしい。マーフィ少佐――僕の知り得た事実は主としてこの人の提供するところなのだが――少佐の言葉によれば、夫婦間に誤解の生じたことなど一度も聞かないという。しかしぜんたいとしては、どちらかというと細君よりも大佐のほうが愛情がふかかったと思うといっている。大佐はどうかして一日細君の顔をみないと不安らしいが、細君のほうは貞節《ていせつ》であることに間違いはないにしても、大佐ほど熱烈《ねっれつ》ではないというのだ。しかし連隊内では典型的中年夫婦ということになっていたほどで、二人のあいだには、ついで起こった悲劇を予想させるようなものは何一つありはしなかった。

大佐の性格には、しかし、不思議な特性があったらしい。ふだんは勇ましくて、快活な老軍人だが、どうかするとかなり乱暴な、執念《しゅうねん》ぶかい人になりかねないところのあるのを見せた。ただし細君にたいしてそういう気配をみせたことは一度もない。さらに面白いのは、マーフィ少佐もそうだし、そのほか僕の会ってきた五人の将校のうち三人までがいっていることだが、大佐はときどき妙《みょう》にふさぎこんだという。それを少佐の言葉をかりていえば、陽気でにぎやかな食卓《しょくたく》の仲間いりをしているときなど、目に見えない手で払《はら》いのけでもしたように、ふと大佐の唇から微笑《びしょう》の消えることがあった。そして幾日間かひきつづいて、ひどくうち沈《しず》んでいる。この不思議な憂鬱症《ゆううつしょう》と、ちょっと迷信的《めいしんてき》なところのあるのとだけは、大佐の性格に不思議な特性をあたえるものとして、同僚たちの目についていた。この迷信的なというのは、独りぼっちでいるのをいやがる――ことに日が暮《く》れてからがひどいのをいうのだ。すぐれて男らしい大佐の性格に、こうした子供らしい半面のあるのは、たびたび人の口の端《は》にのぼったものだった。

ロイヤル・マロウズ連隊の第一大隊――つまりその旧第百十七大隊だが――これは何年かまえからオルダーショットにおかれている。隊つき将校のうち妻帯者は営外居住をすることになっていて、大佐はオルダーショットへきてからずっと北営舎《えいしゃ》から半マイルばかりの、ラシーヌとよぶ別荘《べっそう》風の家に住んでいた。周囲をひろい庭でかこまれた家だが、ただ西がわだけは往来から三十ヤードとは離《はな》れていない。召使《めしつかい》は御者《ぎょしゃ》と女中が二人、それに主人夫婦を加えた五人が、ラシーヌの家族の全部だった。大佐には子供がなかったし、逗留客《とうりゅうきゃく》なんかほとんど来たためしがなかったのだから。

そこでいよいよこの月曜の晩の九時から十時までにラシーヌで起こった事件の説明だ。

バークレイ夫人はローマン・カソリック教会の会員で、不要の衣類を貧困者《ひんこんしゃ》に給付する目的でワット街教会と提携して発起されたセント・ジョージ協会の設立にひどく力こぶをいれていた。その晩は八時から協会の会合があるというので、夫人はそれへ出席するため急いで夕飯をすませた。そして出かけるとき良人に声をかけて、あまり長くはならないといっていたのを、御者が小耳にはさんでいる。夫人はモリスン嬢《じょう》といって、となりに住む若い婦人をさそって、いっしょに出かけた。会合は四十分ですんだ。夫人はまっすぐに帰ってきて、となりの門口《かどぐち》でモリスン嬢に別れて家へはいったのが九時十五分だった。

ラシーヌには朝の部屋として使っている部屋が一つあるが、これは往来のほうに面していて、ガラスのはいった大きな折りたたみ戸で芝生《しばふ》に出られる。芝生は奥《おく》ゆき三十ヤード、そのさきは鉄の横棒のはいったひくい塀《へい》一つで往来と仕切ってあるにすぎない。帰ってきた夫人はこの部屋へはいっていった。ここは夜間に使うことはほとんどないので、ブラインドはおろしてなかったけれど、夫人は自分でランプに火をいれて、ベルを鳴らして女中のジェーン・スチュワートにお茶を命じたが、これは夫人としてふだんにないことだった。大佐はそのとき食堂にいたが、夫人の帰ってきたのを聞きつけて、朝の部屋へやってきた。ホールをとおってその部屋へ大佐のはいるところを御者が見ているのだ。しかしこれが生きている大佐を彼の見た最後となった。いいつけられたお茶は、十分たってから運ばれてきたが、それをもって戸口まできた女中は、主人夫婦のひどくいい争っているのを聞いてびっくりした。ノックしたが返事がないので、そのままドアをあけようとすると、それはなかから錠《じょう》がかけてあった。そこで女中ジェーンは急いで台所へひきかえして女コックにそのことを話し、御者を加えた三人でホールへきて、まだ盛《さか》んに聞こえている主人夫婦の口論に耳をかたむけた。

声が大佐夫婦のものだけだったことについては、三人が口をそろえて断言している。大佐の声はひくくて切れ切れで、ひと言も聞きとれなかったけれど、それに反して夫人のほうは激《はげ》しくて、張りあげたときなど、一語一語はっきり聞きとれた。『卑怯《ひきょう》者！』夫人はくりかえしののしった。『いまさらどうにもならないんですって？　私の生涯をお返しなさい！　あなたなんかと同じ空気を吸うなんかまっ平《ぴら》です！　卑怯者！　卑怯者！』夫人ののしるのはこういう調子だったが、そのうちガタンという音がしたかと思うと、恐《おそ》ろしい大佐の悲鳴につづいて、絹をさくような夫人の叫《さけ》び声が聞こえた。

　こいつはなにか大変なことがおこったのに違いないと、御者は駆《か》けよってドアをおし破ろうとしたが、どうしても開かない。そのあいだもなかからはしきりと叫び声が聞こえるのだが、二人の女中はおそろしさに心をとり乱して役にたたない。だがそのときふと思いついて、彼はホールから庭へ出て芝生を窓のほうへ駆けていった。そこに大きなフランス窓のあることはまえに言った通りだが、みると一枚だけ開いている――というのは夏のことだからなんの不思議もないわけだが、そこから御者はなんなく部屋へはいってゆくことができた。みると夫人は声をたてるのを止《や》めているばかりか、気を失って寝いすに倒《たお》れていた。一方大佐はとみれば、ひじ掛《か》けいすの横に両足をひっかけ、頭を暖炉のかこいのほうにして、朱《あけ》に染まって倒れているのだった。むろんもう生命はなかった。

　主人にまったく望みのないのを知った御者は何よりさきにドアをあけることを考えた。だが、そこには意外な、はなはだ不思議なことがあった。というのはかぎが見あたらないのだ。かぎ穴にさしてないのはむろんのこと、部屋中さがしてみても、どこにも見あたらないのだ。そこで彼はまた窓からそとへ出て、巡査と医者をよんで帰ってきた。そして当然もっとも有力な容疑者とにらまれた夫人は、失神したままで彼女の部屋へはこばれた。それから大佐の死体をソファに安置しておいて、入念な現場検証が行なわれた。

　大佐の致命傷《ちめいしょう》と目されるのは、後頭部のながさ約二インチの不規則な傷だった。鈍器による強打であるのは一見明らかだったし、一歩をすすめてその凶器《きょうき》が何であるかを推定するのも困難ではなかった。死体のそばに骨の柄《え》のある彫刻《ちょうこく》つきの堅《かた》い木の棒がおちていた。大佐は各方面の戦地からもち帰ったいろんな武器を収集していたが、この棍棒《こんぼう》もその収集戦利品のうちの一つであろうと警察は臆測《おくそく》している。召使たちは見たことのない棒だといっているが、この家にはいろんな珍《めずら》しい品がたくさんあるのだから、棒一本くらい見おとすのはありがちのことだ。警察ではこの部屋からこの棒以外になに一つ重要なものを発見していない。強《し》いていえば夫人のからだからも、大佐のからだからも、そのほか部屋中のどこからもかぎが出てこないという奇怪な事実を発見しただけだ。ドアは結局オルダーショットの町から錠前屋を呼んできて直させなければならなかった。

　以上が悲劇の翌火曜日、つまりきのうの朝、マーフィ少佐の要請《ようせい》で警察援助《えんじょ》のため僕がオルダーショットまで出かけたときの状況《じょうきょう》なのだ。これだけでも君は面白い事件だというだろうが、実地を踏《ふ》んでみて僕は、この事件が見かけ以上にはるかに奇怪なのをさとった。

　部屋を見るまえに、まず女中たちに会ったが、いま話した事実以外にかわった話は引きだせなかったが、そのなかでただ一つだけ女中のジェーンがこういう面白い事実をはきだした。彼女は夫婦喧嘩《げんか》をききつけて、コックたちを呼んできたというが、そのまえ独りでいるときに、夫婦でどんなことをいい争っていたかと尋《き》いてみると、声がひくくて何をいっているのか、まったく聞きとれなかったが、言葉の調子で喧嘩しているのだと知ったという。なお追及してみると、夫人がデヴィッドという名を二度口にしたと白状した。これは急に喧嘩なぞはじめた原因を語るものとして、きわめて興味ぶかい事実だと思う。大佐の名ならデヴィッドじゃなくて、ジェームズなんだからね。

　つぎに警察がわも女中たちもひどく頭を傾《かし》げている事実が一つある。それは大佐の顔のゆがんでいたことだ。話によればそのゆがみかたたるや、よくも人間にこんな顔ができたものと思うばかりの、はげしい不安と恐怖《きょうふ》の表情だったという。その顔を見ただけで気を失ったものも、一人だけではなかった。大佐は殺されると知って、極度の恐怖におそわれたのに違いない。もし夫人が自分を殺そうとしているのを認めたら、むろん大佐はそうした恐怖を感じるだろうから、この点警察がわの推定ともよく一致する。それに致命傷が後頭部にあることにしても、大佐は棍棒をさけようとして顔をそむけたかもしれないから、この説明の根本的な邪魔《じゃま》にはならない。夫人は急性脳炎で、一時的な発狂《はっきょう》状態にあるから、何事も聞きだすことができなかった。警察で聞いた話だが、その晩夫人といっしょに出かけた隣《とな》りのモリスン嬢は、夫人が不機嫌な気分で帰ってゆくような原因があったかどうかは、何も知らないといっているそうだ。

これだけの事実を集め得た僕は、静かにタバコをのみながら頭のなかで、これらの事実のうちで重要なものと、単に偶然《ぐうぜん》にすぎないものとを分類してみた。この事件でもっとも顕著《けんちょ》な、そして暗示的な事実が、なんといってもかぎの紛失《ふんしつ》という不思議なできごとにあるのは疑いの余地がない。何人もの手でその部屋を念いりに調べたのに、ついに出てこなかった。してみるとこれは誰かが持ちだしたのだということになる。といってもそれが大佐夫婦であり得ないのは明らかだ。この点は少しも疑問がない。それならば第三者が部屋へはいったのでなければなるまい。その入り口はフランス窓以外にはない。部屋のなかなり、そとの芝生なりをていねいに調べたら、かならずこの疑問の人物のいた証跡《しょうせき》が発見できるはずだと僕は考えた。

君は僕のやりかたをよく知っているが、あらゆる方法によって根気よく調べた結果、ついに僕は発見した。しかもそれは実に思いもかけないものだった。一人の男が部屋へはいっているのだ。往来のほうから芝生を横ぎってはいっているのだ。きわめて鮮《せん》明《めい》なその男の足跡が五つだけ見つかった。一つは低い塀《へい》をのりこえた場所の往来がわに、二つは芝生に、あとの二つはごくうすいのだが、はいった窓のそばの汚れた板のうえにあった。足跡は踵《かかと》のほうが浅くて爪《つま》さきが深いから、芝生を走ったものらしいが、僕をおどろかしたのはその男ではない。つれのほうだ」

「なに、つれがあったのかい？」

ホームズはポケットから大きな薄葉紙を一枚とりだして、ひざのうえでていねいにひろげた。

「なんだと思う？」

紙面は何かの小さい動物の足跡でいっぱいだった。足跡は五つのはっきりした形からなり、ながい爪《つめ》があって、ぜんたいの大きさはデザート用のスプーンくらいだった。

「犬だね」

「犬がカーテンを駆けあがった話を聞いたことがあるかい？　僕はこの動物がカーテンを駆けあがっている足跡を、はっきり見たんだぜ」

「じゃ猿《さる》だろう」

「猿の足跡はこんなじゃない」

「じゃいったい何だろう？」

「犬でもなく猫《ねこ》でもなく猿でもない。そのほか日常われわれになじみのあるどの動物でもない。僕は寸法から逆に推定していったんだが、ここにこの動物の静止している場合の四足のあとがある。前足と後足との間隔《かんかく》は、このとおり、十五インチしかないが、これに首と頭とを加えても、ぜんたいで二フィート以内の動物ということになる。しっぽがあればもっと長くなるがね。ところでこんどはこっちの足あとを見たまえ。これはこの動物の歩いているときで、歩幅《ほはば》がわかるわけだが、このとおりどれも三インチばかりにすぎない。ながさが二フィートばかりで歩幅が三インチといえば、胴《どう》のわりにひどく脚《あし》の短い動物だということがわかるだろう？　毛を一本も落していかなかったとは、いささか不親切だが、ぜんたいの形だけはいま僕のいったようなものでなければならない。そしてカーテンを駆けあがることのできる肉食動物なのだ」

「どうしてわかる？」

「カーテンを駆けあがっているからさ。窓にカナリヤの籠《かご》がつるしてあったから、それをねらったものらしいね」

「そうするとその動物はなんだろう？」

「それさえわかれば、大いに解決に近づくかと思うのだが、要するにイタチかテンの種属で、それよりもずっと大きい動物なのだろう」

「その動物がこの犯罪とどう関係があるのだろう？」

「それもまだ判然とはしない。しかし、かなりいろんなことのわかったのは、君も認めるだろう。バークレイの夫婦がいい争っているのを、往来に立って見ていた男がある。灯《ひ》はついているし、ブラインドがおろしてないのだから、見えたのは当然なのだ。つぎにその男は不思議な動物をつれて芝生へかけこみ、部屋へはいって大佐をうち倒したか、それとも大佐はその男を見て恐怖のあまり自ら倒れて、不運にも暖炉のかこみの角で頭を打って死んだのだろう。そのあとでその男は部屋のかぎをもって逃《に》げたということになる」

「君の発見は、かえって事件をますます不可解にしたにすぎないようだ」

「たしかにそうだ。おかげでこの事件は、はじめに考えたよりもはるかに奥が深いことを教えられた。そこで僕は熟考をかさねた結果、これはべつの方角から研究してゆくべきだという結論にたっしたのだ。だがこれはすこしおしゃべりがすぎたようだ。あとはあすオルダーショットへゆく途中《とちゅう》にでも詳《くわ》しく話そう」

「ありがとう。だがここまできて話をあしたにのばすという手はないよ」

「じゃ話しちまおうか。バークレイ大佐夫人が、七時半に家を出たときは、良人《おっと》と仲たがいなどしていなかったのは確かだ。前にもいったと思うが、夫人はけっして大げさに愛情を発露《はつろ》する人ではないけれど、出がけには良人とむつまじい口をきいて出たのを、御者が聞いている。それだのに帰ってきたときは、いちばん良人のいそうもない部屋へはいって、ヒステリー女か何かのようにいきなりお茶を命じ、そのあとで良人がはいってくると、それをつかまえて責めたてている。してみると七時半から九時までのあいだに、良人にたいする感情を激変《げきへん》させた何事かが起こったものと見なければならない。その一時間半のあいだ、夫人といっしょにいたのはモリスン嬢だ。だからモリスン嬢はなんと否定しているにせよ、かならず何かを知っていなければならないということになる。

そこで僕は最初には、この若い女性と大佐のあいだには何かの秘密があって、それを彼女が夫人に告白したのかと思った。そう考えてみると、夫人が怒《おこ》って帰ったことも、モリスン嬢が知らぬ存ぜぬでいることも、説明がつく。また漏《も》れ聞いた夫婦喧嘩の模様とも一致する。だがそれにしては、夫人がデヴィッドといったのがわからないし、また大佐が夫婦喧嘩とはまったく無関係と思われる第三者の侵入《しんにゅう》によって殺されているという事実はべつとしても、そんなことがあるには夫人にたいする大佐の愛情があまりに深かった。いずれが正しいかをきめるのは容易な業《わざ》ではないが、けっきょく僕は大佐とモリスン嬢とのあいだに何かあるという考えかたは捨てることにした代りに、大佐夫人が良人にたいして悪感情をいだくにいたった原因を、モリスン嬢が知っているはずだという点だけは、ますます確信をふかめるに至った。

そこで僕は当然モリスン嬢をたずねて、これこれの原因についてかならず何か知っているものと確信すること、この事件の真相が明らかにならないかぎり、親しい大佐夫人が容易ならぬ容疑をうける身になるのだと告げてやった。

モリスン嬢は小柄《こがら》な線のほそい女で、おどおどした眼《め》つきと金髪《きんぱつ》をもっていたが、どうしてなかなか賢《かしこ》く、常識にも欠けてはいない。僕の言葉をきいてしばらく黙《だま》って考えていたが、やっと決心がついたらしく、おどろくべき事実を話しだした。ここには君のためを思って、圧縮してその話をとりつごう。

——私はナンシーに、何ごとも口外しないと約束《やくそく》いたしました。約束は約束です。でもあの人はそんな恐ろしい疑いをうけながら、病気のために自分からは何の申しひらきもできず、私から申しあげて初めてあの人が救われるというのでしたら、この約束は破っても許されると思います。では月曜日の晩のことを、すこしも包まずに申しあげましょう。

——あの晩二人でワット街教会から帰って参りましたのが、九時に十五分くらいまえでございました。途中ハドスン街を通らなければなりませんが、これはたいそう静かな通りで、街灯は左がわにたった一つあるばかりです。この街灯のちかくまで参りますと、向こうから背なかのひどく曲った男の人が歩いてくるのが見えました。なにか箱《はこ》のようなものを肩《かた》にかついでいます様子ですけれど、ひどく頭をさげて、ひざをまげて歩いていますから、どうやら不自由なからだらしゅうございました。すれちがいますときその男は顔をあげてこちらを見ましたが、ちょうど街灯の下の明るいところでしたので、その男は急に立ちどまって、恐ろしい声で叫びました。『や、や、こりゃナンシーだ！』

――バークレイ夫人は死人のように青ざめて、あやうくその場へ倒れそうになりましたが、その人に支えられました。私は驚《おどろ》いて巡査《じゅんさ》を呼ぼうといたしますと、意外にも彼女はその人と親しそうに口をきいているのでした。

――『あたしあなたは三十年まえに亡《な》くなったのだとばかり思っていましたのよ、ヘンリー』

――『死んだのさ』といったその人の調子は、ぞっとするほど怕《こわ》うございました。まっ黒けな恐ろしい顔をして、妙《みょう》に眼をぎらぎら光らせていました。夢《ゆめ》にまで見たくらいです。頭髪にもほおひげにも白いものを交え、顔はしなびたリンゴのようにしわだらけでした。

――『ゆっくり先へいってくださらない？　この男とすこし話がありますの。恐ろしくはありませんのよ』バークレイ夫人は元気そうにこういいましたけれど、顔はまだ死人のように青くて、唇《くちびる》のふるえで言葉もすこし不明瞭《ふめいりよう》なくらいでございました。

――いわれました通り、少しさきまで歩いてゆきまして、話のすみますのを待っておりましたが、二、三分間で追いついてきた彼女は目を光らせていました。男の人は街灯の下に立って、怒《いか》りに気も狂《くる》わんばかりに、両のこぶしをたかく打ちふっていました。夫人はそれからひと言も口をきかないで歩きつづけていましたが、このままで帰りまして別れるときに、私の手をとって他言しないようにと頼《たの》みました。『あんなに零落《れいらく》していますけれど、私のふるい知りあいなのよ』私がけっして誰にもおしゃべりしませんと約束しますと、彼女は私にキスして帰ってゆきました。そしてそれ以来私は一度も夫人に会いませんの。これで何もかもすっかり申しあげてしまいました。このことを警察に隠《かく》していましたのは、夫人にそんな怖《おそ》ろしい疑いがかかるとは夢にも知らなかったからでございます。

これがモリスン嬢の話なのだが、僕がそれを聞いて、暗夜に灯火を得た思いだったのは、君もよくわかってくれるだろう。いままで支離滅裂《しりめつれつ》で、さっぱり脈絡のなかったことが、これでたちまち秩序《ちつじょ》だってきたし、事件ぜんたいがおぼろげながらのみこめてきた。このうえ僕のとるべき手段は、バークレイ夫人をかくも驚かしたこの奇怪《きかい》な人物をさがしだすことだが、まだオルダーショットにいさえするなら、それはかならずしもむつかしくはないはずだ。オルダーショットは軍人以外の人はそう多くもないのだし、身体障害者は人目をひきやすいからね。僕は一日がかりで探して、夜になって――というのはつまり今晩のことだが、とうとうそいつを探しあてた。

この男は名をヘンリー・ウッドといって、彼女たちの会ったというハドスン街に下宿していた。五日まえから下宿しているということだが、登記所員に化けていって、下宿の主婦から面白《おもしろ》い話をききだしてきた。ウッドは、夜になると酒保をめぐって歩く手品師なんだ。いつでも箱のなかに動物をいれてつれ歩いているが、主婦は見たことのない動物だといって、ひどく恐れていた。そしてそいつを手品の種につかうらしいとも話していた。それからまた、あんなにねじ曲ったからだをしていながら、生きていられるのが不思議だということ、ときどきどこの言葉ともわからない変な言葉をつかうこと、最近の二晩は部屋からうめきごえやすすり泣きが聞こえたことなども話していた。金払《かねばら》いは悪くもないが、ただ手付けとして出した金が偽物《にせもの》のフローリンじゃないかしらと心配そうに出してみせたが、なあに、インドのルピー銀貨なのさ。

というわけで、君には目下のわれわれの立場や、何のため僕が君の助力を必要とするかわかったことと思う。別れてからこの男が女たちの後をつけて、バークレイ夫婦のいさかいを窓ごしに見て、とびこんで行ったのは間違《まちが》いあるまい。そのとき動物が箱から逃げだして、いっしょに侵入した。そこまでは少しも疑いの余地がないと思う。だがそれからあの部屋でどんなことが行なわれたか？　それを明確に語りうるのは、この男をおいてほかにはないのだ」

「だからそれを尋《たず》ねにゆくつもりなんだね？」

「もちろんさ。ただしそれには立会人がいる」

「僕がその立会証人になるわけだね？」

「そうねがいたいね。ウッドがおとなしく話せばよいし、もし応じなければ、逮捕《たいほ》命令を出してもらうほかはあるまい」

「だが行ってみたら、もういなくなっていたというのじゃなかろうね？」

「そこはちゃんと予防法が講じてあるから心配はない。例のベーカー街の少年隊から一番を一人出してあるのだが、こいつはたとえウッドがどこへゆこうとも、影《かげ》のようにつきまとって離《はな》れることはない。あしたハドスン街でかならず会える。だがこれ以上君の寝《ね》るのを妨《さまた》げるのは、それこそ僕自身罪を犯《おか》すことになる。さ、もう寝ようじゃないか」

私たちが悲劇の現場オルダーショットに現われたのは、翌日のひるごろだった。ホームズの案内ですぐハドスン街へと向かったが、いったいが感情をおもてへ現わさないでいられるホームズだけれど、きょうばかりはさすがに抑《おさ》えきれない興奮がありありと顔に出ていた。私としても、ホームズとの共同生活時代にたびたび経験したことのあるあの半ば冒険的《ぼうけんてき》で、半ば頭脳的な喜びで、ほおのほてるのを覚えた。

「この通りがそうだよ」質素なレンガづくりの三階家が両がわにならぶ短い通りへ曲りこんだとき、ホームズが注意した。「や、シンプスンが報告に来たよ」

「ちゃんと家にいますよ、ホームズさん」小さな浮浪《ふろう》少年が駆《か》けよってきて大声でいった。

「そうか、ご苦労だったな」ホームズは少年の頭をなでてやり、「さ、来たまえ、ワトスン君、この家なんだよ」と、名刺《めいし》をわたして、大切な用件で面会したいと、とりつぎを通して申しいれた。そしてまもなく、私たちは目的の男と顔をあわせた。

夏だというのにウッドは火のそばへかじりついており、部屋はまるでかまどのなかのようにむし暑かった。そのなかでからだをへしまげて、いすにちぢこまっているのだから、何とも名状しがたい奇形の不気味さがあったが、こちらへ向けた顔をみれば、陽《ひ》にやけてやつれてはいるけれど、もとはすばらしく美しかったのに違いないと思われた。猜疑心《さいぎしん》に満ちた意地わるい目で、じろじろと私たちを見て、立ちもせず無言でいすのほうへ手をのべ、掛けろという意味を通わせた。

「最近インドからお帰りになったヘンリー・ウッドさんですね？」ホームズは愛想よく言葉をかけた。「バークレイ大佐殺しについて、すこしお尋ねしたいことがあってうかがいました」

「私が何か知っているとでもいうんですか？」

「それを確かめにうかがったのです。この問題は真相が明らかにされないかぎり、あなたにはふるいお知りあいのバークレイ夫人が殺人容疑者として取調べをうけることになるのは、ご承知でしょうね？」

ウッドはぎくりとして叫《さけ》んだ。「あなたはいったいどなたです？　どうしてそんなことを知ったものか、いまいったことはほんとうですか？」

「ほんとうにもうそにも、警察では夫人の精神がおちつき次第《しだい》、逮捕する手はずになっているのですよ」

「ええッ！　あなたも警察のかたなんですか？」

「いいえ、ちがいます」

「では何しにここへ来たのです？」

「何人《なんぴと》もこれを擁護《ようご》する義務ある正義のためです」

「夫人は潔白です。私の言葉を信じてください」

「ではあなたが犯人ですか？」

「いいえ、私でもありません」

「ではジェームズ・バークレイ大佐は誰が殺しました？」

「神の意志が殺したのです。だがよくお聞きなさい。じっさいあの男は頭をたたき割ってやりたいくらいに思っていましたが、よしんば私がそれを実行したからといって、それで私にたいするあの男の償《つぐな》いがついたとは決していえないのです。だからあの男が良心の呵責《かしゃく》でひっくり返らなかったら、ほんとうに私は手をくだして生命をもらっていたことだろうと思いますよ。あなたは詳しく事情を話せというのでしょう？　よろしい。私として少しも恥《は》ずべきところはないのだから、なにも隠すことなんかありゃしません。

じつはこういうわけです。私はいまでこそこのとおり背なかはラクダのよう、肋骨《ろっこつ》はあわれに曲りましたが、これでも歩兵百十七大隊のヘンリー・ウッド伍長《ごちょう》で鳴らした時代もあるのです。そのころ隊はインドに駐屯中《ちゅうとんちゅう》で、営舎のあった土地はバーティーとしておきましょう。こんど死んだバークレイはおなじ中隊の軍曹《ぐんそう》でした。そして、連隊きっての花形はナンシー・ディヴォイといって、軍旗軍曹の娘《むすめ》で、これは古今を通じての美しい女でした。この娘を愛した男が二人ありました。彼女はそのうちの一人だけを愛しました。こうして火のまえに縮《ちぢ》こまっている障害者をみて、あなたがたはお笑いになるだろうが、彼女の愛したのはかく申す美貌《びぼう》のウッド伍長だったのです。で、ナンシーの心を握《にぎ》っていたのはこの私ですけれど、彼女の父親はバークレイと結婚《けっこん》させたがっていました。私は無謀軽率《むぼうけいそつ》な若ものでしたが、バークレイは教育があり、剣術《けんじゅつ》の道にかけては、そのころもう名をなしていました。しかし彼女はどこまでも私に誠《まこと》をたて、このままでゆけば勝利は私のものだろうと思っていたとき、とつぜん例のベンガル兵の叛乱《はんらん》がおこって、国をあげて動乱のちまたと化してしまいました。

私たちはバーティーで包囲されてしまいました。わが連隊と、それに砲兵《ほうへい》半個中隊、シーク歩兵一個中隊、ほかに非戦闘員《ひせんとういん》および婦女子が多数います。それを包囲する一万の叛徒《はんと》は、まるで鼠《ねずみ》とりのなかの鼠をねらうテリヤのように猛《たけ》りたっています。

籠城《ろうじょう》後二週間ばかりで、わが軍は水が欠乏《けつぼう》してきました。そこで当時奥地を移動していたニール将軍の縦隊《じゅうたい》と連絡をとり得るか否《いな》かが問題となってきました。おおくの老幼婦女子を擁《よう》して敵軍をきり破って包囲を脱出するのは、望み少ないことですから、それが唯一《ゆいいつ》の方法なのです。そこで私は、ひそかに脱出して急を将軍に告げる任務を、すすんで志願しました。志願は容《い》れられました。私はさっそくバークレイ軍曹に相談しました。軍曹は当時隊内で誰よりも地理に明るく、現に私が脱出しようとしている路線を開拓《かいたく》した人です。その晩の十時に、私は単身出発しました。私の双肩《そうけん》には一千名の生命がかかっているのですが、城壁《じょうへき》をとび降りたときの私の胸中には、ただ一人のことしかありませんでした。

私は干あがった川のなかを下ってゆきました。すこしでも敵の歩哨《ほしょう》の目を避《さ》けられるだろうと思ったからです。はうようにして角をまがってゆくと、暗いなかにしゃがんで待ちかまえていた六人の敵哨のまんなかへ、私はとびこんでしまいました。あっというまもなく殴《なぐ》り倒《たお》され、気絶させられて手足を縛られてしまいました。けれどもそれは心の打撃《だげき》にくらべれば、何でもないものでした。というわけは、気がついてから、敵兵が話しているのを聞いているうちに、私にこの道を教えてくれた男が、原地人の下男をつかって敵にそのことを内通したと知ったからです。

だがこんなことをくどくどと論じていても始まらない。私のいなくなったあとでジェームズ・バークレイがどううまく立ちまわったか、私の口からいうまでもありますまいまい。バーティーは翌日ニール将軍の救援《きゅうえん》をうけましたが、私は退却《たいきゃく》する叛徒につれてゆかれました。そしてながいあいだ白人の顔ひとつ見られないような目にあったのです。私は拷問《ごうもん》にたえきれないで脱走をくわだてましたが、すぐ捕《とら》えられてまた拷問です。そのときの記念が、この通りいまもからだに残っているのです。叛徒のうち一部のものが、ネパール国へ逃《のが》れるについて、私をつれてゆきました。それからダージリンへゆきました。ダージリンの山民が私をつれていた叛徒を殺したので、私はあらためて山民の奴隷《どれい》にされましたが、ほどなく逃走《とうそう》に成功しました。

もっとも南へは逃げられないので、逆に北へ逃げてアフガン地方へ入りこみました。そしてアフガンで長年放浪《ほうろう》の生活をつづけたあげく、やっとパンジャブへ帰ってきて、多くの原住民に伍《ご》して、習いおぼえた手品で生活してきたのです。

こんな不自由な身で故国へ帰ってきたり、あるいは昔《むかし》の同僚《どうりょう》たちの前へ出たとて何になりましょう。復讐《ふくしゅう》をしたくないわけでもありませんけれど、それですら故国へ帰る気にはなりませんでした。ナンシーや昔の仲間たちに、つえにすがったチンパンジーのようなこの姿を見られるよりは、ヘンリー・ウッドは三十年前に死んだと思わしておきたかったのです。みなは私の死んだことを少しも疑ってはいないのです。私としても永久にそう思わしておくつもりだった。バークレイがナンシーと結婚したことも、トントンと昇進《しょうしん》していったことも聞きましたが、それでも私は名のり出る気にはならなかったのです。

だが人は年をとると故郷のことを思うものです。ながいこと私はイングランドのながやかしい緑の野や丘《おか》を夢みつづけました。そしてついに、この世のなごりにひと目それを見ようと決心しました。それからお金をため、旅費をこしらえて帰ってきたのです。そして兵隊ならば気心もわかっているし、扱《あつか》いかたも心得ているから、どうやら暮《く》らしてゆけるだけのものは取れるだろうと、この土地へやってきたのです」

「まことに興味あるお話でした」ホームズが引きとって、「それからあなたがバークレイ夫人にあって、たがいに昔を思いだしたということは聞いています。それからあなたは夫人のあとをつけて家までゆき、夫婦のあいだの諍《いさか》いを、あなたに対する良人の仕打ちを夫人が面責するところを、窓ごしに見たのですね？　そしてあなたは湧《わ》きおこる感情にうち負けて、その場へ躍《おど》りこんでいったのですね？」

「その通りです。私を見るなり彼は世にもおそろしい顔をして、そのまま後へひっくり返って、暖炉のかこいで頭をうったのです。しかし倒れるまえにあの男は死んでいました。暖炉のうえにかけてあるその聖句（訳注　旧約ダニエル書五章二十五節参照）を読むようにはっきりと、私はそのとき彼の顔に死を読みとったのです。ひと目みた私の姿が、やましい彼の胸を、鉄砲だまのように射ぬいたのです」

「それからどうしました？」

「それからナンシーが気絶しました。私はその手からかぎをとって、ドアをあけて誰かを呼ぼうと思いましたが、ふと、このまま逃げたほうがよいと気がつきました。かかりあいになるのもいやですし、第一それでは私の秘密が明るみに出てしまいます。急ぐのでかぎはそのままポケットに押《お》しこんで、カーテンに駆けあがっていたテディを捕えようとして、うっかりステッキを落しましたが、テディをどうやら箱へ押しこむと、それを知らずに一目散に逃げてしまったのです」

「テディって何ですか？」

老人は手をのべて、隅《すみ》においてある檻《おり》の戸をあけた。するといきなりそこから、赤みがかった茶いろの美しい動物が飛びだした。しなやかな細いからだつきにテンのような足をもち、顔はほそくとがって、とびきり美しい赤い眼をしている。

「マングースだ！」私が口走った。

「そうです。そう呼ぶ人もあるし、ねこイタチと呼ぶ人もあります。私はへびとりといっていますが、テディはコブラを捕えるのがとても上手です。コブラは歯をぬいたのを一匹《ぴき》つれていますが、毎晩酒保をまわっちゃ、テディに捕えさせて、お客さまのご機嫌をとりむすぶってわけですよ。何かまだお尋ねになりたいことがありますか?」

「もしバークレイ夫人の立場がむつかしいことにでもなったら、またご面倒《めんどう》をかけるかもしれません」

「むろんそんな場合は、すすんで出ますよ」

「しかしそんなことでもない限り、バークレイ大佐の行動はよくなかったにしても、いまさらそれを発《あば》きたてることはありますまい。大佐がそのため三十年来良心の呵責《かしゃく》に苦しみぬいてきたことを知ったら、あなたとしても満足でしょう。おう、あそこをマーフィ少佐が通っています。ではさようなら、ウッドさん。その後どんなことになっているか、少佐に訊《き》いてみたいと思いますから」

角を曲るまえに私たちは少佐に追いついた。

「やあ、ホームズさん、騒《さわ》ぎは結局なんでもなかったとわかりましたよ」

「へえ、じゃどうなんです?」

「検屍官《けんしかん》の査問がいま終ったところですがね、解剖《かいぼう》の結果死因は卒中と決定したんですよ。なんのことはなかったですな」

「ひどく早まったもんですねえ」とホームズは微笑《びしょう》をうかべて、「ワトスン君、これでもうオルダーショットには用がなくなったらしいね」

「一つだけわからないことがあるんだが」私は肩《かた》をならべて駅のほうへ歩きながら、ホームズに尋ねた。「大佐の名はジェームズでウッドのほうはヘンリーだのに、夫人がデヴィッドといったのはどうしたのだろう？」

「僕が君の好んで描《えが》くような理想的な推理家だったら、その一語ですべてを知っていなければならないはずなんだ。夫人は良人をデヴィッドにたとえて非難していたのだよ」

「デヴィッドにたとえてとは？」

「デヴィッドはときどき心得ちがいをした。そしてあるときはジェームズ・バークレイ軍曹とおなじ行ないをやっている。ウリヤとバテシバの話を知っているだろう？　僕の聖書の知識はすこしかびがはえかけているが、それでもこの話がサミュエル前書だか後書だかに出ていることだけは覚えているよ」（訳注　サミュエル後書第十一章、ダビデ（デヴィッド）はウリヤの妻バテシバの美しさを見てこれを犯してはらませ、のち敵軍に通じてその夫ウリヤを故意に危地におもむかせて戦死させた）

――一八九三年七月　『ストランド』誌発表――

入院患者《かんじゃ》

私は友人シャーロック・ホームズの異様な精神的風姿の二、三を例証したいと、とりとめもなく書きつづってきた思い出話をざっと読みかえしてみて、あらゆる点でこの目的に添《そ》うような実例をさがしだそうとすると、はたと困難にぶつかるのである。なぜかというに、ホームズが解析的《かいせきてき》推理のはなれ業《わざ》を演じた事件や、独特の捜査法《そうさほう》の威力《いりょく》を示したような事件では、事件そのものがあまりに些末《さまつ》であるか平凡《へいぼん》な場合がおおくて、これを世に公表するのはいささかためらわれるのだ。またこれとは反対に、事件そのものはきわめて珍《めずら》しくもあり、劇的なのもたくさん関係したけれど、彼《かれ》の伝記作者としての私が望むほどに、問題の解決に彼の寄与《きよ》するところが大きくなかったものもある。

私がかつて「緋色《ひいろ》の研究」と題して記録した事件と、その後に発表した「グロリア・スコット号」の失踪《しっそう》に関する事件とは、彼の伝記作者を永遠になやます「シラとカリブディス」の好適例をなすものであろう（訳注　シラはメシナ海峡を扼するイタリア海岸の巨岩。シラとシシリー島の間の海上にカリブディスという渦流があって、船はいずれに向かっても危険だといわれる。進退両難の意）。これから物語ろうとする事件なども、ホームズはあまり活躍したとはいえないのだけれど、しかも事件ぜんたいはきわめて特異なものだから、この連続物語のなかにこれを除外するわけにはゆかないのである。

十月のうっとうしい雨の日だった。「不健康な天気だね、ワトスン君」ホームズがいう。「でも晩になってそよ風が出てきたよ。どうだろう、すこしそとをぶらついてみないか？」

私は閉じこもっているのにも少し退屈《たいくつ》していたので、すぐに賛成した。そして三時間ばかり、フリート街やストランドに永遠に変化をつづける人生の万華鏡《まんげきょう》をながめながら歩きまわった。細かいところに目のとどく鋭《するど》い観察と、ふかい含蓄《がんちく》のあるホームズ独特の話しぶりは私を喜ばせ、すこしも飽《あ》きさせなかった。ベーカー街へ帰ってきたのは十時すぎだったが、みると家のまえに四輪のタクシー馬車が一台とまっている。

「ふむ、医者だな。各科一般《いっぱん》の開業医だ。まだ開業してまもないのに、相当はやるらしい。何か事件がおきたとみえる。いいところへ帰ってきたな」ホームズがいった。

私はホームズの方法には明るかったから、彼がこの推定をくだした理由はよくわかった。ランプの明るい馬車のなかにかけたバスケットのなかの、いろんな道具やその状態をみれば、それによって彼が敏速《びんそく》に推理したくらいのことは私にだってわかるのだ。しかもふり仰《あお》いで私たちの部屋の窓から灯火《あかり》のもれているのを見れば、このお客が私たちを訪ねてきたのであることもすぐにわかる。夜もこんなにおそく、いったい何の用で訪ねてきた同業者なのだろうと、いくらかの好奇心《こうきしん》をもって私はホームズのあとから自分たちの部屋へはいっていった。

はいってゆくと、暖炉のまえのいすから、青じろい細面《ほそおもて》に砂いろのほおひげのある男が立ちあがった。年は三十を三つか四つ以上は出まいが、やつれた不健康さが、青春を奪《うば》い意気を失わせたその人の生活を物語っていた。ものごしは神経質で内気で、いかにも敏感《びんかん》な人らしく、立つときマントルピースにかけた白くて細い手は、医者の手というよりは美術家のそれに近かった。服は地味で、上品な黒のフロックに黒っぽいしまズボン、ネクタイはほんのちょっぴりと色のあるだけの淡泊《たんぱく》なものだった。

「よくいらっしゃいました、先生」ホームズは元気よく声をかけた。「大してお待たせしなくてすんだのはしあわせでした」

「御者《ぎょしゃ》にお聞きでしたか？」

「いいえ、その小さいテーブルに立てたろうそくが教えてくれました。さ、どうぞお掛《か》けください。そしてご用件をうけたまわりましょう」

「私はパーシイ・トリヴェリヤンと申す医者で、ブルック街四〇三番に住んでおる者です」

「朦朧《もうろう》性神経障害に関する論文をお書きになったトリヴェリヤン博士じゃありませんか？」私がたずねた。

自分の労作が私に知られていた喜びで、彼は青じろいほおをぽっと染めた。

「まるで反響《はんきょう》がありませんので、あの論文はもう埋《うず》もれたものと思っていました。それに出版社に売れゆきの具合をたずねてみて、すっかり失望させられました。そうすると、あなたもやはり医学のほうをおやりですか？」

「私は退役《たいえき》の外科軍医です」

「私の道楽はずっと神経科でして、何とかしてこいつを独立した専門に育ててあげてやりたいと思うのですが、むろん人はまずやれることから手をつけてゆかなきゃならないので……しかしこんなことはいいましゃべっている場合じゃありません。ホームズさんのお忙《いそが》しいのはよくわかっておりますから……じつは最近、ブルック街の私の家でたいそう奇妙《きみょう》なことがひき続きおこりまして、今晩など、あなたにでも相談して助けていただかなければ、もうこれ以上は一時も我慢《がまん》できないところまできてしまいました」

「ご相談にもお力添《ちからぞ》えにもよろこんで応じましょう」ホームズは腰《こし》をおろして、パイプに火をうつした。「あなたを悩《なや》ます事情というのを、どうぞ詳《くわ》しくおきかせください」

「なかには私自身申しあげるのすらお恥《はず》かしいくらいつまらないことさえ一、二ありますが、それでも実に合点のゆかぬことでもありますし、また最近そいつが複雑化してさえきましたから、何もかも申しあげることにします。本質的なものとそうでないものとは、どうぞそちらで判断なすってください。

最初にまず学生時代のことから申しあげなければなりません。私はロンドン大学の出身でして、自分の口から申すのも口はばったいことですが、教授たちから大いに前《ぜん》途《と》を嘱目《しょくもく》されたのは決して誇張《こちょう》ではありません。卒業後もキングス・カレッジの病院で下っぱを働きながら、研究をつづけてゆきましたが、幸いにして類癇《るいかん》の病理の研究がかなり好評を博したうえ、ついにいまこちらのかたのおっしゃった神経障害に関する研究論文でブルース・ピンカートン賞とメダルを獲得《かくとく》しました。ですから当時私には輝《かがや》かしい前途がひらけていると一般に信じられていたと申しても、決してただの法《ほ》螺《ら》にはならないと思います。

けれども、そこに資金の欠如《けつじょ》という大きな障害がありました。ご承知のように専門医として大きな成功を収めるには、まずカヴェンディシュ・スクェア界隈《かいわい》の十ばかりの街のうちのどこかで開業しなければなりません。それには大きな家賃と設備費がいります。そしてこの巨額《きょがく》の開業費のほかに、数年間は無収入でも支えられるだけの準備と、体裁《ていさい》のよい馬車を雇《やと》いいれる費用がいります。これはとても私の力のおよぶところでありません。しいて申せば、十年くらいも倹約《しまつ》に倹約をかさねてゆけば、どうにかしんちゅうの看板を出せるまでにはなりましょうか。ところがそこに思いもかけぬ事件が突発《とっぱつ》して、私にあらたな前途の希望を抱《いだ》かせることになったのです。

と申すのは、ブレッシントンといって、それまでまったく知らなかった人の来訪がはじまりでした。その人はある朝私のところへきて、いきなり用件を切りだしてきました。

『優秀《ゆうしゅう》な業績をあげたうえ、最近は名誉《めいよ》ある賞まで与《あた》えられたパーシイ・トリヴェリヤンさんというのはあなたですか？』

私はかるく頭をさげて承認《しょうにん》の意を示しました。

『では率直《そっちょく》なところをはっきりと答えてくださいよ。そのほうがお得なのがすぐにわかります。あなたは賢《かしこ》さの点では成功の素質を十分おもちだが、世才のほうはどうですかな？』

『そのほうも欠けてはいないつもりです』あまりぶしつけな質問に、私は思わず笑いました。

『なにか悪癖《あくへき》がありますか？　酒好きじゃありますまいね？』

『そんなことが！』

『よろしい。いや、悪く思っちゃいけない。お尋《たず》ねしとかないとね。ところで、そういう素質をもちながら、なぜ今まで開業しないのです？』

私は無言で肩《かた》をそびやかして見せました。

『読めたぞ、読めたぞ、そんなことわかりきった話だ』彼は一流の騒々《そうぞう》しさで、『問題は頭ではなく、懐中《かいちゅう》にあり、どうです？　そこで私があなたをブルック街で開業させるといったら、どうですかな？』

私はあっけにとられて相手の顔を見つめました。

『なに、あなたのためじゃない。これは私のためなのだ。何もかも率直にいうが、あなたのほうにさえ異存がなければ、私に異議があろうわけもない。私は遊金《あそびがね》が二、三千ポンドあるので、それをあなたに注ぎこみたいと思うのです』

『それはまたどうしたわけです？』

『つまり、ほかの事業とおなじですからね。かえって安全なくらいだ』

『で、私はどうすればよいのです？』

『おいおい話します。私はまず家を求めて設備をととのえ、女中を雇い、すっかり準備をする。あなたとしては、診察室《しんさつしつ》にいて、くる患者を診《み》るだけ、あなたの小遣《こづか》いも必要品も私のほうで出します。そのかわりあなたは全収入の四分の一だけとって、四分の三は私によこすのです』

これがブレッシントンのもってきた不思議な話でした。それを私たちがどういう風に折衝《せっしょう》したか、くだくだしいことは省きますが、結局話がついて私はつぎの四季支払日《レディ・デー》（三月二十五日）にいまの家へうつり、だいたい彼の提案どおりの条件で働くことになりました。彼も入院患者の資格で同じ家に住むことになりました。心臓が弱いらしく、いつも医者の監督《かんとく》が必要だというのです。彼は二階のいちばんよい部屋を二間占領《せんりょう》して、そこを寝室《しんしつ》と居間にしました。このブレッシントンというのは妙な癖《くせ》のある男で、人といっしょにいるのを好まず、ほとんど外出もしませんでした。生活は不規則ですが、ただ一つだけ驚《おどろ》くほど規則的なところがあります。毎晩一定の時刻になると診察室へ現われて、帳簿《ちょうぼ》をしらべ、私の収入から一ギニーについて四分の一に当る五シリングと三ペンスをさしひいて、あとを全部自分の部屋へもちかえって、金庫におさめるのです。

彼が自分の思惑《おもわく》を悔《く》いる必要がすこしもなかったことは、確信をもっていえます。

それは初めから成功だったのです。私が病院時代に築きあげた名声と、二、三のよい患家とが、開業したてから急速に私を第一線に押《お》しだしてくれたのでした。この一、二年間に、私は彼を大した金持にしてやったわけです。

以上が私の略歴と、ブレッシントンとの関係です。あとはいよいよ私があなたをお訪ねしなければならなくなった事情を申しあげる順序になりました。

二、三週間まえでした。ブレッシントンは何だかひどくとり乱した様子で私のところへきて、ウエスト・エンドのどことかへ泥棒のはいったことをいって、おかしいほど心配そうに、窓やドアの締《しま》りをもっと丈夫《じょうぶ》にしなければ、一日も安心していられないと、やかましくいいました。そしてそれから一週間ばかりというもの、妙にそわそわして、ひっきりなしに窓からそとをのぞいたり、毎日きまってやっていた夕飯まえのほんの少しの散歩もやめてしまっていました。その様子から、これは何ものかにたいして致命的《ちめいてき》な恐怖《きょうふ》を抱いているのだと思いましたが、尋ねるとひどく機嫌がわるいので、手がつけられません。でも日のたつにつれて、しだいにその恐怖も消えたか、またもと通りの日常をくり返すようになりましたが、そこへこんどは別の事件がおこって、そのため彼はいまも気の毒なほどしょげこんでいるのです。

その事件というのはこうです。二日まえに私は一通の手紙をうけとりましたが、それには日付もなければ差出人の名も書いてなくて、つぎのような文面でした。

――こちらは目下イギリス滞在中《たいざいちゅう》のロシアの一貴族ですが、ぜひともパーシイ・トリヴェリヤン博士のご診察をうけたいと思います。じつは数年前から類癇《るいかん》の発作《ほっさ》に悩まされているものでして、トリヴェリヤン博士はこの大家として有名なお方、明日午後六時十五分ごろおうかがいいたします故《ゆえ》、なにとぞよろしくお願い申しあげます。

類癇の研究はどこがむずかしいかと申しますと、患者の少ないことなのですから、この手紙をみて私はひどく喜びました。翌日指定の時刻に診察室で待っておりますと、患者が書生の案内ではいってきました。相当な年輩《ねんぱい》のやせぎすな、謹直《きんちょく》そうな平凡な人で、ロシアの貴族といった感じなんかどこにもありゃしません。むしろそれよりも、そのつれの男のほうに私は驚きました。背のたかい青年で、色あさ黒く鋭い驚くほどととのった顔つきに、ヘラクレスのような手足や胸をもつ非常に立派な体格の男でした。これが老人の腕《うで》を支えるようにしてはいってくると、およそ見かけにならぬやさしさで、いすにかけさせました。

『先生、勝手にはいってきまして相すみません』青年はやや不自由らしい英語でいいました。『これは私の父ですが、私にとっては父の健康が何ものにも代えがたい大切なものですから……』

『では診察にお立会いになりますか？』私はこの親思いにすこし感動しました。

『とんでもない！』彼はさも恐《おそ》ろしそうに叫《さけ》びました。『口ではいえないほど傷《いた》ましいのです。父の恐ろしい発作を見でもしましたら、私はそのまま死んでしまうにちがいありません。私も神経がとても鋭敏《えいびん》なのです。すみませんが父を診察なさるあいだ、私は待合室にいさせてください』

むろん私は同意しました。すると青年が出てゆきましたので、私は患者に病状をたずねて、徹底的《てっていてき》に詳しいノートをとりました。患者はあまり教育はたかくない模様で、いうこともどうかすると曖昧《あいまい》になりましたが、これは英語があまり達者でないためだろうと思いました。ところが聞きながらペンを走らせていますうち、とつぜん返事がまるでなくなりましたから、妙だと思って顔をあげてみますと、ちゃんといすにかけたまま全く無表情なこわばった顔をして私を見つめているではありませんか。むろん不思議な発作がおこったのです。

それを見て私は、まず同情と恐怖とを感じましたが、それはすぐに職業的な満足感にかわっていたようです。まず患者の脈をしらべ熱をはかり、筋肉の硬度《こうど》をためし、反射作用を検しました。そのいずれにも著《いちじる》しい変調はなくて、かねての経験とよく一《いっ》致《ち》しています。こういう場合には従来アミル硝酸塩《しょうさんえん》の吸入で好結果をあげていますが、これはその効果をためすのによい機会だと思いました。ところが生憎《あいにく》とそのビンが階下の研究室においてありますので、患者をいすにかけさせたなりで、急いでそれを階下へとりにゆきました。ビンをさがすのに少し手間どりましたのでおよそ五分間もかかったでしょうか、急いで戻《もど》ってみますと、驚いたことに診察室はからっぽで、患者は消えうせているではありませんか！

むろん、いないとみてすぐに待合室をのぞいてみましたが、そこにいるはずの息子《むすこ》の姿も見えません。玄関《げんかん》のドアはしまってはいますが、ぴたりと閉めきってはありません。受付係の書生は近ごろきたばかりで、すこしうすのろなところもあるのです。いつも階下にいて、私が診察室でベルを押すと、二階へかけあがってきて、つぎの患者を案内するというわけですが、尋《き》いてみますと何の物音も聞かなかったといいます。でこの事件はそれっきり解けぬなぞとなってしまいました。それから間もなくブレッシントンが散歩から帰ってきましたが、最近なるべく彼との交渉《こうしょう》を避《さ》けるようにしていたところですから、そのことも黙《だま》っていました。

さて、そんな風にして消えていったロシア人父子を、二度と見ることはあるまいと思っていたところですから、今晩二人が私の診察室へ、時刻もおなじ六時十五分ごろに、練《ね》りこんできたときの私の驚きがどんなでしたか、よくおわかりくださることと思います。

『先生、昨日は急にだまって帰ってしまって、誠《まこと》に申しわけありませんでしたな』

『どうも驚きましたよ』

『そうでしょう。実はね、私はいつでも発作がしずまると頭がぼんやりして、今までどんなことがあったのか、はっきりと思い出せないのですよ。昨日もあなたのいないとき発作がしずまってみると、まるきり見覚えのない部屋にいるものですから――私にはそう思えたのだが、そのまま夢《ゆめ》のような気持でぶらぶらと表へ出ていったというわけですよ』

『私もね』と息子もそばから、『父が待合室のそとを通るのを見ましたから、たぶん診察がすんだのだろうと思いこんで、そのままいっしょに帰ってしまったのです。家へ帰ってからはじめてほんとうの事情がわかったようなわけです』

『いや、ただ大いに驚いたというだけで、べつだん迷惑《めいわく》をうけたわけではありません』私も気持よく笑って、『ではまた待合室でお待ち願いましょうか。昨日の診察のつづきに取りかかりますから』

それから三十分ばかり老紳士《ろうしんし》について、いろんな徴候《ちょうこう》などたずねてから、処方をあたえて、息子に助けられて帰ってゆくのを送りだしてやりました。

ブレッシントンが一定の時刻をきめて、毎日散歩することは、前にも申しました。このときも父子が去ってからまもなく帰ってきて、そのまま階段をあがってゆきましたが、すぐにドタバタ駆《か》けおりて、うろたえて気の狂《くる》ったように診察室へとびこんできました。

『私の部屋へはいったのは誰《だれ》だッ？』

『誰もはいりゃしませんよ』

『うそだッ！　あがってきてよく見ろ！』

恐怖で気が変になっているのですから、言葉の乱暴なのは大目にみておきましたが、いっしょに行ってみると彼はうす色の敷物《しきもの》のうえに残っているいくつかの足跡をさして、

『これを私の足跡だとでもいうのかね？』

見るとブレッシントンの足跡にしてははるかに大きすぎますし、それにかなり新しいものです。今日は午後からあの通りの大降りがありましたから、きたのはさっきの

父子があるだけです。してみると私があの老人を診察しているあいだに、待合室にいた若いほうが、何の目的でかここへやってきたものに違いありません。何も無くなったり、壊《こわ》されたり動かされたりしてはいなくても、足跡をみれば、たしかに誰かのはいってきたことだけは事実なのがわかります。

留守のあいだに怪《あや》しいやつに自分の部屋へはいられたとわかれば、誰だっていい気持はしないに決っていますが、それにしてもブレッシントンの騒《さわ》ぎかたは、意外なほど大げさでした。ひじ掛けいすに腰をおろして、ほんとにオイオイ泣きだしてしまい、いくらなだめても落ちつかせることができなかったほどです。こうしてあなたのところへうかがったのも、じつは彼の入れ知恵です。むろん私も、彼ほど大げさには考えませんけれど、いかにも奇怪《きかい》な出来事ですから、すぐそれに同意しました。馬車を待たせてありますから、どうかこれからご出張ねがいたいのです。あなたさえお出《い》でくだされば、この不思議な事件の説明はつきますまいが、あの人をとり静めることだけはできようと思います」

ホームズはこのながい物語を熱心にきいていた。その様子で彼が大いに興味をわきたたせたのがわかった。顔こそ冷然としているが、眼瞼《まぶた》がおもく目のうえに垂れさがり、医者の話のひとくさりごとに、その奇怪さを強めるかのように、パイプから濃《こ》い煙《けむり》をもくもくとたちのぼらせていた。客の話がすむと、ホームズは無言で立ちあがり、帽子《ぼうし》をとって私にわたし、自分のをつかみながらトリヴェリヤンの後から戸口へ出ていった。

十五分の後私たちはブルック街の医者の家――ウエスト・エンドの医者の家によくみる陰気《いんき》な、正面の平べったい家のまえで馬車をおりた。制服の少年が玄関をあけてくれたので、そのまま上等の敷物をしいたひろい階段をのぼってゆこうとしたが、とつぜん妙なことが起こって、私たちはそのまま立ちすくんだ。そのとき階段のうえの灯火《あかり》がふいに消えて、まっ暗ななかから震《ふる》えをおびた鋭《するど》い声がきこえたのである。

「ピストルがあるぞ！　ひと足でものぼってきたら、ぶっ放すぞ！」

「なにを乱暴なさるんです、ブレッシントンさん！」トリヴェリヤンが叫んだ。

「なんだ、先生だったのか！」ほっとしたらしい声で、「だがつれの人たちは、怪しいものじゃありますまいな？」

まっ暗ななかから、しばらくこちらを見ている様子だったが、

「そうか、わかりました。上がってきてください。私の用心を悪く思わないでくださいよ」

そういいながら階段のガス灯をつけたが、声の様子にも負けず劣らず神経の乱れを

おもてに現わしている妙《みょう》な男の立ち姿に接したのだった。いまでも肥《ふと》っているが、もとはもっともっと肥っていたものらしく、顔など、あまった皮膚《ひふ》がブラッドハウンド犬のあごを見るように、たるんでいるのだった。顔いろは病人みたい、砂いろのうすい髪《かみ》の毛は心の動揺のため逆だっている。手にはまだピストルをもっていたが、私たちが近づくとそれをポケットへ押しこんで、

「ホームズさん、今晩は。よくおいでくださいましたな。待ちこがれていたところですよ。私の部屋へ忍《しの》びこんだけしからんやつのあることは、トリヴェリヤン先生からもうお聞きくだすったでしょうな？」

「うかがいましたが、その二人の男はいったい何者ですか？　何のためにあなたをそんなに苦しめるのでしょう？」

「さあ」入院患者《かんじゃ》氏は妙におどおどして、「そいつはちょっといえませんよ。私からそれを聞こうってのは無理ですよ」

「とおっしゃると、ご存じないという意味ですか？」

「さ、こちらへどうぞ。どうぞこちらへはいってください」

彼は私たちを寝室へ招じいれた。居心地のよい大きな部屋だ。寝台の端《はし》にちかくすえた黒塗《くろぬ》りの大きな金庫をさして彼はいう。

「あれを見てください。私は大して金があるわけじゃない。これまでにたった一度しか投資したことのないのは、トリヴェリヤン先生もよく知っての通りです。しかし銀行は信用できませんでねえ。そう、銀行なんか決して信頼《しんらい》できませんよ。ここだけの話ですが、いくらでもないけれど私は持っているものをみんなあの金庫へ入れとくんです。だからこの部屋へわけのわからんやつらにはいられたら、私がどんなに心配するかおわかりになるでしょう?」

ホームズは疑わしげに相手を見つめていたが、ゆっくり頭を振《ふ》って、

「私をだまそうとなさるんじゃ、ご相談には乗れませんねえ」

「だって何もかも申したつもりですが……」

「さよなら、トリヴェリヤン先生」ホームズは不快そうな顔をして、くるりと踵《くびす》をかえした。

「相談に乗ってはくださらないのですか?」ブレッシントンがうろたえて叫んだ。

「ほんとうのことをおっしゃらないのじゃねえ」

一分後には、私たちは表へ出て家のほうへ歩いていた。オックスフォード街を横ぎり、ハーリイ街を半分くらいきたころ、ホームズははじめて口をきいた。

「下らないことで君までひっぱり出してすまなかったね。ほんとうはこいつは面白《おもしろ》い

事件なんだけどなあ」

「そうかな。僕にはさっぱりわからないなあ」

「いいかい、何かの理由があって、ブレッシントンをねらっているやつが二人ある。もっといるのかもしれないが、少なくとも二人ある。はじめに来たときだって、仲間の老人のほうが巧妙《こうみょう》な方法で医者を引きつけているあいだに、若いほうのやつは、ブレッシントンの部屋へ忍びこんだに違いないのだと思う」

「すると類癇というのは……」

「もちろん仮病《けびょう》さ。トリヴェリヤンには絶対に教えてやりたくなかったけれどね。類癇を仮病につかうなんて、わけないことだ。僕だってやったことがある」

「それで？」

「まったくの偶然《ぐうぜん》で、ブレッシントンは二度とも留守だった。彼らが午後の六時すぎという変な時刻にきたのは、待合室にほかの患者がいると困るからさ。だが彼らの選んだこの時刻は、偶然にもブレッシントンの運動に出る時刻と一致した。ということは、彼らがブレッシントンの日常習慣をあまりよく知らないのを意味する。むろん彼らの目的が、単に何かを盗《と》ることにあったのなら、少なくともそれを物色していなければならないはずだが、そんな様子はすこしも見えない。それにブレッシントンの顔をみれば、彼が何かを怖《おそ》れているのが目のいろに現われている。ブレッシントンが二度までも執念《しゅうねん》ぶかい敵にはいられながら、それを知らずにいるとは考えられない。だから僕は、ブレッシントンはこの二人が何ものであるかを知りながら、何か理由があって隠《かく》しているのだと信じる。あしたになったら閉口して、もっと打ちあけて相談する気になるかもしれないよ」

「こういう別の考えかたはないだろうか？　むろん妙な話だから、ちょっとどうかとも思うけれど、成りたたなくもなかろうと思うんだ。類瘤のロシア貴族もその息子も、みんなトリヴェリヤンのこしらえごとで、じつはトリヴェリヤン自身が何かの目的でブレッシントンの部屋へ入っているのじゃないかしら？」

私はホームズがこのみごとな見当はずれの説をきいて、ニヤリとうれしそうにほおを動かしたのをガス灯の光りで認めた。

「それも僕は最初に考えてみたがね、トリヴェリヤンの話がうそでないのがすぐにわかったよ。若いほうの男が階段の敷物に足跡をのこしていたが、それを見たらもう部屋のなかを見せてもらいにゆく必要は感じないくらいだった。このくつが先のほそいブレッシントンのとちがって先が四角で、トリヴェリヤンのより一インチ三分の一は大きいといったら、息子が実在の人物なのは君だって認めねばなるまい。だがこの問題を論じあうのはもう止《よ》そう。あしたはかならずブルック街からなにかいってよこすに決まっているのだからね」

ホームズの予言は的中した。しかも劇的な的中ぶりだった。翌朝の七時半、やっと白みかけた朝の光りのなかに、ガウン姿のホームズが、まくらもとに立っているのを私は発見したのである。

「ワトスン君、迎《むか》えの四輪馬車がきて待っているよ」

「えッ、どうしたんだ？」

「ブルック街からさ」

「また何か起こったのかい？」

「悲劇的だが、よくわからない曖昧《あいまい》なところもある」とホームズはブラインドをあけながら、「これを見たまえ。手帳をちぎった紙きれに、鉛筆《えんぴつ》で走りがきしてある。『即《そっ》刻《こく》ご来援《らいえん》を懇願《こんがん》す。P・T・（パーシイ・トリヴェリヤン）』トリヴェリヤンはこれだけ書くのが精いっぱいだったんだ。さ、大急ぎだよ」

十五分ばかりで、私たちはブルック街の医者の家へついた。トリヴェリヤンは恐怖に怯《おび》えた顔をして、走り出て私たちの顔をみると、

「とんだことがおこりました！」と両手で両のこめかみを押さえた。

「どうしました？」

「ブレッシントンが自殺しました」

ホームズはびっくりしてヒュッと口笛《くちぶえ》をならした。

「ゆうべのうちに首をくくっちゃったのです」

家へはいると、トリヴェリヤンは私たちを待合室と思われる部屋へ案内した。

「私は自分でも何をやっているのかわからなくなりました。警察からはもう見えて、二階のほうにいます。実に恐ろしいことで……」

「いつ発見したのですか？」

「あの人は毎朝はやくお茶をもってこさせる習慣なのですが、けさ七時に女中がそれを持っていってみると、部屋のまんなかにぶら下がっていたのです。重いランプをつるすくぎに紐《ひも》をかけて、きのうごらんになった金庫のうえからとんだのです」

ホームズはちょっと考えこんでいたが、

「お差支《さしつか》えなければ階上《うえ》へいって、現場を見せていただきたいものです」

私たちはトリヴェリヤンの先にたって階段をのぼっていった。

寝室《しんしつ》のドアを一歩はいった私は、いきなりそこに恐ろしい光景を発見した。私はブレッシントンの印象を述べて、だぶだぶに肥っているといっておいたが、いま天井《てんじょう》からぶら下っているのを見れば、それがひどく目だって、まるで人間とは思えないくらいだった。首はまるで羽をむしった鶏《にわとり》のそれのようにのび、その関係でからだのほうは余計ふとって見え、不自然な対照をなしている。長い寝衣一枚きりだから、むくんだ踝《くるぶし》や不様《ぶざま》な脚《あし》がニュッとつき出ている。そばにはきびきびした警部がひとり、立って何やら手帳に書きこんでいた。

「やあホームズさん、よくいらっしゃいましたね」

「ラナー君ですか、お早う。お邪魔《じゃま》じゃないでしょうね？　どうしてこんなことになったのか、なにか聞きましたか？」

「ええ、少し聞いています」

「で見込みは？」

「私の考えじゃ、この男は恐怖《きょうふ》のあまり精神に異常をきたしたんだと思います。寝床《ねどこ》はこのとおり寝たあとがあります。ちゃんとからだのところがくぼんでいますよ。自殺は五時ごろ行なわれるのがいちばん普通《ふつう》ですから、この男もそのころやったのですな。ずいぶん落ちついてやったらしいです」

「筋肉の硬直《こうちょく》状態からみて、死後三時間というところだろう」私が所見をのべた。

「部屋のなかに何か目につくものがありましたか？」ホームズが尋《たず》ねた。

「洗面台にネジ回しが一つありました。ネジも四、五本ありました。それに夜中ひどくタバコをやった様子です。ここに葉巻の吸いがらを四つも暖炉のなかから拾いだしておきました」

「ふむ、葉巻用パイプはありましたか？」

「さあ、そんなものは見ませんが……」

「じゃ葉巻入れは？」

「それは上衣《うわぎ》のポケットにありました」

ホームズは葉巻入れをあけて、一本だけのこっているのを鼻さきでかいでみて、

「ああ、こいつはハヴァナだ。だがこの吸いがらのほうは、東インド植民地産のをオランダが輸入している何とかいうやつだ。普通は麦わらで包んであって、ほかのよりわりに細目にできている」といいながら四つの吸いがらを拾いあつめ、ポケットから拡大鏡をだしてじっとのぞきこんだ。

「こっちの二本は葉巻パイプを使って、あとの二本はじかに吸ってある。こっちの二本はあまり切れないナイフで先を切ってあるが、あとの二本はいい歯でかみきってある。ラナー君、これは自殺じゃないね。きわめて巧妙に計画し、きわめて冷静に実行された殺人事件ですよ」

「まさか！」なぜ殺されたのじゃないと思います？」

「人を殺すのに天井からぶら下げるなんて、そんな下手なことをするやつがあるものですか」

「あるかないか、これから調べるのがおたがいの仕事です」

「でも犯人のはいるところがありません」

「玄関《げんかん》からはいったのですよ」

「玄関はけさ見たとき、なかから閂《かんぬき》がさしてありました」

「それは犯人が逃《に》げてから、さしこんだのです」

「どうしてわかります？」

「のこしていった跡を見たのです。ま、すこし待ってください。いまもっと詳《くわ》しいことを教えてあげますから」

ホームズはドアのところへいって、彼一流のめんみつさで錠《じょう》の具合をしらべていたが、内がわからかぎ穴にさしてあったかぎをぬいて、それをも検《あら》ためた。それから寝台、敷物、いす、マントルピース、死体、ひも、といちいちしらべて、やっと満足したらしく、私と警部に手つだわせて死体をおろして寝台にねかし、敬虔《けいけん》な態度でシーツでうえから覆《おお》った。

「この綱《つな》はどうしたのだろう？」

「これを切りとったのですよ」トリヴェリヤンが寝台のしたからロープの大きな束《たば》をひきずりだした。「病的に火事をおそれましてね、万一階段が燃えても、いつでも窓から脱出《だっしゅつ》できるように、ちゃんとここへ用意していたのです」

「そいつは手数がはぶけて、犯人たちも喜んだでしょう」ホームズは感心して、「こいつは事実だけならごく簡単ですよ。それに午後までには理由もちゃんと調べあげてみせます。調べるのに必要だから、マントルピースのうえのブレッシントンの写真をお借りしてゆきますよ」

「わかったって、まだ何も話してくださらないじゃありませんか」トリヴェリヤンが泣き声でいった。

「事件の経過はもはや疑いの余地なく明らかです。人物は三人、若いのが一人、年よりが一人、第三の男の正体は何ものだか、こいつばかりはいまわかりません。最初の二人がロシアの貴族父子に化けた連中をさすのは申すまでもありませんが、従ってこれは人相も詳しくわかっているわけです。二人は仲間の手引きでこの家へ入りこんだのです。警部さんにちょっとご注意しておきますが、書生を共犯者として逮捕《たいほ》なさることですね。トリヴェリヤン先生、あの書生はごく最近に雇《やと》いいれたばかりなのでしたね？」

「書生はもういないようです。さっき女中とコックとで、しきりに探しまわっていました」トリヴェリヤンがいった。

「この劇ではまんざらの端役《はやく》でもなかったのですがね」とホームズは残念そうに、

「三人はつま先だって階段をのぼってきました。先頭は年よりでつぎが若い男、第三の男はしんがりでした」

「ホームズ君、どうしてそんな……」

「足跡の重なりかたは争えない。それに僕はゆうべきて、どれが誰の足跡だか予備知識を得ていたからね。三人はブレッシントンの部屋へきてみたところ、錠がかかってあったが、はり金をつかって巧《たく》みにそれを抉《こ》じあけた。凸《とつ》レンズを使わなくても、このとおりかぎ穴の内部の隆起部《ワード》に掻《か》ききずのあるのがよく見える。

部屋へはいると彼らのまずとった行動は、ブレッシントンにさるぐつわをはめることです。ブレッシントンはよく眠《ねむ》っていたか、それとも恐怖で手足がしびれて声も出なかったのかもしれません。この壁《かべ》は厚いから、たとえひと言くらい声をたてたとしても、そとへは聞こえなかったと思ってよいでしょうがね。

ブレッシントンの始末をつけてから、そこに何かの相談がはじまったのです。おそらく処置に関する相談だったのでしょう。そのときこの葉巻をすったのですが、だから相談には相当時間がかかったものと見えます。年よりはその籐《とう》いすにかけて、葉巻パイプを使っていました。若いほうはそちらに腰《こし》をおろしており、そのたんすにこすりつけて灰を落としています。第三の男は部屋のなかをあちこち歩いておりました。このあいだブレッシントンは寝台のうえに起きなおってでもいましたか、その点だけは私にもはっきりしません。

さて、相談の結果はブレッシントンをつるし殺すことに一決しました。そのことは予《あらか》じめ決めてあったので、滑車かなにか、そこははっきりしませんけれど、とにかく彼らはそうしたからだをつりさげる道具を用意してきたのです。あのネジまわしやネジは、その道具をとりつけるためだったのでしょう。しかし来てみると天井に丈夫《じょうぶ》なくぎがあったので、もってきた道具を使う手数がはぶけたわけです。仕事をすませて一同の帰ったあとで、玄関は共犯の書生の手で内部から閂《かんぬき》がおろされました」

私たちはふかい興味をもって、ホームズの語る前夜のできごとに耳を傾《かたむ》けた。それをホームズが推定したのは、きわめて微細《びさい》な現われからであったから、私たちは現に話を聞いていながらも、彼がどこからそんなことまで知ったのだか、まるきり見当もつかなかった。話がすむと、警部は書生を探しにいそいで出ていったので、私たちはそのままベーカー街へと朝食をたべに帰った。

「三時には帰ってくるよ」食事がすむとホームズは立ちあがった。「ラナー警部もトリヴェリヤンもそのころここで落ちあうことにしよう。それまでに僕は、こまかい疑問まですっかり調べあげておくよ」

二人の客だけは約束《やくそく》の時刻にやってきたが、ホームズが姿を現わしたのは四時十五分まえだった。それでもはいってきたときの顔つきで、万事うまくいったのを私は知った。

「なにか変ったことでもありましたか、警部さん？」

「書生を押さえましたよ」

「お手柄《てがら》です。私も犯人たちを押さえましたよ」

「えッ、犯人を？」私たちは三人同音に叫んだ。

「いや、少なくとも正体だけは突《つ》きとめてきました。ブレッシントンというやつは、私のにらんでいたとおり、警視庁でもよく知っている男でしたし、それを殺した三人も同様です。三人はビドル、ヘイワード、モファットというやつらです」

「それはウォーシントン銀行を襲《おそ》った一味じゃありませんか！」警部が口ばしった。

「それですよ」

「じゃブレッシントンはサトンの変名なのですね？」

「そうですよ」

「なんだ！　それですっかりわかりましたよ」と警部はすぐにのみこんだが、トリヴェリヤンと私は当惑《とうわく》して顔を見あわせた。

「有名なウォーシントン銀行の事件は、二人とも知っているでしょう？　一味は五名で、こんどの四人のほかに、カートライトという男が加わっていたのです。一味は守衛のトービンを殺しておいて、七千ポンドの現金を奪《うば》って逃走《とうそう》しました。一八七五年のことです。五人はぜんぶ捕《つか》まりましたが、証拠《しょうこ》が不十分で罪がきまらない。そこへこのブレッシントンのサトンが仲間を売ったため、カートライトは死刑《しけい》、ほかの三人はなかよく十五年ということになったのです。ところがこの三人が、刑期はまだつとめあげないけれど、さきごろ出獄《しゅつごく》を許されたので、三人寄って、仲間を死なせた裏切りものをさがしだして復讐《ふくしゅう》のため殺してやろうと話がきまったのです。そして二度も計画の実施《じっし》にかかったが二度とも失敗して、三度目にようやく目的を達したというわけです。どうです、まだわからないところがありますか、トリヴェリヤンさん？」

「いや、すっかりよくわかりました。ブレッシントンが急に神経質になって騒《さわ》ぎだしたのは、その三人の出獄を新聞で知った日からだったのですね？」

「その通りです。泥棒云々《うんぬん》はたんなる口実にすぎなかったのです」

「だが、彼はなぜ本当のことをあなたに打ちあけて、相談しようとはしなかったのでしょう？」

「それはね、むかしの仲間の執念ぶかいのをよく知っているから、どうにもならなくなるまでは、できることなら自分の素性《すじょう》を誰にも知られたくなかったのでしょう。それにこの秘密は恥《は》ずべき秘密なのですから、自分の口からはいいにくくもあったでしょう。しかし警部さん、こんな卑劣漢《ひれっかん》でも、やはり大英帝国の法律の保護のもとにあった男ですが、法律では保護しきれない場合があっても、正義はやはり復讐の刃《やいば》を下すものだということが、これでわかりますねえ」

以上がブルック街の医者と、その入院患者に関する奇怪《きかい》な事件の顚末《てんまつ》である。その夜以来三人の殺人犯人たちは、ついに警察の手にはかからなかった。警視庁では、先年オポルトの北方数マイルのポルトガル沖《おき》で難破行方不明《ゆくえふめい》となり、一人も生存者のない不運な汽船ノラ・クリナ丸の乗客のなかに、彼らはいたのだろうと推定している。書生にたいする処置は、証拠不十分で放免《ほうめん》。そして当時ブルック街事件といって評判だったこの事件は、今日まで一度も公刊物には扱《あつか》われないでしまったのである。

――一八九三年八月『ストランド』誌発表――

ギリシャ語通訳

シャーロック・ホームズとはずいぶん長いこと親しいつきあいをしてきたが、彼《かれ》が親類関係やらまたは彼自身の少年時代の話などを口にするのを聞いたことがない。この方面のことに沈黙《ちんもく》をまもる彼が、とかく非人情にさえ私には考えられてきた。孤独《こどく》な、情味のない頭脳《ずのう》だけの男、知的に卓抜《たくばつ》なだけで、人情にまったく欠けた男とさえも思われるのである。女ぎらいで、しかも新しい友人をつくるのを好まぬことがすでに、彼の性格の非情さをよく表わしている。わけても親類関係のことをまったく秘して、おくびにも出さぬのにいたっては、いささか非情すぎるのである。というわけで、彼はまったく身よりのない孤児だとばかり私は思っていたのだが、ある日兄弟のことを話しはじめたので、びっくりしてしまった。

ある夏のこと、午後のお茶のあとで、話はゴルフ・クラブのことから、黄道の傾斜《けいしゃ》度《ど》変化の原因におよび、ついには隔世遺伝《かくせいいでん》と遺伝的特性の問題にとぶといった具合で、いたってとりとめないものだった。ある人物に与《あた》えられた特別の才能というものが、どの程度その祖先によるものであるか、またその人の少年時代のしつけによるものであるかというのが、論点となった。

「君の場合でいえばね」と私はいう。「君の話したことから察するに、その観察の才能や推理力というものは、少年時代の訓練によるものだね」

「ある程度そうもいえる」ホームズはじっと考えこんで、「僕の先祖というのは代々いなかの大地主だったのだが、みなその階級にふさわしい大同小異の生活をしていたらしい。だがこの性向はやはり血統からきている。たぶん祖母からうけ継《つ》いだものらしい。この祖母はヴェルネというフランス人の画家の妹にあたるんだが、えてして芸術家の血統は、いろんな変った人物をつくりだすものだ」

「でもどうして君の特性が遺伝によるとわかるのだい？」

「だって僕《ぼく》の兄弟のマイクロフトなんか、僕より多くその特性をもっているもの」

これはまったくの初耳だった。この国にホームズ以外にこのような特異な技能をもった男がいるというのに、どうして今まで警察や世間に知れずにいたのだろう？　これはホームズが謙遜《けんそん》して、兄弟のほうが自分より優《すぐ》れているといっているのだろうと思ったから、そう突《つ》っこんでみたが、ホームズは私の言葉を一笑に付して、

「ワトスン君、僕は謙遜を美徳の一つに数える人には同意できないね。論理家は、す

べての物事をあるがままに見なければならない。自分の価値を法外にひくく見積るのは、自分の力を誇張《こちょう》するのとおなじに、はなはだ事実に即《そく》さない。だから僕がマイクロフトは僕よりも優れた観察力をもっているといったら、まったくのところそれが正《しょう》真正銘《しんしょうめい》の事実だと思ってくれていい」

「君の弟なのかい？」

「七つうえの兄だよ」

「名が知られていないのはどうしてなんだ？」

「兄の仲間うちではよく知られている」

「仲間とは？」

「たとえばディオゲネス・クラブなんかそうだね」

そんな名のクラブなんて聞いたこともない。その不審《ふしん》が顔いろに現われたのだろう、ホームズは時計を出してみて、

「ディオゲネス・クラブというのはロンドンでもいちばん風がわりなクラブなんだよ。マイクロフトはその風がわりな会員の一人さ。毎日五時十五分まえから八時二十分まえまではかならずそのクラブにいる。いま六時だが、美しい夜の散歩にでも出てみないか。珍《めずら》しい男を二人ばかり紹介《しょうかい》したいね」

五分後には、私たちはリージェント広場のほうへ向かって街を歩いていた。

「どうしてマイクロフトが探偵《たんてい》の仕事に力をそそがないのかと、君は不審に思うだろうが、じつはその力がないのだよ」

「だけどさっきの君の言葉では……」

「いや、兄は観察力や推理では僕より優れているといったのさ。探偵術というものが、安楽いすに坐《すわ》っていてするただの推理に終始するかぎり、僕の兄はまったく前代未聞《ぜんだいみもん》の大探偵家といえるだろう。しかし兄にはそれを実行するだけの野心もなければ精力もない。自分で解いたことを立証することさえも敢《あえ》てしようとはしない。自分の正しい解釈を証明する手数をとるよりは、むしろ間違《まちが》っていると思わせておくほうがいいという風なんだ。僕はしばしばこの兄に事件を持っていったものだが、それぞれ解決をつけてくれた。それがまた、あとでかならず正しいとわかった。それでいて、事件を裁判官なり陪審団《ばいしんだん》なりの手にゆだねるのに必要な実質的な要点を苦労して探しだすということの絶対にできない男なんだ」

「じゃそれを職業にしているわけじゃないのだね？」

「むろんのことさ。僕にとっては生活の手段になっているけれど、兄のはただの好事《こうず》家《か》の道楽にすぎないのさ。兄は数字にたいする特殊《とくしゅ》な才能があるので、政府のある省の会計簿《かいけいぼ》の検査をひき受けている。家はペルメル街にあるが、毎朝角をまがってホワイト・ホール街へ歩いてゆき、夕方また歩いて帰る。一年を通じてこのほかには決して運動ということをしない。またディオゲネス・クラブ以外のところには決して顔をみせない。それも兄の家の真向かいがそのクラブになっているんだよ」

「どうもそんなクラブは聞き覚えがないね」

「それはそのはずだよ。内気とか人間ぎらいとかが原因で、人なかへ出たがらない連中が、ロンドンにはずいぶんいるからね。それかといって、坐り心地のいいすや、新刊の雑誌類がまんざらきらいなわけではない。こういう人たちの便宜《べんぎ》のためディオゲネス・クラブができたわけだが、いまではロンドン中の社交ぎらいの男たちを大半網羅《もうら》している。クラブ員はおたがいにほかのクラブ員に絶対関心をもってはいけないし、外来者室以外では、どんな事情があっても談話することを許されない。もしこの禁を犯し、委員会の注意をうけること三度におよべば、話をした男は除名処分になる。兄はこのクラブの創立者の一人だが、実見して知っているけれど、なかなか感じのよい所だよ」

話しながら歩くうち、私たちはペルメル街にきた。それをセント・ジェームズ寺院のほうから歩いていった。シャーロック・ホームズはカールトンからちょっと離《はな》れたとある家の戸口に立って、口をきいてはいけないよと私に注意をしてからホールへはいっていった。ガラスの羽目板ごしに、ひろい贅沢《ぜいたく》な部屋がちらりと見えた。そこにはかなりの頭数にのぼる人たちが、おのおの好きなところに陣《じん》どって、新聞など読んでいる。ホームズはペルメル街に面した小部屋へ私をつれこんでおいて、ひとりでどっかへ行ってしまったが、すぐに、一見して兄弟と思われる人をつれて帰ってきた。

マイクロフト・ホームズはシャーロックよりもずっと恰幅《かっぷく》がよく、肥《ふと》ってもいた。からだこそひどく肥っているものの、顔にはどこかシャーロック特有の鋭《するど》さが感じられた。遠くのほうをでも見ているような思索的《しさくてき》なうす水いろの眼《め》、これはシャーロックが仕事に全力を傾注《けいちゅう》している時にだけ見られる目つきである。

「初めてお目にかかります」とマイクロフトはアザラシのひれのように平たくて幅《はば》のひろい手をだして、「あなたがシャーロックの記録を発表されるようになってから、私はあちこちでシャーロックの評判を聞かされますよ。ところでシャーロック、先週は例のメーナ事件で僕のところへ相談にくるかと思っていたが、何しろあれは、お前にはすこし荷がかちすぎているからな」

「いや、あれはもう解決をつけましたよ」ホームズはにこにこしている。

「あれはやっぱりアダムズだったろうね」

「ええ、アダムズでした」

「初めからそうと信じていたよ」二人は張出窓にならんで腰《こし》をおろして、「いやしくも人間を研究しようとするものにとっては、そこが急所なのだ。特徴《とくちょう》をとらえよだね。たとえばだ、こっちへ歩いてくるあの二人の男を見たまえ」

「撞球《たまつき》のゲームとりと、もう一人のほうは？」

「その通りだ。もう一人のほうは何だと思う？」

話題になった二人の男というのは、そのとき窓の向こうがわで立ちどまった。ゲームとりと推定する特徴として、私にわかったのはチョッキのポケットのうえのあたりについているわずかなチョークのあとだけだった。もう一人のほうはごく小柄《こがら》な色のくろい男で、帽子《ぼうし》をあみだにかぶり、何個かの包みを抱《かか》えている。

「軍人あがりだと思うな」シャーロックがいった。

「ごく最近に除隊になったばかりだね」兄がいう。

「インドで勤務していたのだ」

「そして下士官だよ」

「砲兵《ほうへい》だと思う」

「細君をなくした」

「でも子供が一人ある」

「一人じゃないなあ。何人かあるよ」

「さあわからなくなった」私は笑った。

「それはね、あの男の態度といい、威張《いば》った顔つきといい、また日やけしたところといい、たしかに軍人だが、といってただの兵卒じゃない。それにインドから帰っていくらにもならないということがわかるのだ」ホームズが説明してくれた。

「最近退役《たいえき》した証拠《しょうこ》には、まだ給与靴《きゅうよぐつ》をはいている」マイクロフトが観察を述べた。

「騎兵《きへい》という歩きつきじゃない。しかも帽子を横ちょに被《かぶ》る癖《くせ》があると見えて、額の白さがすこし一方に偏《かたよ》っている。工兵にしては体重がありすぎるし、どうしても砲兵だな」

「それから、ごく親近のものが亡《な》くなったとみえて、完全喪章《もしょう》をつけている。自分で買物をしているんだから、おそらく細君を亡くしたんだろう。子供たちのために買物をしたんだね。それも買物のなかにガラガラがあるから、下の子供はまだほんの赤《あか》ん坊《ぼう》なんだろう。細君はおそらく産褥《さんじょく》で死んだね。ほかに絵本を一冊抱えているから、少なくとももう一人子供があるものと考えるべきだろう」

ホームズが兄は自分より鋭い才能をもっているといったのはほんとうだと、だんだん私にもわかってきた。彼は私のほうを盗《ぬす》み見てにやりと笑った。マイクロフトは鼈《べっ》甲製《こうせい》の箱《はこ》からかぎタバコをだして吸いこんだが、上衣《うわぎ》にこぼれた粉を大きな赤い絹ハンカチで払《はら》いおとしてから、

「ところでね、シャーロック、お前がとびついてきそうな事件があるよ。非常に奇怪《きかい》な事件だがね、僕のところへ持ちこんできたんだ。しかし曲りなりならともかく、僕にはそいつを実地にしらべあげるだけの精力がないのさ。たしかに面白《おもしろ》い研究問題だという根拠《こんきょ》だけは十分にあるがね。よかったら話してもいいのだが……」

「そいつはぜひ聞かせてくださいよ」

マイクロフトは手帳から一枚ちぎって何やら走りがきしたのを、ベルを鳴らして呼んだ給仕に渡《わた》した。

「メラスという人に来てくれるようにいってやったのさ。この人は僕の一階うえに部屋を借りて住んでいるのだが、ちょっとした知りあいなもんだから、それが縁《えん》で僕のところへ心配ごとを持ちかけてきたんだ。血統的にいえばギリシャ人だと思うが、すばらしい外国語通だ。裁判所の通訳をやったり、ノーサンバランド・アヴェニューあたりの大ホテルに宿泊《しゅくはく》する東洋の大金持連中の案内人をしたりして生活している。話は本人の口から、その奇怪な経験を聞いてもらうことにしよう」

しばらくして背のひくい肥った男が席に加わった。オリーヴいろの顔、漆黒《しっこく》の鬢髪《びんぱつ》などが、その南国生まれであるのを示している。だが言葉は教養のあるイギリス人にそっくりだった。力をこめてシャーロック・ホームズと握手《あくしゅ》したが、そのくろい双眼《そうがん》は専門家に話をきいてもらうよろこびで輝《かがや》いていた。

「警察ではとても私を信じてくれるとは思われません。とてもとても」と彼は悲しげな声でいった。「こんなことはかつて聞いたこともない。あり得《う》べからざることだと警察では考えているんです。しかし顔に絆創膏《ばんそうこう》をはられたあの気の毒な男がどうなったか見届けるまでは、私は安心ができません」

「よくわかりました。さきをどうぞ」ホームズがいった。

「今晩は水曜日ですね。ええと、あれは月曜日の晩ですから、まだたった二日にしかなりません。たぶんこちらのホームズさんからお聞きかと思いますが、私は通訳をやっているものです。どんな言葉でも、いやほとんどどんな言葉にも通じていますが、生まれがギリシャなものですから、名まえもむろんギリシャ風で、主としてギリシャ関係の通訳をやっております。長年私はロンドン一のギリシャ語通訳となっておりまして、どこのホテルでも私の名はよく売れております。

何かの困難に直面した外国人だとか、夜おそく到着《とうちゃく》した旅行者などから、私の通訳を求められて、まったく時ならぬ時刻に呼びだされることも、そう珍しくはないのです。ですから月曜日の晩に、ラティマーというりゅうとした流行の服装《ふくそう》をした若い人がやってきまして、馬車を戸口に待たせてあるから、いっしょに来てもらいたいと求められたときも、いっこう不思議とは思わなかったのです。聞いてみると、ギリシャ人の友人が商用でたずねてきたのだが、こっちは英語のほかはわからないから、通訳がほしいのだという話です。家はケンジントンからすこし離れたところだとかで、何だか非常に急いでいるらしく、階段をおりて表へ出ると、私を急いで馬車のなかへ押《お》しこんだものです。

馬車のなかへと申しましたが、乗ってみて私は、はたしてこれが馬車だろうかと、すぐに疑念がおこりました。ロンドンの面《つら》よごしともいうべき普通《ふつう》の四輪馬車の内部よりはたしかに広く、装具はすり切れてこそいますけれど、上等品でした。ラティマーは私と向かいあわせに腰をおろして、馬車はチャリング・クロスをぬけてシャフツベリ・アヴェニューのほうへ駆《か》けてゆきます。それからオックスフォード街へ出てきましたので、これではケンジントンへ行くには遠まわりのはずだと、思いきっていいかけますと、相手があんまり妙《みょう》な行動をしたので、出かかった言葉もひっこんでしまいました。

彼は怖《おそ》ろしい格好をしたなまりのはいった棍棒《こんぼう》をポケットからとりだして、まるでその目方や威力《いりょく》をためすかのように、いくども前後に振《ふ》り動かしたのです。それから黙《だま》ってそれをひざのよこにおくと、両がわの窓を閉めてしまいました。おどろいたことに窓ガラスには、そとの見えないようにすっかり紙がはりつけてあります。

『メラスさん、目さきをふさぎまして、まことにお気のどくです』と彼がいいます。『それというのがね、馬車がどこを走っているか、あなたに知られたくないからですよ。行く道を知られて、あなたに押しかけられては困るんでしてね』

お察しでもございましょうが、この言葉に私は仰天《ぎょうてん》してしまいました。相手は力のつよそうな肩幅《かたはば》のひろい若い男で、例の武器なんかなくても、私など格闘《かくとう》してみたところでとても敵《かな》いそうもありません。

『ラティマーさん、どうも妙なことをなさるようですが、これは不法行為《ふほうこうい》だくらいは、ご承知でしょうな？』私はおずおずながらいってやりました。

『自由という問題になると、なるほどそうでしょうな。しかしその埋《う》めあわせはしてあげる。ただ念のためいっておくが、メラスさん、今夜あんたが大きい声をたてたり、私に不利なことをすると、ただではおかぬから、そのつもりでね。あなたがどこへ行ったか、誰も知ってはいないのだし、この馬車のなかだろうと私の家のなかだろうと、あなたは私の掌中《しょうちゅう》にあるのだということを忘れないようにね』

言葉としてはおだやかですけれど、おそろしい嚇《おど》かしをふくんだこの文句をならべるのに、妙に神経にさわるいいかたをしました。いったいどうした理由から、こんな非常手段で私をおびきだしたのだろうと訝《いぶ》かりながらも、私はだまって坐《すわ》っていました。何にせよ、抵抗《ていこう》してもむだなことはわかりきっているのですし、どんなことになるのか、ただ待ってみるよりほかはありません。

どこへ行くのかまるで見当もつかぬままに、馬車は二時間ちかくも走りつづけました。ときにはガラガラと石にあたる車輪の音で、敷石道《しきいしみち》を通っているとわかったり、ときにはなめらかに震動《しんどう》もなく走るので、そこがアスファルト道路と知れるくらいのもので、この音の変化のほかには、馬車がどこを走っているのか見当さえつけるよしもありません。窓にはってある紙は光線をとおさないし、前面のガラス窓には青いカーテンがかけてあります。

ペルメル街を出たのが七時十五分すぎでしたが、私の時計があと十分で九時をさすという時になって、馬車はやっと止まりました。相手のラティマーが窓をあけたので、私はほんのちらりとではありましたが、うえにランプのともった低い半円形の門を見ました。せきたてられて馬車をおりると、その門がすうっと開きました。と思うともう私は家のなかに連れこまれていたのですから、入りぎわにぼんやりと、道の両がわに木と芝生《しばふ》のあったことをわずかに認めたばかりで、それが個人の庭なのか、それともまったくのいなかの原っぱなのか、何とも確かなことはいえません。

家のなかへはいってみると、色つきの火屋《ほや》をつけたガス灯があるにはありましたけれど、焰《ほのお》がほんのわずかしか出してないので、ホールはかなり広くて、二、三の額のかかっているのがやっと見えただけで、ほかのことは何もわかっていません。ドアを開けてくれたのは小柄な下卑《げび》た顔つきの中年の男で、ねこ背のやつだということが、うす明りのなかでやっと見分けがついただけです。こちらを振りむいたときに、その男は眼がねをかけているとみえて、キラリと光りました。

『ハロルド、これがメラスさんかい？』その男がいいます。

『そうです』

『でかした、でかした。これはメラスさん、悪意はありゃせんが、あんたがいないことにゃ、何ともならんのでね。正直にやってくれさえすりゃ、悪いようにはしません。しかしだ、ごまかしたりすると、どんなことになっても、わしらは知らんよ』

神経質な嘲弄《ちょうろう》的な調子で、ニタニタとうす笑いさえ交えていうのですが、何だか若い男よりもこの男のほうが私には余計気味わるく思われました。

『どうしろというんです？』

『なに、ギリシャ人のお客さんと少しばかり話をして、その返答を聞かせてもらえばいいのです。ただね、こっちでいうことより余計なことはしゃべってもらいたくないし』とここでまた例のうす笑いをうかべて、『さもないと、あんたはこの世に生まれてこなんだほうがよかったと思うような目にあいますぞ』

こういいながらこの男はドアをあけて、非常にりっぱな部屋へ私をつれこみましたが、ここもやっぱり焔を小さくしたランプがたった一つ、わずかな光りを投げているだけです。むろん大きな部屋で、歩くとくつが沈《しず》みこむほどの敷物が敷きつめてあることからも、その飾《かざ》りつけの立派さがわかりました。ビロードばりのいすに白大理石のたかいマントルピース、そのわきには日本の甲冑《かっちゅう》らしいものが一具かざってあるのが眼につきました。

ランプの下のところに一脚《きゃく》のいすがあって、年かさの男のほうがそれへ掛《か》けろと身ぶりで私に命じました。若いほうの男はどこかへ出てゆきましたが、べつのドアからひょっこりと、ゆるい部屋着をきた紳士《しんし》をつれて戻《もど》ってきました。紳士は私たちのほうへゆっくり近づいてきます。うすぐらい灯火《あかり》のなげるまるい光りのなかへはいってきたので、やっといくらかよくその紳士が見えるようになりましたが、その様子の奇怪さに私は思わずぞっと身ぶるいがしました。顔いろは死人のように青ざめ、おそろしく憔悴《しょうすい》し、精神力でわずかに体力を支えているというのか、とび出した目がぎらぎらと光っています。しかし私がぞっとしたのは、そうした肉体的な衰弱《すいじゃく》の兆候《ちょうこう》ではなくて、その顔が絆創膏《ばんそうこう》でたてよこ十文字にはりめぐらされ、なかでも一枚大きなのが口のうえにべたりとはりつけてある奇怪さでした。

『ハロルド、石板をもってきたか？』とこの不思議な紳士が倒《たお》れるように腰をおろしたところで、年かさのほうがどなりました。『両手は自由にしてやったね？　では石筆を渡して、メラスさんはこの男に質問するのです。この男は答えを石板に書きます。まずはじめに、書類に署名する用意があるかどうか尋《き》いてください』

『絶対にいやだ』紳士はきらりと目をかがやかせ、石板のうえにギリシャ語で書きました。

『どうあってもか？』私は暴漢の命ずるがままに尋《たず》ねました。

『彼女《かのじょ》が私の眼前で、私の知っているギリシャ人牧師によって結婚《けっこん》するのを見とどけないかぎり署名はしない』

暴漢は悪意にみちたうす笑いをうかべて、『ではお前の身がどうなるか、わかっているのだろうな？』

『私なんかどうなっても構ったことじゃない』

以上は一方が口でいい、一方が書いて答える奇妙な問答の実例です。くりかえし私は、たいていで降参して書類に署名しろと、要求させられました。そのたびに相手は憤然《ふんぜん》として同じ返答をするだけです。そうするうちに面白いことを思いつきました。質問のたびに、ごく短く私の質問をつけ加えるのです。はじめは当りさわりのないことを尋ねて、二人の男がそれに気づくかどうか試《ため》してみたのですが、その心配もないと見きわめがついてからは、もっと危い芸当をやってみました。対話はざっとこんな風です。

『そう強情《ごうじょう》をはっても、何にもならないぞ。――君はどこの人ですか？』

『かまわない。――私はロンドンは初めてです』

『お前の運命は、お前の考え一つで決まるんだぞ。――ロンドンへはいつきました？』

『それで結構だ。――三週間になります』

『財産はけっしてお前のものにはしておかんぞ。――どうしたことなんですか？』

『悪人なんかに渡すものか！――私を飢《う》え死《じに》させようとしているのです』

『署名さえすれば自由にしてやる。――ここはどうした家なんです？』

『断じて署名はしない。――私も知りません』

『それではあの女のためにならないぞ。――あなたのお名まえは？』

『あの女がそんなことをいうはずがない。――クラティデスです』

『署名さえすればあの女に会わしてやる。――どこから来たんです？』

『そんなことなら会わないほうがましだ。――アテネからです』

ホームズさん、あと五分あったら私はこの事件ぜんたいを、彼らの鼻さきですべて探《さぐ》りだし得ていたでしょう。もう一つだけ質問ができたら、この事件はすっかりわかっていたことと思うのですが、そのときちょうど、ドアをあけて一人の女がはいってきたのです。丈《たけ》がたかくて上品で、髪《かみ》の毛はくろく、何かゆったりした白いガウン風のものを着ているということのほか、はっきりとその姿を見きわめることはできませんでした。

『ハロルドさん！』なまりのある英語でその女がいいました。『私もう辛抱《しんぼう》できなくなったわ。一人ぼっちでいるの、とても寂《さび》しくって……あら、ポールじゃありません？』

この最後の言葉はギリシャ語でした。同時に紳士は必死の努力で口の絆創膏をはぎとると、『ソフィ！　ソフィ！』と叫《さけ》び、その女の腕《うで》のなかへとびこんでゆきました。

二人が相擁《あいよう》したのも束《つか》の間《ま》で、若いほうの男がいきなり女を捕《とら》えると、室外へ突《つ》きだしてしまいました。一方憔悴しきった犠牲者《ぎせいしゃ》のほうは、年かさの男が苦もなくほかのドアから引きずり出してゆきました。

しばらく私はたった一人きりにされましたので、これはいったいどうした家だろう、なにか手掛りでもないものだろうかと、急いで立ちあがりましたが、幸いにも歩きだすまえに顔をあげると、例の年かさの男が戸口に立って、じっと私を見つめているのに気がつきました。

『メラスさん、あなたはもうよろしい。こんどのわしらの私事にひと膚《はだ》ぬいでもらったのも、あんたを信用すればこそなのはおわかりじゃろう。ギリシャ語しかわからないあの友人と談判をはじめたところ、こんどぜひとも東洋のほうへ帰らなければならなくなったので、そうでなかったらあんたを煩《わずら》わすまでもなかったのです。いずれにしてもこの役をはたしてくれる人がどうしても必要だったわけで、幸いあんたほど達者な人が見つかったのは何よりですて』

私はかるく頭をさげました。

『ここに五ポンドあるが』と彼は私のそばへ歩みよって、『料金はこれで十分でしょうな？　ただくれぐれもいっとくが』とにやにやしながら私の胸をかるくたたいて、

『もしあんたがこのことを誰かに、ただの一人にだって喋《しゃべ》ろうもんなら、そう、どんなことになるかわかりませんぞ！』

この人相のわるい男がどんなにいやらしく、そら怖ろしく感じられましたことか、とても言葉にはつくせません。立っている位置の関係でこのときは、ランプの光りをいっぱいに浴びることになりましたので、よく見えましたが、その顔は憔悴して色がわるく、ほそくとがったあごひげはぱさぱさと貧弱です。何かいうときはその顔を前へおしだすようにして、まるで舞踏病患者《ぶとうびょうかんじゃ》のようにたえず唇や眼瞼《まぶた》をひくひくさせました。あの気味のわるいうす笑いだって、きっと一種の神経病からくる発作《ほっさ》なのに違《ちが》いありません。しかしその顔のすご味の根本は、鋼《はがね》のように冷たく光る灰いろの目にあります。あくなき残虐《ざんぎゃく》のどくどくしい影《かげ》がその奥《おく》にひそんでいます。

『このことをあんたが口外すれば、わしのほうへはすぐにわかる。ちゃんとした情報機関が備わっとるんじゃからな。馬車が待たせてある。帰りもあの人が案内してくれるはずになっとる』

せきたてられてホールを抜《ぬ》けて、馬車へ追いこまれたのですから、帰りにも樹木や庭をちらりと見たきりです。ラティマーは私のすぐ後についてきて、無言で私のまえに席をしめました。無言のうちに、窓を閉じたままの馬車ははてしなく走りつづけて、夜なかすぎになってやっと停《と》まりました。

『メラスさん、ここで降りてもらいましょう』とラティマーがいいます。『お宅まではまだよほどあるけれど、お気の毒ながらいたしかたありませんな。この馬車のあとをつけてみても、あんたの災難になるだけですぞ』

そういって彼がドアをあけたので、私は馬車をおりましたが、足が地についたかと思うと、御者《ぎょしゃ》はひとむちあてて、ごろごろとたちまち遠ざかってしまいました。私はきょろきょろとあたりを見まわしました。ハリエニシダがあちこちにくろく繁《しげ》ったヒースの原っぱです。あちこちに二階に灯火のみえる人家がとおく並《なら》んでいます。反対がわには鉄道の赤い信号灯がみえています。

私をのせてきた馬車はとおく走りさって、もう影もみえません。はてここはどこなのだろうと、あたりを見わたしていますと、くらやみのなかを誰かこっちへ歩いてくる様子です。近づいてきたのを見ると、鉄道の赤帽《あかぼう》でした。

『ここはいったい何というところですか？』私はすぐに言葉をかけました。

『ワンズウォースの原ですよ』

『ロンドンゆきの列車は、まだありましょうか？』

『一マイルばかり歩くと、クラパムの乗換駅《のりかええき》へ出ますよ。いまからゆけば、ヴィクトリア駅ゆきの最終にゃ間にあいましょう』

ホームズさん、これで私の話は終りです。いったい私はどこへ連れてゆかれて、どういう人と話をしたのか、いま申した以外のことは何もわかりません。しかし何かよからぬことの行なわれているのは確かですから、できることならあの気の毒な紳士を助けてやりたいのです。つぎの朝、私はこの話をすっかりマイクロフト・ホームズさんにお話しして、ついでに警察へも届けておきました」

この奇怪《きかい》な話を聞きおわってからも、しばらくは誰も口をきくものがなかった。しばらくたってシャーロック・ホームズが兄マイクロフトを見やって、

「なにか処置しましたか？」ときいた。

「『アテネのギリシャ紳士にして英語を解せざるポール・クラティデス氏の行方《ゆくえ》に関し通報を賜《たま》わらば賞金を呈《てい》す。なおソフィというギリシャ婦人の消息に関しても賞金を呈す。X《エキス》二四七三』こういう広告をあらゆる新聞に出したがまだなんの反響《はんきょう》もない」

「ギリシャ公使館にあたってみましたか？」

「尋ねてみたが、なにもわからない」

「ではアテネの警察へ電報してみるんですね」

「このとおりシャーロックはホームズ家の活動力をひとりで背負《しょ》っているんですよ」マイクロフトは私を振りかえって、「じゃこの事件はすっかりシャーロックにひき渡《わた》したよ。そして解決したら結果だけは知らせてほしいね」

「いいとも」シャーロック・ホームズは腰をあげながら、「知らせますよ。それにメラスさんにもね。それはそうとメラスさん、この広告が出たからには、あなたが彼らを裏切ったことは知られてしまったのですから、いうまでもないことですが、私なら十分警戒《けいかい》しますねえ」

帰ってくる途中《とちゅう》で、ホームズは電信局へたちよって、電報を何通かたのんだ。

「ワトスン君、今晩の散歩はむだにはならなかったね。こんな具合で、僕《ぼく》の扱《あつか》った面《おも》白《しろ》い事件のうちいくつかは、マイクロフトからもらったのさ。いま聞いてきた話なんかも、解釈は一つしか考えられないけれど、それでもたしかにすばらしい外見をそなえているよ」

「解決の見こみあるかい？」

「これだけの事実を知っておりながら、あとのことが発見できなかったら、それこそへんなものだろうよ。君だって今きいた話に適合するような理論的説明は、もうちゃんと組みたてているくせに」

「漠然《ばくぜん》となら、なくもないがね」

「じゃそれを言ってみたまえ」

「僕の考えでは、このギリシャ娘はハロルド・ラティマーとかいう若いイギリス人に誘拐《ゆうかい》されたものにちがいないと思う」

「どこから?」

「まあアテネからだろう」

ホームズは頭を横にふって、「その青年はギリシャ語が片ことも話せない。反対に娘のほうは、英語がかなりよくわかる。それから考えるとこの娘はだいぶまえからイギリスへ来ている——いいかえればしばらくまえからギリシャにはいなかったといえるだろう」

「ふむ、じゃイギリス見物に来ていたものとしよう。そいつを捕えてハロルドは、出奔《しゅっぽん》しようと口説《くど》いていたのだろう」

「そのほうがまだしも事実らしいね」

「それから彼女の兄——にちがいなかろうと思う——が、これに干渉《かんしょう》するためギリシャからやってきた。ところが彼は不用意にも、老若《ろうにゃく》二人の悪党の術中におちいってしまった。彼らはこの青年をとらえて暴力を加えてかの娘の財産を、おそらく娘の後見人の資格で、譲《ゆず》りわたすべき書類に署名させようとした。彼はそれを拒否《きょひ》する。談判ということになると、通訳がいる。そこで彼らは、まえにもほかの人を頼《たの》んだが、何かの理由でそれをやめて、メラス氏に白羽の矢をたてたというわけだろう。娘には兄のきていることは知らせてなかった。ちょっとした偶然《ぐうぜん》から、娘がそれを知ったというわけだ」

「おみごと！　まずそれが真相にちがいだろうね。たねはすっかり挙がっているんだ。このうえはただ、向こうがとつぜん暴力に訴《うった》えはしないかという不安があるだけだ。向こうが時間さえ与《あた》えてくれれば、かならずとり押《お》さえてみせるよ」

「それにしてもその家というのを、どうして突きとめたらいいだろう？」

「そうさね、こっちの推測さえあたっているとすれば、そして娘の名がソフィ・クラティデスというのだとすれば、たとえ死んでいるようなことがあっても、そいつを探しだすのはそう困難でもないはずだ。兄のほうはいうまでもなくまったくの他国ものなのだから、主として娘のほうに望みをかけるしかない。ハロルドという男がこの娘と交渉《こうしょう》をもつようになってから、相当時日が経過していることは明らかだ。ギリシャで兄がそれを知って、出かけてきたのだから、少なくとも数週間はたっているだろう。そのあいだ二人がおなじところに住んでいたとすれば、マイクロフトの出した広告にかならず反響があるにちがいない」

話しながら歩くうちに、ベーカー街の家までたどりついた。さきにたって階段をのぼっていったホームズは、私たちの部屋のドアをあけてみて、ぎくりとした。その肩ごしにのぞいてみると、おどろいたことに、兄さんのマイクロフトがひじ掛けいすにおさまって、タバコをふかしているのである。

「さあお入り、シャーロック。ワトスンさんお帰りなさい」おどろく私たちの顔を見あげて、にこにこしながら穏《おだ》やかに言葉をかける。「僕にこんな気力があろうとは思わなかったろう、シャーロック？　だが妙《みょう》にこの事件には心をひかれるもんだからね」

「どうやってここへ来ました？」

「馬車だから君たちを追いこしたよ」

「なにか変ったことでも起こったんですか？」

「広告を見て返事が一つ来たよ」

「ええッ！」

「君たちが帰ってゆくとすぐだった」

「どんな返事です？」

マイクロフトは一枚の紙片《しへん》をとりだして、

「これがそうなんだが、クリームいろの大型上質の書簡用紙に、からだの弱い中年の男がJペンを使って書いている。——拝啓《はいけい》、本日付の新聞広告を拝見してお知らせしますが、お尋ねの若い婦人を私はよく知っております。拙宅《せったく》までお出向きくだされば、同人の傷《いた》ましい身のうえは詳《くわ》しく申しあげますが、同女は目下ベクナム区のマートルズ荘《そう》と申す家に住んでおります。敬具、J・ダヴンポート、とある。この人のところは下《しも》ブリクストンだが、これからちょっと馬車をとばして、詳しい話を聞きにいってみようじゃないか、シャーロック？」

「しかし兄さん、この際妹の話よりも、兄の生命のほうが大切ですよ。警視庁へいってグレグスン警部をひっぱりだして、まっすぐにベクナムの家へ駆《か》けつけるべきだと思いますね。あの人は殺されかかっているのですから、一刻の猶予《ゆうよ》もできませんよ」

「そんなら行きがけにメラス氏もさそったほうがよい。通訳がいるかもしれないからね」私が申し出た。

「そうだ！　ボーイに馬車を呼ばせたまえ、すぐ出かけよう」といいながらシャーロック・ホームズは引き出しをあけて、ピストルをポケットにすべりこませた。そして私が見ているのに気づいて、「話の様子では油断のならない相手らしいからね」

ペルメル街のメラス氏の家へいったころは、もう暗くなっていた。聞いてみると、いましがたどこかの人がきて、いっしょに出ていったという。

「どこへ行ったかわかりませんか？」マイクロフトが尋ねた。

「存じませんでございます」玄関《げんかん》をあけてくれた女が答える。「馬車でいらしった紳《しん》士《し》のかたとごいっしょに、お出かけになりましたのはわかっておりますけれど……」

「その紳士は名まえをいいましたか？」

「おっしゃいませんでした」

「背がたかくて色のくろい、若い美しい人じゃありませんか？」

「いいえ、小柄《こがら》で眼がねをかけて、顔のほそいかたでございました。でも何かおっしゃるときは、いつでもにこにこして、とても感じのよいお方でございました」

「さ、行こう！」ホームズはやぶから棒にいって、警視庁へと急がす馬車のうえで、「こりゃ容易ならぬことになったぞ！　メラスはまたあの二人につかまったんだ。このまえのときの経験で、メラスが意気地《いくじ》のないことを二人は知っている。あの悪党のひとにらみで、メラスは震《ふる》えあがってしまったんだ。むろん通訳させたかったのだが、その用事がすめば、裏切りものだというので、罰《ばつ》を加えたがるかもしれないからね」

こっちは汽車だから、馬車より早くとまではゆかなくとも、同時くらいにはベクナムに着けるつもりだったが、警視庁へいって、グレグスン警部に会って同意させたり、その家へ踏《ふ》みこむための法律上の手続きをすますのに、一時間以上かかってしまったから、ロンドン橋駅へきてみたら十時十五分まえだった。したがって一行四人がベクナム駅に降りたったのは十時半をすぎていた。半マイルばかり馬車をとばすとマートルズ荘についた。前庭をたっぷりとった一戸だての大きな暗い家である。ここで馬車をおりて、玄関までの路《みち》を一団になって進んだ。

「どの窓にも灯火《あかり》がみえませんな。誰《だれ》もいないらしい」警部がいった。

「鳥はとびさり、巣《す》をからにしましたよ」ホームズがいう。

「それはまた、どういう意味です？」

「最後の土壇場《どたんば》へきて、荷物を満載《まんさい》した馬車が、ここを出ていったのです」

警部は笑って、「門灯で轍《わだち》のあとは見ましたが、その荷物の話はどこに根拠《こんきょ》があるんです？」

「おなじ轍のあとが反対のほうへ向かっているのにお気がついたかと思いますが、そとへ出ていった轍のあとはぐっと深くなっている――つまり荷物をうんと積んでいたと見て、まちがいなかろうと思います」

「あなたには兜《かぶと》をぬぎますよ」警部はあっさり敗軍をみとめて、「このドアを押しやぶるのは容易じゃありませんから、とにかくたたいてみましょう、誰か出て来ないものでもありません」

警部は叩き金《ノッカー》をはげしくたたいてみたり、ベルを鳴らしたりしたが、なんの反応もなかった。ホームズはどこかへ姿をけしたと思っていたら、二、三分で帰ってきて、

「窓をひとつ開けてきましたよ」といった。

「きょうのところは私がいっしょだからよろしいが、さもなければ見のがしにはできませんな」と警部は、ホームズが巧《たく》みに窓の締《しま》りをこじあけたのを知って、「しかし場合が場合ですから、案内を乞《こ》わずにはいってもよいとしておきましょう」

私たちは一人ずつ順に大きな部屋へはいっていった。これはメラス通訳が連れこまれたという部屋にちがいない。警部が角灯に火をいれたので、メラスの話にあった二つのドア、カーテン、ランプ、日本の甲冑《かっちゅう》などが見えた。テーブルのうえにはグラスが二つ、からになったブランディの瓶《びん》、食べあらした皿《さら》などがあった。

「おや、何だろう？」ホームズがとつぜんいった。

私たちは動くのをやめて耳をすました。どこか頭のうえのほうから、ひくいうめき声が聞こえてくる。ホームズはドアへ駆けより、ホールへ出ていった。気味のわるい

声は二階からくるのだ。ホームズがまっさきに階段を駆けあがったので、警部と私はすぐその後を追った。マイクロフトも肥《ふと》ったからだで懸命《けんめい》につづく。

二階には三つのドアがあった。ひくいうめき声になるかと思うと、ときにはひいひい泣きさけぶように聞こえたり、あの得体《えたい》のしれぬ声は中央のドアのなかからくるらしい。かぎがしてあったけれど、かぎはそとからかぎ穴にさしたままだった。ホームズはさっとドアをあけはなって飛びこんだが、たちまちのどをおさえて躍《おど》りだしてきた。

「炭火だ！　しばらく開けとけば晴れる」

のぞいてみると、まっ暗な部屋のなかは、中央においた小さなしんちゅうの香炉《こうろ》からかすかにゆらめく青いほのおによって、わずかに照らしだされているだけである。そのほのおは青じろい奇怪な光りをまるく床《ゆか》に投じているが、その円のそとの暗がりに、壁《かべ》を背にして二人の人物のうずくまっているのが、ぼんやりと見える。開けはなったドアからおそろしい毒気が流れだしてきて、私たちは息ぐるしく、せきがでた。ホームズはいったん階段のうえまでいって、新鮮《しんせん》な空気を十分吸いこんで、そのまま部屋へおどりこみ、窓をおしあけておいて、しんちゅうの香炉を庭へほうりだした。

「もうすぐはいれる」ホームズはとびだしてくると息づかいも荒《あら》く、「ろうそくはないかな？　いや、このガスじゃ、部屋のなかではマッチはつくまい。戸口のところで灯火をみせてください、兄さん。みんなであの二人を運び出します。それッ！」

どっと私たちは躍りこんで、中毒している二人の男を階段うえのおどり場まで一気にはこびだした。二人とも唇が紫《むらさき》いろになって気絶していた。目はとびだし、顔は充《じゅう》血《けつ》してはれぼったくなっている。しかもその顔がひどくゆがんでいるので、一人のほうが数時間まえにディオゲネス・クラブで別れたばかりのギリシャ語通訳だということすら、肥って黒いほおひげがあるからわずかにわかったような始末だった。

メラスは手足をかたく縛《しば》られ、片方の目にははげしく殴《なぐ》られた痕《あと》があった。もう一人のほうも同じように縛られたうえ、顔中やたらに絆創膏《ばんそうこう》をはりめぐらされているが、この背のたかい男は極度に衰弱《すいじゃく》しきっていた。下へねかしてやると、この男はうめかなくなった。すでに手おくれになっているのは一見してわかる。

メラスのほうはまだ息があった。アンモニアとブランディで介抱《かいほう》してやると、一時間たらずで目を見ひらいた。すべての路が落ちあう暗い谷底から、私の手でひき戻《もど》し得たことを思って、私は満足をおぼえた。

メラスの話は簡単で、私たちの推理の狂《くる》っていなかったことを裏がきしたにすぎない。例の訪問者ははいってくるなり、そでのなかから護身棒をとりだした。それを見てたちまちメラスは死の恐怖《きょうふ》にとらえられ、またしてもまんまと誘拐されることとなったのである。このうす笑いする悪党が、見こまれた語学者にあたえた効果は、まるで催眠術《さいみんじゅつ》のようなものだった。まっ青になってぶるぶる震えるだけで、口もきけない始末である。そのまままっすぐにベクナムへつれてこられ、第二の会談の通訳をさせられたのだった。こんどの談判はまえのときよりはるかにすさまじく、二人のイギリス人はその虜囚《りょしゅう》にむかって、要求に従わなければ即座《そくざ》に殺してしまうぞと脅迫《きょうはく》した。しかし結局、どんな嚇《おど》かしも効果がないとさとった二人は、またしてもこの男を監禁《かんきん》室《しつ》へほうりこんでおいて、かわって新聞広告を証拠《しょうこ》にメラスの裏切りを責めたてたあげく、棍棒《こんぼう》で殴りつけたのだった。それきり気絶したのを、私たちに救《たす》けられたのだから、あとのことは何も知らないという。

以上がギリシャ語通訳に関する奇怪な事件であるが、これだけではまだはっきりしない点ものこっている。広告に返事をよこした紳士と連絡をとった結果、あの気の毒な若い女性はギリシャの金もちの娘で、友だちを訪ねてイギリスへ来ていたものであることがわかった。彼女はロンドンでハロルド・ラティマーという美青年と知りあったところ、この男はすっかり彼女をまるめこみ、手をたずさえて出奔することを得心させた。

これを知って驚《おどろ》いた彼女の友人たちは、アテネにいる兄にそのことを知らせ、それで安心して手を引いたのだった。兄はロンドンへ着くなり、不用意にもラティマーとその同類の男の術中におちいってしまった。この男はウイルスン・ケンプといって、悪事にかけてはラティマーの先輩《せんぱい》だった。

二人は兄が言葉が不自由で、捕《とら》えてさえおけばまったく無力なのを知って、監禁しておいて残虐《ざんぎゃく》を加え食を断って、彼自身のはもとより妹の財産を譲りわたす書類に署名させようとしたのである。そして妹には知らさないで家のなかに監禁し、万一見られてもすぐにはわからないように、顔中に絆創膏をはりつけておいたのだった。しかしメラス通訳がはじめに来たとき、彼女は兄をひと目見て、女性の敏感《びんかん》さから兄だと見やぶってしまった。

しかし彼女もまた自由の身ではなかった。彼女の監禁されていたあの家には、悪党のほかその手さきとして働いていた御者と、その女房《にょうぼう》のほか誰もいなかったからである。悪党どもは秘密が暴露《ばくろ》され、兄が脅迫に応じないと悟《さと》ると、家具つきで借りていた家をたった数時間の予告で返して、娘をつれて逃亡《とうぼう》したのだった。逃げるまえに、要求を拒絶《きょぜつ》しつづけたものと、自分たちを裏切ったものに復讐《ふくしゅう》を加えることを忘れなかった。

それから数カ月後にブダペスト市から、妙な新聞の切りぬきが私たちの手もとへ届いた。それを読んでみると、一人の女をつれた二人のイギリス人の旅行者が、悲惨《ひさん》な最期《さいご》をとげたことが書いてあった。二人とも刺《さ》し殺されていたというが、ハンガリー警察の見解では、両人はケンカのあげくたがいに致命傷《ちめいしょう》をあたえたものらしいという。しかしホームズの考えかたは違《ちが》っていた。例のギリシャ娘を見つけだしさえすれば、彼女とその兄を苦しめた悪党への復讐談が聞かれるのだがと、いまでも考えているらしい。

――一八九三年九月　『ストランド』誌発表――

海軍条約文書事件

私の結婚《けっこん》直後の七月は、三つの興味ある事件があったので、私には思い出が多い。幸い私はこれらの事件にシャーロック・ホームズとともにとくに関係し、彼《かれ》の探偵法《たんていほう》を研究することができたのである。この三つは私の手帳には「第二の汚点《おてん》」「海軍条約文書事件」「疲労《ひろう》せる船長の事件」という題目で記録されている。けれどもこのなかの第一の事件は、重大な利害問題に関することでもあり、かつイギリスの上流家庭の多くにからまる事件なので、ずっと後年にならなければ公表はできない。とはいうもののこの事件ほど、ホームズの分析的《ぶんせきてき》探偵法の真価を発揮《はっき》し、また関係者にふかい感銘《かんめい》をあたえたものはなかった。彼がパリ警察のデュブク氏ならびにダンチッヒの有名な探偵フリッツ・フォン・ワルドバウム氏と会見して、事件の真相を発表したときの報告の、ほとんど一字一句にいたるまで私は記録している。二人ともこの事件ではまるで見当ちがいの方面に力をそそいでいたのである。しかし新しい世紀にでもならなければ、安心してこの事件を発表することはできないのである。そこで第二の事件であるが、これまた一時は国家の重大事ともなるかと案じられた事件でもあり、かつまたいろんな派生的小事件があったりして、いよいよ特異の性格を発揮したものなのである。

私は学校時代にパーシイ・フェルプスという男と親しく交際していた。年はおなじくらいだが、向こうが二年だけ上級だった。非常に頭のいい少年で、学校から出る賞金はほとんど一人占《じ》めにしていた。最後には名誉《めいよ》ある奨学資金《しょうがくしきん》を得て、その光輝《こうき》ある学歴をケンブリッジ大学でつづけることになった。

彼はまた、なんでも親類が非常によかった。おたがいに子供ではあったが、彼の母かたの伯父《おじ》が保守党の大政治家ホルダースト卿《きょう》だということを私は知っていた。こんな立派な親族関係も、学校ではさっぱり役にたたなかった。それどころか私たちは彼を運動場で追いまわしては、棒ぎれで向こうずねをひっぱたいて面白《おもしろ》がっていたものだ。

だがいったん社会へでるとたいへんな違《ちが》いだった。彼はその明晰《めいせき》な頭脳と親戚《しんせき》関係のおかげで、外務省でも相当の地位を占めていると、人のうわさにきいていた。しかしそれだけのことで、その後彼のことはすっかり忘れていたのだが、そこへとつぜん次のような手紙がきて、彼の存在を思いだしたのである。

ワトスン君、

学校で君が三年のときに、「オタマジャクシ」のフェルプスという男が五年の組にいたのをご記憶《きおく》のことと思います。なおそのフェルプスが伯父のおかげで、今では外務省に相当の地位をえていることも、あるいはお聞きおよびかとも思います。しかるにそのフェルプスはいまや一大不祥事《ふしょうじ》の突発《とっぱつ》によって、前途《ぜんと》が破壊《はかい》されかかっているのです。

このおそるべき事件をここでこと細かに述べてみても始まりません。ただ君が私の願いを容《い》れてくださることになった暁《あかつき》は、いずれ詳《くわ》しくお話ししなければなるまいとは思っていますけれど。私はいま九週間にわたる脳炎からようやく回復したばかりで、まだひどく衰弱《すいじゃく》しています。お願いと申すのは、君の友人ホームズ氏を私のところへご同伴《どうはん》ねがいたいのです。警察ではもはや打つべき手段はつくしたといっていますけれど、私としてはこの事件にたいする同氏のご意見をうかがってみたいのです。どうかぜひお骨折りをねがいます。それもできるだけ早いことを望みます。このおそるべき不安のなかにいる私には、一刻千秋の思いです。いまごろになってホームズ氏の意見をうかがう気になったのは、私が同氏の手腕《しゅわん》に認識《にんしき》を欠いたためではなく、事件の打撃《だげき》でなすところを知らなかったのですから、その点同氏によろしくお伝えください。いまでは一時の打撃から回復して冷静になっているつもりですが、病気の再発をおそれて、事件のことはあまり考えないことにしています。まだ衰弱がはなはだしいので、止《や》むなく口述筆記させました。くれぐれもホームズ氏をお連れくださるようお願いします。

ウォーキング、ブライアブレー邸《てい》にて

古き同窓のパーシイ・フェルプス

私はこの手紙を読んでなんとなく感動させられた。ホームズをつれてきてくれと、くりかえし哀願《あいがん》しているのが、いかにも憐《あわ》れである。そこで、どんなにむつかしくても、何とかしなければなるまいと思った。もっともホームズはきわめて仕事ずきで、依頼人《いらいにん》さえあれば喜んでひきうける男なのがわかっている。妻も、一刻もはやく彼に事情を話したほうがよいと賛成してくれたので、私は朝の食事をすまして一時間とたたないうちに、早くもベーカー街のあのなつかしい部屋を訪《おとず》れたのである。

ホームズは部屋着をきて、サイド・テーブルにむかって何かの化学実験を熱心にやっていた。大きくて先の曲ったレトルトが、ブンゼン灯の青いほのおのうえではげしく沸騰《ふっとう》している。そして蒸溜液《じょうりゅうえき》が二リットルますのなかへポタポタとおちている。はいっていっても見向きもしないので、よほど大切な実験なのだろうと思って、私はひじ掛《か》けいすに腰《こし》をおろして待つことにした。彼はピペット管をあちこちのびんにさしこんで、薬液を二、三滴《てき》ずつ集めていたが、最後に溶液《ようえき》をいれた試験管をテーブルのうえに持ってきた。右の手には一枚のリトマス試験紙をもっている。

「ワトスン君、君はまたたいへんなときにやって来たもんだね。もしこの紙が青いまだったら、万事それでいいのだが、もし赤く変色したら、人間一人の生命にかかわるんだよ」といって彼は試験管のなかへリトマス紙を浸《ひた》した。するとたちまち濁《にご》った紅いろにその紙は変色したので、

「ふむ、やっぱり思ったとおりだ！　ワトスン君、すぐすむからね。タバコならそのペルシャぐつのなかにあるよ」とデスクにむかって二、三の電報を手ばやく書き、ボーイを呼んでわたした。それから彼は私のまえのいすにどさりとおさまり、ひざをあげてながいやせたひざがしらを両手で抱《かか》えた。「なあに、ただの平凡《へいぼん》な殺人事件さ。君はもっと面白い事件をもってきたんだろう？　君ときたらまったく犯罪の海燕《うみつばめ》だからな（訳注　海燕が現われると暴風雨がくるといわれる）。どんな事件だい？」

例の手紙をわたしてやると、彼は非常に熱心にそれを読んでから、

「これだけじゃよくわからないね、どうだい？」と手紙をかえしてよこした。

「僕《ぼく》にもわからない」

「でも筆跡《ひっせき》は面白いね」

「ところがこれはフェルプスの筆跡じゃないんだ」

「そう。女だね」

「なあに、男だよ」

「いや女の筆跡だね。しかも珍《めずら》しい性格の女だ。手をつけるにあたって、依頼人の身辺にはよかれ悪《あ》しかれ特殊《とくしゅ》の性格をもった人物がいるとわかれば、何かになるよ。なんだか面白くなってきた。君の都合さえよければ、いまからすぐウォーキングへ出かけて、面白くない事件にひっかかった外交官や、手紙の口述筆記をとった婦人に会ってみようよ」

幸い私たちはウォータルー駅発の早朝の汽車にまにあった。そして一時間とたたないうちに、ウォーキングの樅《もみ》の林やヒースの原のなかを歩いていた。ブライアブレー邸はひろい敷地をもつ大きな一軒家《いっけんや》で、駅から二、三分のところにあった。名刺《めいし》をおすと、美しく飾《かざ》りつけた客間へ案内され、しばらくするとやや肥《ふと》った男がていねいに応対に現われた。三十よりは四十のほうへちかい年ごろだが、両ほおはまだ紅《あか》く、目つきもうきうきして、いかにもひたむきな腕白小僧《わんぱくこぞう》の面影《おもかげ》がまだのこっている。「よくいらしてくださいました」握手《あくしゅ》をかわしながら彼は真情を吐露《とろ》した。「パーシイは朝からあなたがたのことを尋《たず》ねどおしですよ。かわいそうに、藁《わら》にでもすがりつきたいのです。彼の両親が、私に代ってお目にかかってくれと申すものですから、……こんどのことは、口にするさえ辛《つら》いらしいのですね」

「まだ詳しいことはうかがっておりませんが、お見うけするところあなたはご当家のかたではありませんね」ホームズがいった。

相手はびっくりした様子だが、ちょっと下を向いてから、笑いだした。

「ははは、私のロケットにJ・Hという組合せ文字が彫《ほ》りつけてありますからね。はじめは何かの術でもお使いになったのかと、びっくりしましたよ。私はジョゼフ・ハリスンと申しますが、妹のアニイがパーシイと結婚することになっていますから、そうなれば少なくとも将来は姻戚《いんせき》になれるわけです。妹はこのふた月忠実にパーシイの介抱《かいほう》をつづけてきましたが、いまもそばについていますよ。じゃ早速《さっそく》ご案内いたしましょう。パーシイがとても待ちどおしがっていますから」

私たちの案内された部屋は客間とおなじ階にあった。居間と兼用《けんよう》の寝室《しんしつ》になっていて、すみずみに美しい花が飾ってある。顔いろのわるいやせおとろえた青年が、開けはなたれた窓のそばのソファに横たわっていた。窓からは庭の草花のゆたかな香《かお》りや、夏の薫風《くんぷう》が流れこんでくる。一人の婦人がそばに腰をおろしていたが、私たちがはいってゆくと立ちあがって、

「パーシイさん、わたしあちらへ行っていましょうか?」といった。

青年は彼女の手をとって引きとめておき、

「やあワトスン君、しばらくでした」とうれしそうにいった。「君は口ひげをのばしたので、ちょっとわかりませんでしたよ。といってもどうか悪くとらないでください。こちらが有名なシャーロック・ホームズさんですね?」

私はホームズを簡単に紹介《しょうかい》して、いっしょに腰をおろした。肥《ふと》った男は出ていったが、妹のほうは病人に手をとられたまま残った。彼女はすばらしい美人で、背のわりに肥ってはいるけれど、オリーヴいろの顔いろも愛らしく、大きくて黒いイタリア型の目と、ゆたかな黒髪《くろかみ》も美しかった。彼女のはなやかな色彩《しきさい》にならべると、そばの病人の青じろくやつれた顔が余計に目だった。

「お手間をとらせてはすみませんから」と彼はソファのうえに身をおこしながら、「前おきは省略してすぐ本題に入ります。ホームズさん、私は運もよいし、幸福な男でした。それが結婚の前夜になってとつぜん、前途の望みも、何もかもぶち毀《こわ》すよう

な、おそろしい不運にみまわれたのです。

ワトスン君からお聞きと思いますけれど、私は外務省につとめていました。しかも伯父にあたるホルダースト卿の引きたてで、急速に責任のある地位へ昇進《しょうしん》したのです。伯父が現内閣の外務大臣になりましてから、私にはとくに責任ある仕事をいくつか与《あた》えてくれました。私がそのたびに立派にやりとげてみせましたので、ついには私の才腕に最上の信頼をおいてくれるにいたりました。十週間ばかりまえ——正確に申すと五月の二十三日ですが、伯父は私を専用の部屋へよんで今までの私の仕事ぶりを褒《ほ》めてくれたりしたあとで、また一つ責任ある重要な仕事があるが、これを私にやってほしいと申すのです。

伯父は引き出しから灰いろの書類をとりだして、

『これが例のイタリアとの秘密条約文の原本なのだが、遺憾《いかん》ながらこれについてのうわさが新聞紙上に出てしまった。しかしこれ以上外部に漏《も》れるようなことがあると重大事だ。フランスやロシアの大使館は、この文書の内容を知るためなら莫大《ばくだい》な金を出すはずだろう。だからこの文書は絶対にわしの引き出しからは出したくないのだが、困ったことにぜひとも写しをとる必要が生じた。お前は役所にデスクをもっているだろうな？』

『はあ、持っています』

『ではな、これをもっていってデスクの引き出しへ入れて、いったんかぎをかけておくがよい。みなが帰ったあとで、お前ひとり残るように計らってやるから、誰《だれ》にも見られずに、ゆっくり写しをとることができる。写し終ったら原本も写しも引き出しに入れてかぎをかけておいて、あすの朝わしに直接わたしてもらいたい』

で私は書類をうけとって……」

「ちょっとお待ちください。その話のあいだ、ほかの人はいなかったのでしょうね？」ホームズが尋ねた。

「まったく二人きりでした」

「大きい部屋ですか？」

「三十フィート四方もあります」

「その中央でお話しになったのですね？」

「ええ、中央のあたりでした」

「そして低い声で？」

「伯父はふだんからごく低い声で話します。私はほとんど何もいいませんでした」

「ありがとう。さきをどうぞ」ホームズは目をつぶって待ちかまえた。

「私は伯父の命令どおりに、書記たちの帰るのを待っていました。そのなかにチャールズ・ゴロー（訳注　この名はフランス系らしく思われる）という私の部屋の書記がまだ仕事の残りをやっていましたので、私は食事をしに出てゆきました。戻《もど》ってみると、もう彼はいませんでしたが、私は急いで仕事を片づけたかったのです。それと申しますのが、さきほどあなたがたのお会いになりましたジョゼフ・ハリスン、あの男がその日ロンドンへ来ていまして、十一時の汽車でウォーキングへ帰るはずでしたから、できることならいっしょに帰りたかったからです。

さて、いよいよその文書に目をとおしてみて、なるほどその重大なことは、伯父の言葉がけっして誇張《こちょう》でないのがわかりました。詳しいことはぬきますけれど、かいつまんで申せば、それは三国同盟（訳注　当時あった仏独伊の三国同盟）にたいする大英帝国《だいえいていこく》の立場を決定するものです。もし地中海におけるフランス海軍がイタリア海軍に比して完全に優勢となった場合の、わがイギリスのとるべき政策を予示《よし》するものなのです。この文書で取扱《とりあつか》われている問題は、純粋《じゅんすい》に海軍問題にかぎられています。最後には高官の人たちの署名がちゃんとあります。私は一度ざっと目をとおしてから筆写にかかりました。

それはフランス語で書いてありまして、全文二十六カ条のながいものでした。できるだけ急いだのですけれど、九時になってもまだ九カ条しか写せず、とても思った汽車に乗れそうもありませんでした。食事をしたのと、一日働いたあとのことですから、眠《ねむ》くもあるし、ぼんやりしてきました。コーヒーでも一杯《ぱい》やったら頭がすっきりするだろうと思いました。それには小使が階段したの小さな部屋に当直していて、夜業でもする人のためアルコール・ランプでコーヒーをいれてくれることになっていますから、ベルを鳴らしてこの小使を呼びました。

意外にも、ベルに応じて現われたのは、下品な顔つきの大柄《おおがら》な、エプロンをかけた年かさな女です。小使の妻で雑役をつとめていると申しますから、とにかくコーヒーを命じました。

それから二カ条写しましたが、ますます眠くなってきましたので、足の関節でもほぐそうと、立って部屋のなかを歩きまわりました。まだコーヒーがきません。なんだってこんなに遅《おそ》いのだろうと、不審《ふしん》に思って私はドアをあけて、廊下《ろうか》を階段のほうへ歩いてゆきました。私の仕事をしている部屋からまっすぐに、うすぐらい灯火のある廊下がありまして、唯一《ゆいいつ》の出入口になっています。この廊下は、やがて曲った階段につづき、降りきったところに小使の部屋があるのです。階段の中途に小さな踊《おど》り場があって、そこから右のほうへも直角にべつの廊下があります。この第二の廊下は、すこしゆくと小さな階段になっていて、降りたところに使用人たちの出入口がありますが、これはまたチャールズ街の方面からくる役人たちの近道にもなっています。

これがその略図です」

「ありがとう。お話はよくわかります」とホームズがいった。

「ここがきわめて大切なところですから、どうぞご注意ねがいます。私が階段を降りてホールへ来てみますと小使は、アルコール・ランプにかけた湯わかしの湯がはげしく煮《に》えたぎって、床《ゆか》がぐしょぐしょになるほど飛びちっているのも知らずに、ぐっすり眠りこけています。手をのべて小使を揺《ゆ》りおこそうとした途端《とたん》に、小使の頭のうえでベルがはげしく鳴りだしました。それで小使はびっくりして飛びおきました。

『あっ、フェルプスさんですか』と私をみてまごまごしています。

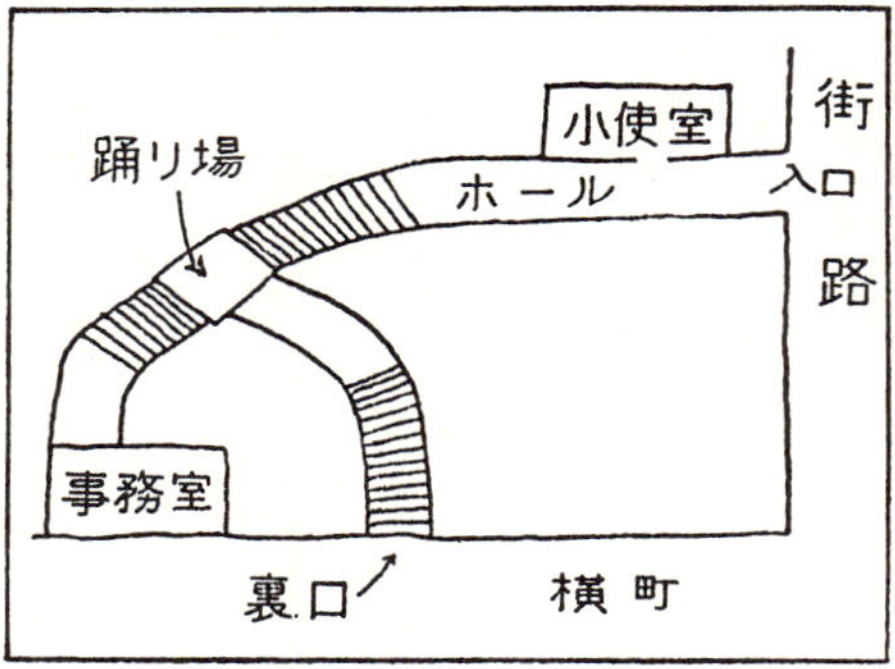

『コーヒーはまだかと思って見にきたのさ』

『お湯の沸《わ》くのを待つあいだに、つい眠りこんでしまいまして……』彼は私の顔を見てから、まだ震動《しんどう》しているベルを見あげて、いよいよ不思議そうな顔をしました。『あなたさまはここにいらっしゃるのに、誰がベルをお鳴らしになったのでしょう？』

『そのベルは、いったい何のベルだね？』

『あなたさまのお仕事をしていらっしゃるお部屋のベルなんで』

私は冷たい手で心臓をひとつかみにされたような気がしました。してみると、あの大切な文書を机のうえにひろげてある部屋に、誰かがいるのだと気がついて、私は夢《む》中《ちゅう》で階段をかけあがり、廊下を走ってゆきました。廊下には、たしかに誰もいませんでした。部屋のなかもそうです。どこにも変ったところはありませんが、ただ、私の託《たく》された例の文書だけが、机のうえから姿をかき消しているのです。写しのほうはありましたけれど、原本が見えなくなっているのです」

ホームズはしゃんと坐《すわ》りなおして、しきりに両手をこすりあわせた。すっかりこの問題に心を奪《うば》われてきたのらしい。

「それからどうなさいました？」ホームズが低い声で尋《き》く。

「賊《ぞく》は裏口からはいったものに違いないと私は直感しました。表口からはいったものならば、当然私とすれ違っているはずですからね」

「はじめから部屋のなかに潜《ひそ》んでいたか、それともうす暗いとおっしゃった廊下に隠《かく》れるところなんかないのですか？」

「それは絶対にあり得ません。鼠《ねずみ》一匹《ぴき》たりとも部屋のなかや廊下に隠れていることはできません。遮蔽物《しゃへいぶつ》がまったくないのですから」

「ありがとう。どうぞ先をつづけてください」

「小使は私の顔いろの青ざめたのを見て、これは何か心配なことになったと思ったのでしょう、二階までついてきていました。そこで私たちは廊下を駆《か》けだし、チャールズ街へでる急な階段を駆けおりました。裏口は閉まっていましたけれど、かぎはかかっていません。それを押《お》しあけて表へとびだしましたが、ちょうどそのとき近くの教会の鐘《かね》の音が三つ聞こえてきたのを、私ははっきり覚えています。十時十五分まえの鐘なのです」

「それはきわめて大切なことです」とホームズは自分のカフスのうえに何か書きとめた。

「その夜はたいへん暗くて、温かい雨がぱらぱらと降っていました。チャールズ街には人影《ひとかげ》ひとつ見えませんでしたけれど、はるか向こうのホワイトホール街はいつものように賑《にぎ》わっていました。私たちは帽子《ぼうし》もかぶらず、そのまま舗道《ほどう》を駆けだしてゆきました。ずっとさきの街角に巡査《じゅんさ》がひとり立っているのが見えます。

『いま泥棒《どろぼう》にはいられました』私は息をはずませて訴《うった》えました。『莫大《ばくだい》な価値のある書類が、外務省から盗《ぬす》まれましたが、誰かここを通らなかったですか？』

『十五分もここに立っていますが、そのあいだにたった一人通っただけですよ。ペイズリ織のショールをかけた背のたかい年とった女でしたがね』

『なあに、そりゃ私の家内ですよ。ほかに通った人はありませんか？』小使がいいました。

『ほかには誰も通りません』

『じゃ泥棒のやつ反対のほうへ逃《に》げたに違《ちが》いありません』小使は私の袖《そで》をひきました。しかし私はふにおちません。ことに小使がひっぱるので、ますます疑惑《ぎわく》をふかめました。

『その女はどっちのほうへ行きました？』ときくと、

『さあ、わからんですな。通るのは気がついたけれど、べつに注意して見るべき理由もなかったですからね。しかし急いではいたようですよ』

『それからどれくらいになります？』

『そう、たいして前じゃありませんね』

『五分以内ですか?』

『五分にはならないでしょうな』

『こんなことをしているうちに時間がたってしまいます』小使がやっきとなっていいました。『いまは一刻も猶予《ゆうよ》できません。どうか私のいうことを信じてください。うちの家内はこの問題に関係なんかございませんよ。それよりも反対のほうへ行ってみましょう、あなたがおいやなら、私が行ってみます』そういいのこして、小使は反対のほうへ駆けだしてゆきました。

私はすぐにそれを追いかけて、袖をとって引きとめました。

『君はどこに住んでいる?』

『ブリクストン区のアイヴィ小路《こうじ》の一六番でございます。でもフェルプスさん、思いちがいをなすっちゃいけませんよ。さ、あちらへ行ってみましょう。何か手掛りが得られるかもしれませんから』

小使の言葉にしたがっても、べつだん損《そん》はないわけですから、巡査もまじえて私たちは反対のほうへ大急ぎでいってみましたが、そこは人通りでいっぱいです。多くの人が右に左に歩いていますが、何しろ暗いうえに雨が降っているのですから、雨をよけるのに必死で、どんな人間が通ったかながめているほどのんきな人もいませんでした。

そこでみんなで役所へひき返して、階段やら廊下をしらべてみましたが、何の得《う》るところもありません。事務室へ通ずる廊下にはクリームいろのリノリウムが敷《し》いてありますから、足跡《あしあと》は容易にのこるはずですのに、そのリノリウムをていねいに調べてみましたが、足跡らしいものはまったく残っていませんでした」

「その晩はずっと降り続いていたのですか？」

「七時ごろからずっとです」

「としますと、九時ごろに事務室へはいってきたその女が、どろぐつのあとを残していないというのはどうしたものでしょう？」

「そこなんですよ。そのとき私もそれに気がつきました。ところが雑役の女たちは小使室でくつをぬいで、布製のうわぐつをはく習慣になっているのです」

「よくわかりました。だからそとは雨がふっていたのに、足跡が残らなかったのですね？　ちょっとうかがっただけでも、たしかにこの事件は面白《おもしろ》いです。それからどうなさいました？」

「事務室のなかも調べました。この部屋には秘密のドアなぞあるはずもありませんし、窓は地上から三十フィートもあります。そのうえこの窓は二つとも、内がわから締《しま》りがしてありました。敷物がしきつめてあるので、落し戸などのある気づかいはありませんし、天井《てんじょう》はよくある白ぬりです。ですから書類を盗んだやつが、ドアからはいってきたということは、生命にかけても間違いのないところだと思います」

「暖炉はどうなっていますか？」

「暖炉はありません。その代りにストーブを一つつかっています。ベルのひもは私のつくえの右のところへ、針金から下っているのですから、それを鳴らしたやつは、ドアをはいるとまっすぐに私のつくえへきたものに違いありません。でも泥棒がなんだってベルを鳴らしたのでしょう？　そこがいくら考えてもわかりません」

「たしかに変っていますね。そこで次にどうなさいました？　この侵入者《しんにゅうしゃ》がなにか残してゆきはしなかったか、その点もお調べになったのでしょうね？　たとえば葉巻の吸いがらだとか、手袋《てぶくろ》だとか、ヘヤピンといったような、こまかいものですけれど」

「そうした遺留品《いりゅうひん》は一つもありませんでした」

「においなんかは？」

「さあ、それは気がつきませんでした」

「こうした調査には、タバコのにおいなんかたいへん役にたつんですがねえ」

「私はタバコはやりませんから、もし部屋のなかにタバコのにおいでものこっていれば、すぐにわかったはずです。とにかく手掛《てがか》りになるようなものはなに一つありませんでした。たった一つ明白なのは、小使の細君のタンジ夫人というのが、急いでたち去ったということだけです。小使に尋いても、いつも帰ってゆく時刻だというだけで、なにも返事ができません。私は巡査と相談しましたが、その女が書類をもっているものと仮定して、それをどこかへ処分してしまわないうちに、はやく捕《とら》えるのが最上策だということに意見の一致《いっち》をみました。

そうするうちに急を聞いた警視庁から、フォーブズという刑事《けいじ》が駆けつけて、大馬力で調査してくれました。まず小型のタクシー馬車を雇《やと》って、三十分ばかりでさっき聞いた小使の家へゆきました。いちばんうえの娘《むすめ》だというのが出てきて、母はまだ帰ってこないと申しますので、表の部屋へ通され、そこで帰りを待つことにしました。

十分ほどたつと、ドアをノックする音が聞こえましたが、ここで私たちは、これは私の責任なのですが、大失策をやってしまいました。私たちの手でドアを開ければよかったのですが、それを娘にさせたのです。『お母さん、どこかの男の人が二人、お母さんに会いたいって待っていますわよ』と娘のいうのが聞こえたと思うと、廊下をばたばたと走ってゆく足音がしました。フォーブズ刑事がドアを押しあけ、私もそれにつづいて裏のほうの部屋、というと台所ですが、そこへ駆けこみましたが、女はもうちゃんとそこで澄《す》ましています。そして仏頂面《ぶっちょうづら》で私たちをにらみかえしていましたが、ふと私の顔を認めると、ほんとうに意外だったらしく、

『あら、お役所のフェルプスさんじゃございませんか！』と叫《さけ》びました。

『おいおい、いったいお前は私たちを何だと思って、こんなところへ逃げこんだのだ？』刑事が詰問《きつもん》しました。

『質屋《しちや》さんかと思ったんですよ。質屋さんですと、ちょっとごたごたがありましたので……』

『そんなことをいったって通用するもんか』刑事はききいれません。『お前が外務省の重要書類を持ちにげしたことは、ちゃんと証拠《しょうこ》があがっとる。それを始末するつもりでここへ駆けこんだろう。調べてやるから警視庁まで来てもらおう』

いいわけも反抗《はんこう》もむだでした。馬車をよんで三人で警視庁へひきあげましたが、そのまえに台所をしらべたのです。私たちの飛びこむまえに、書類を焼きすてでもしたのではないかと、たき口にはとくに注意しましたけれど、灰も紙きれも見あたりませんでした。女は警視庁へつくとすぐに、検査係へひきわたしました。そして気をもみながら、婦人検査係の報告のくるのを待っていましたが、ついに書類は影も形もあり

ませんでした。

そのときはじめて私は、自分の立場のおそろしさをひしひしと感じました。それまで私は大活躍《だいかつやく》をしていましたが、そのため思考力が鈍《にぶ》っていたのですね。すぐにも書類が手に戻るものと信じこんでいたのですから、戻ってこないときのことなど、考えてもみなかったのです。しかし今となってはどうすることもできません。そうなると自分の立場というものを考える余裕《よゆう》ができました。じつに身の毛もよだつ思いです。ワトスン君はよく知っていますが、私は学校時代から神経質で臆病《おくびょう》な子供でした。それはいまでも私の性格なのです。

私は伯父《おじ》のこと、その閣僚《かくりょう》たちのこと、私はいうまでもなく、伯父をはじめあらゆる人たちに不名誉《ふめいよ》をおよぼすことを思いました。私がとんでもない事件の犠牲《ぎせい》になったことなど何でしょう？　外交上の利益を危機に瀕《ひん》せしめた罪は、どんな酌量《しゃくりょう》も許されません。私は破滅《はめつ》です。不名誉な絶望的な破滅です。それからあとのことは、何をやったか少しも覚えていません。狂態《きょうたい》のかぎりをつくしたんだろうと思います。何人かの役人たちがまわりに集まって、慰《なぐさ》めてくれたのをぼんやりと覚えています。そのなかの一人がウォータルー駅まで送ってくれ、ウォーキングゆきの汽車に乗せてくれました。私の家の近くに住むフェリア医師が、幸いその汽車で帰るところだったからよかったのですが、さもなければ送ってきてくれた男がウォーキングまでついてきてくれるところだったのです。

フェリア先生は私をとても親切に面倒《めんどう》みてくれました。それで助かったのです。何しろ駅で私は卒倒してしまったほどですからね。そして家へ帰りつくころには、私はもう気ちがいのように荒《あ》れくるっていました。

フェリア先生のベルで、寝《ね》ていた家のものが出てきて、私の有様をみたときの騒《さわ》ぎをご想像ください。このアニイや母などは、すっかり傷心してしまいました。フェリア先生はウォータルーの駅で、刑事からおおよそのことを聞いていたので、説明しましたけれど、それが何の役にたちましょう。家人は私の病気回復はながびくものと見てとって、ジョゼフなどは気もちのよい寝室《しんしつ》を追いたてられ、そのあとは私のための病室になりました。そしてこの通り九週間以上も意識不明のまま、脳炎のため譫言《うわごと》をいいながらここに臥《ね》たきりなんですよ。いまこうしてお話のできるのも、みんなこのアニイの献身的《けんしんてき》な介抱《かいほう》や先生のおかげなんです。昼のあいだはずっとアニイがついていてくれますし、夜になると看護婦がみてくれます。そのくらいにしないと、気ちがいじみた発作で、何をやりだすかわからなかったのです。

意識はおいおい回復してきましたけれど、記憶《きおく》がまったくはっきりしてきたのは、つい二、三日まえのことです。記憶なんかもとに復さなければよいのにと思ったことさえあります。で、まず一番に私のしたことは、この事件担任のフォーブズ刑事に電報をうつことでした。すると刑事がきてくれていうのに、できる限り手はつくしてみたけれど、手掛りは片鱗《へんりん》もえられないとのことです。小使とその妻はあらゆる角度から調べたけれど、事件に光明をあたえるような発見は一つとしてなかった。そこで警察はさきほど申しあげました、いのこって残業をしていたゴローという男に容疑をかけました。夜までのこって仕事をしていたこと、名まえがフランス系であるという二つの点だけが、容疑の根拠《こんきょ》なのですが、考えてみると彼の帰ってしまうまで私は仕事をはじめなかったのですし、フランス系だとはいってもユグノーの血統（訳注　十六、七世紀に宗教上の圧迫からイギリスへ亡命した一族）というだけで、人情や習慣からいってもわれわれ純粋《じゅんすい》のイギリス人と少しも違うところはないのです。とにかく彼はまったく関係のないことがわかりました。そこで事件は行きづまってしまったのです。というわけでホームズさん、最後のたのみの綱《つな》としてあなたにお願いしたわけなのです。あなたが駄目《だめ》なら、私は地位も名誉も永久に失うしかありません」

　ながい話をむすんだ病人は、疲《つか》れてクッションに身を横たえた。アニイは何かつよい刺激剤《しげきざい》をコップでのませた。ホームズは頭を仰向《あおむ》けにして、しずかに目をとじている。この態度は、初めての人には誠意がないようにも見えるだろうが、私には彼が精神を集中しているのだということがよくわかった。

「お話はきわめて明確ですから」とホームズがいった。「ほとんど質問することもありませんが、ただ一つだけごく重要なことをお尋ねします。あなたはこの特殊《とくしゅ》の仕事をすることについて誰かに話しましたか？」

「いいえ、誰にも申しません」

「たとえばここにいるアニイ嬢《じょう》にもですか？」

「もちろんです。命令をうけてから仕事にかかるまで、ウォーキングには帰らなかったのですからね」

「そのあいだに偶然《ぐうぜん》、知った人に会うといったようなことも？」

「ありませんでした」

「そういうかたで、お役所の案内をご存じのかたがありますか？」

「それはみんな知っていますよ、案内してみせたことがありますから」

「それにしてもこの条約文のことはどなたにも話してないとすれば、こういう質問はむろん見当ちがいですね」

「それは全く何も話してなかったのです」

「小使について何かご存じのことは？」

「さあ、もと兵隊だったとは聞いていますけれど……」

「連隊はどこですか？」

「たしかコールドストリームの近衛《このえ》だとか聞いています」

「ありがとう。詳《くわ》しいことはフォーブズ君から聞きましょう。警察というところは、事実を集めるのは堂にいったものですからね、それを生かして使うことは知らないくせに。――バラの花ってきれいなものですね」

ホームズは寝椅子《ねいす》のそばを通りぬけて、開けはなたれた窓のところへゆき、緑と深《しん》紅《く》の庭を見おろしながら、ニワイバラの垂れさがった茎《くき》を手にとった。これはホームズの性質としてはまったく新局面の発見だった。彼が自然物にたいする興味など見せたのを、私はいままでに一度も知らないのである。

「およそこの世に宗教ほど推理を必要とするものはありません」鎧戸《よろいど》にもたれかかりながら彼はいう。「宗教は推論家によって一つの厳正科学にまでまとめあげられます。神の真髄《しんずい》の最高の保証は、花のなかにこそ見られるのだと私は思う。そのほかのもの、力だとか欲望だとか食物だとかは、われわれの生存のため第一に必要だけれど、このバラは余計なものです。バラの香《かお》りや色は人生の装飾《そうしょく》でこそあれ、必要な条件ではありません。その真髄は余分のものを与《あた》えるところにある。だから私は、花にもっともっと期待すべきだと重ねていうのです」

ホームズがこんな議論を吹《ふ》きかけるのを、パーシイ・フェルプスとアニイとはおどろいて、絶望のいろさえ浮《う》かべて見まもっていた。ホームズはニワイバラの花をつまんだまま、黙想《もくそう》にふけった。数分間もそうした状態はつづいたが、アニイがついにたまらなくなって口をだした。

「ホームズさん、この事件を解決おできになる見こみでもございまして？」やや愛想がつきたという調子である。

「ああ事件ねえ！」はっとめざめて現実の問題に帰りながら、「なるほどこの事件は解決のむつかしい、複雑な事件でないとは私も申しませんが、とにかくよく調べまして、なにかわかりましたら早速《さっそく》お知らせすることにします」

「なにか手掛りはございまして？」

「お話のなかに七つくらいはありましたね。しかしよく調べたうえでなければ、その価値については何も申しあげられません」

「誰かを疑っていらっしゃいますの？」

「私自身を疑って……」

「は、何でございます？」

「あんまり早く結論に到達《とうたつ》した事をですがね」

「ではどうぞロンドンへいらしって、その結論をお確かめになってくださいまし」

「ご注意まことに適切です」とホームズは腰《こし》をあげて、「ワトスン君、もうここにいてもしようがあるまいと思うよ。フェルプスさん、見当ちがいの期待をもっちゃいけませんよ。事件はとても錯綜《さくそう》していますからね」

「このつぎお出《い》でくださるまでに、私はまた熱病に冒《おか》されるのかもしれません」外交官は悲痛に叫んだ。

「なに、あすも同じ汽車でやってきますよ。あまり香《かん》ばしい報告はできそうもありませんけれどね」

「お約束《やくそく》くださってありがとう。捜査《そうさ》が続行されていると思うだけで、生き返る思いです。それからホルダースト卿《きょう》から手紙がきています」

「おう、何をいってきたのですか？」

「伯父は冷たいのです。苛酷《かこく》ではありませんけれどね。私の病気がわるいので、そうひどくもいえないのでしょう。ただ問題が重大だということを、くりかえし述べたうえ、私が健康を回復したうえでこの不祥事《ふしょうじ》の償《つぐな》いをしないかぎり、私の将来のことは何ともできないといっています。これはむろん免職《めんしょく》を意味するのです」

「それは訳のわかった、思いやりのある言葉ですよ。ワトスン君、さあ行こう。ロンドンへ帰ってするべき仕事がうんとある」

ジョゼフ・ハリスン君が馬車で駅まで送ってくれたので、私たちはすぐにポーツマス線の列車にのりこむことができた。ホームズは深い思索《しさく》にふけって、ほとんど口も利《き》かなかったが、クラパムの乗換駅《のりかええき》をすぎたころになって、やっとものを言ったかと思ったら、

「こうして高架線でロンドンへはいってゆくのは、家々が見おろせて、じつに愉快《ゆかい》だね」

冗談《じょうだん》なのだろうと私は思った。汚《きたな》らしいながめなのだ。すると彼はすぐに説明した。

「かわらのうえにあちこちぽつんとそびえている大きな建物を見たまえ。まるでなまりいろの海にうかんだ大きなレンガの島みたいじゃないか」

「あれはみんな寄宿学校だよ」

「なあに灯台さ。未来をてらす灯火《あかり》だよ。あれはまるで、小さいが元気な種子をつつんだ莢《さや》さね。あのなかからよりよき、より利口な未来のイギリスがとびたつのだ。ときにフェルプスという男、酒は飲まないのだろうね？」

「まあそうだろうね」

「僕もそうだと思う。しかしあらゆる可能性を考慮《こうりょ》にいれておく必要があるからね。かわいそうに、あの男はみずから苦境にとびこんでいるのさ。僕たちの手で助けだしてやれるかどうか、問題だと思うよ。アニイという娘をどう思う？」

「しっかりした女だね」

「そう。しかし根は善良なのだと思う。あの兄妹はノーザンバランドあたりの製鉄業者の子供なんだ。ほかに兄弟はないはずだが、フェルプスがこの冬あっちのほうへ旅行したとき、婚約《こんやく》ができたんだ。そして自分の家族に紹介するため、彼女をつれて帰った、兄も保護者としていっしょにね。そこへこんどの事件が突発《とっぱつ》したので、彼女は愛人の看護のためそのまま留《とど》まるし、兄のジョゼフも居心地がいいものだから、逗留《とうりゅう》しているというわけさ。いままでのところはほんの気楽な問いあわせをしたにすぎないが、ロンドンへ帰ったら大活躍をしなきゃならない」

「僕の本職のほうは……」

「そのほうがこの事件より面白《おもしろ》いのだったら……」とホームズはややふきげんだった。

「いや、いまは一年のうちでもいちばん暇な季節だから、二、三日は放《ほう》っておいても大丈夫《だいじょうぶ》だといおうとしたんだよ」

「そいつはすばらしい」と彼はたちまちきげんをなおして、「じゃいっしょに調べようよ。最初はまずフォーブズに会ってみるんだね。こまごました必要な事項《じこう》をすっかり話してくれるだろうから、どこから手をつけるべきか、捜査の方針が立てられると思う」

「君はさっき手掛《てが》かりが一つあるといったぜ？」

「それはいろいろあるさ。だがもっとよく調べてみなきゃ、その価値はわからないからね。何といっても捜査のもっとも困難なのは、無目的の犯罪だ。こんどの事件は無目的じゃない。この事件で利益を得るのは誰か？　フランス大使やロシア大使、それにこのどっちかに書類を売りつける気のやつがある。それからホルダースト卿というものがある」

「なに、ホルダースト卿だって？」

「うん、政治家のなかには、ああいった文書を偶然らしく破棄《はき》して、自分は知らん顔をしていようというのが、よくあるからね」

「だけどかりそめにもあんな立派な経歴をもつホルダースト卿ともあろうものが、まさかそんなことは……」

「あり得ることだというのさ。頭から否定してかかるわけにはゆかないよ。きょう閣下に会って、何というか話を聞いてみよう。ところで僕はもう捜査に着手したよ」

「もうだって？」

「うん、ウォーキングの駅から、ロンドン中の夕刊新聞に電報しておいた。この広告があらゆる夕刊に出るはずなのさ」

ホームズは手帳から一枚裂《さ》きとって私に渡《わた》した。つぎのように鉛筆《えんぴつ》でぬたくってある。


賞金十ポンド。――五月二十三日夜十時十五分まえ、チャールズ街の外務省の玄関《げんかん》まえまたはその付近で客をおろした馬車の番号をご存じの人はベーカー街二二一番Bへお知らせを乞《こ》う。


「君は泥棒が馬車できたと思うのかい？」

「そうでなかったとしても、害にはならないからね。もしフェルプスのいう通り、部屋にも廊下《ろうか》にも隠《かく》れるところが全くないとすれば、泥棒はそとから来たものでなければならない。ひどい降りの夜にそとからきて、すぐあとで調べたのに、リノリウムに濡《ぬ》れた足跡《あしあと》がのこっていなかったとすれば、馬車できたものと考えるのがきわめて自然じゃないか。そう考えてまず間違《まちが》いはない」

「なるほどもっともらしく聞こえる」

「それが僕のいう手掛りの一つさ。ここから何かわかってくるかもしれない。つぎに、いうまでもないが、ベルの問題がある。これはこの事件でもっとも明らかな特色だ。ベルはなぜ鳴ったのか？　大胆《だいたん》ぶりを見せるために鳴らしたのか？　それとも賊《ぞく》といっしょにいたものが、盗《ぬす》みをさせないために鳴らしたのか？　あるいはまた、ただの偶然なのか？　それともまた……」といいかけてホームズは、またもや黙《だま》ってじっと考えこんだ。彼の気心をよく知っている私には、それは彼が何か新しい可能性にふと思いあたったがためであるのがよくわかった。

ウォータルーの終点駅についたのは三時二十分だった。食堂で大急ぎのランチをすませ、すぐ警視庁へと急いだ。ホームズから電報がうってあったので、フォーブズ刑《けい》事《じ》は私たちを待ちかまえていてくれた。小柄《こがら》なずるそうな男で、愛嬌《あいきょう》のない鋭《するど》い顔をしている。私たちにたいする態度はあくまでそっけなく、ことに私たちの訪ねた目的をきくと、ますます冷淡《れいたん》になった。

「あなたのやり口のことは聞いていますよ、ホームズさん」いうことも辛辣《しんらつ》である。「あなたは役所へやってきちゃ、聞きだせるだけの資料を聞きとって帰って、それでもって事件をうまく解決するんですな。おかげでわれわれの評判はさんざんですよ」

「ところが反対ですよ。いままで扱《あつか》った五十三の事件のなかで、私の名の出たのは四つだけです。あとの四十九というものは、警視庁の手柄になっているんですよ。というて何も知らないあなたを責めるわけじゃありません。あなたは若くもあり未経験なんですからね。しかしあなたが新任務に成功したかったら、私を敵にまわさないで、味方にしとくほうが得ですよ」

「なにか暗示でも与えてくだされば、喜んでお聞きします」フォーブズは急に態度をあらためて、「一向に手掛りもなくて閉口しています」

「どんな手をうちました？」

「小使のタンジには尾行《びこう》がつけてあります。近所での評判はわるくありませんし、いまのところ不利な材料は見あたりません。しかし細君のほうは食えないやつですから、案外なにか知っているのじゃないかと思っています」

「尾行をつけていますか？」

「婦人刑事を尾行させてありますが、酒をのむそうです。いいきげんになったとき、婦人刑事が二度も話しよってみたのに、なんにもしゃべらなかったといいます」

「あの家には質屋《しちや》が出入りするそうですな？」

「ええ、でも金はきれいに払《はら》いました」

「その金はどこから出たんです？」

「その点は問題ありません。亭主の年金がはいったんです。貯蓄《ちょちく》なんかまるでないようですがね」

「フェルプス君がコーヒーがほしくてベルを鳴らしたら、細君がいったのは何と説明しています？」

「亭主《ていしゅ》がひどく疲れていたから、休ませてやりたかったのだといっています」

「なるほど、その点はそのあとで亭主が、いすにかけたなり眠《ねむ》っていたのと話はあっていますな。すると細君の性質が問題なだけで、あの夫婦に黒の材料はないわけです。あの晩細君が急いで帰っていった理由を尋《き》いてみましたか？　急いでいたことは、巡《じゅん》査《さ》さえ認めているほどですがね」

「いつもより遅《おく》れたので、早く帰りたかったのだといっています」

「フェルプス君と君は、少なくとも二十分はおくれて出たのに、細君より先に家に着いたという点を、突《つ》っこんで尋いてみましたか？」

「乗合馬車とタクシー馬車の違いだといっています」

「家へ帰るとすぐ台所へ駆《か》けこんだ理由については、どんな申しひらきをしました？」

「質屋に払う金がそこにおいてあったのだといっています」

「何でも一応の返答は持っているわけですね。帰るときに、チャールズ街で誰かぶらぶらしているものに会わなかったか、それを尋いてみましたか？」

「巡査のほか誰にも会わなかったといっています」

「ふむ、ではかなり徹底的《てっていてき》に尋問《じんもん》したわけですね。そのほかどんな処置をとりましたか？」

「書記のゴローにこの九週間ずっと尾行をつけてありますが、何もあがりません。不利な材料が一つとしてあがらないのです」

「なにかほかには？」

「ほかに打つ手もありません。どんな種類の手掛りもさっぱりないのです」

「ベルの鳴ったことに関して、あなたは何か意見をおもちですか？」

「白状しますが、あれにはまったく降参します。誰がやったか知らないが、あの際ベルを鳴らすなんて、よくよく大胆なやつですね」

「いや、まったく妙《みょう》なことをやったものですよ。いろいろとお話しありがとう。犯人を突きとめたら、かならずあなたに知らせますよ。ワトスン君、さあ行こう」

「こんどはどこへ行くんだね?」調べ室を出ると私は尋《たず》ねた。

「現内閣の外務大臣であり未来の総理大臣たるホルダースト卿に会見に行くのさ」

幸いにしてホルダースト卿はダウニング街の大臣室にいた。ホームズが名刺《めいし》を通ずると、さっそく通された。卿はそれで有名になっている古風なていねいさで迎《むか》えた私たちを、暖炉の両がわにすえた贅沢《ぜいたく》な安楽いすに掛けさせた。そして自分は私たちのあいだの暖炉の正面に、すらりと背のたかい容姿に、鋭い考えぶかそうな顔で立っていた。美しくカールした髪《かみ》は白くなり、ありふれた人と違って、いかにも気だかい貴族らしく見えた。

「ホームズさん、お名まえはよく存じております」と卿は笑顔《えがお》で、「で、もちろんご用むきの点もわからぬわけではありません。役所では、あなたのご注意をひくような問題のおこったのは初めてのことでしてね。それであなたは誰に頼《たの》まれて調べておいでなのですか?」

「パーシイ・フェルプスさんのご依頼《いらい》です」

「あれもかわいそうなやつです。私としては親類なのでかえってかばってやるわけにもゆかないのでしてね。この事件であれの前途《ぜんと》もきわめて不利になるのは免《まぬ》がれますまい」

「でも書類が見つかりましたらば？」

「ああ、それならむろん話はべつです」

「それでは二、三お尋ねいたしたいことがございますが……」

「知っているかぎり、何でもお答えいたしましょう」

「書類を写しとるようにお命じになったのはこのお部屋ですか？」

「そうです」

「では人に聞かれるおそれは絶対にございませんね？」

「そんなことはできる訳がありません」

「写しをとるために、あの書類を持ちださせるようなご意向を、どなたかにお漏《も》らしになりましたか？」

「絶対に漏らしません」

「たしかに？」

「たしかです」

「あなたもお漏らしにならないし、フェルプスさんもそうだとしますと、このことは誰も知らないわけです。したがって賊があの部屋へはいったのは、まったくの偶然《ぐうぜん》だということになります。偶然はいったところあれがあったので、あたりに人はいないし、盗《と》ったということになりますね」

卿は微笑《びしょう》をうかべて、「それは私からお尋ねしたいことです」

ホームズはしばらく考えて、「もう一つあなたとよく研究したい問題があります。この条約の内容が漏れたら、容易ならぬ事態が生ずるものと憂慮《ゆうりょ》せられるわけでございますね？」

「きわめて容易ならぬ事態がおこります」大臣の表情にとんだ顔に、暗い影《かげ》がさした。

「そういう事態がすでに起こっていますか？」

「いや、まだ起こっていません」

「もしこの条約文が、たとえばフランスやロシアの外務省の手に入りましたら、かならず反応が現われるものとお考えになりますか？」

「それは現われます」ホルダースト卿の顔には不快のいろが浮かんだ。

「そうしますと、すでに十週間ちかく経過しながら、なにも反響《はんきょう》がないのは、何かの理由でそれがまだ先方の手にはいっていないものと考えるのは、かならずしも不当でないと考えられますね？」

ホルダースト卿は肩《かた》をすくめて、

「だが泥棒は額にいれて壁に飾《かざ》るために、あの条約文を盗ったとも考えられませんでね」

「値の出るのを待っているのかもしれません」

「もうすこし待てば、まったく無価値になるのです。二、三カ月後には公表されるはずになっていますからね」

「それは大切な点です。もちろん泥棒が急病で倒《たお》れるという場合もあり得なくは……」

「たとえば脳炎なんかですね？」卿はホームズをちらりと見やった。

「そういう意味で申したのではございません」ホームズはすこしも動ずるところなく、「では、お忙《いそが》しいところを長時間お妨《さまた》げいたしましたから、これでお暇《いとま》いたします」

「犯人が何ものであるにせよ、あなたの成功を祈《いの》ってやみません」と卿は私たちを戸口まで送りだして、古風に頭をさげた。

「立派な人物だね」ホワイトホールの通りへ出るとホームズがいった。「しかしあれで自分の地位を失うまいと、必死なんだ。もともと裕福《ゆうふく》じゃないところへ、いろいろと物入りなんだ。靴《くつ》の底が打ちなおしてあったのは、むろん気がついたろう？　ところで今日はもう、君の本職のほうをやりたまえ。あとは僕も例の馬車の広告に返事でもこないかぎり、することもないわけだ。そのかわり明日はまた、きょうのと同じ汽車でウォーキングまで行ってくれるとありがたいな」

というわけで翌朝は彼と落ちあって、ウォーキングへ行った。例の広告には一つも返事がこないし、事件には何の新生面も認められないということだった。いったいホームズという男は、自分でそう決意したら、まるでアメリカ・インディアンのように無表情な面《つら》がまえになってしまうから、事件の進展ぶりに満足しているのかいないのか、顔いろからは何とも判断がつかないのである。そのとき彼はベルティヨンの測定法の話をしていて、このフランスの医学者を口をきわめて推奨《すいしょう》していたと記憶している。

私たちの依頼人はまだ、愛人の献身的《けんしんてき》な看護をうけていたけれど、昨日よりはいちじるしく回復してみえた。私たちがはいってゆくと、彼はソファから楽に身をおこして、あいさつして、

「なにかわかりましたか？」と熱心にきく。

「予想どおり、あまり香《かん》ばしくありません。フォーブズ君にも会いましたし、伯父さまにもお目にかかってきましたがね。しかしそのほか二、三捜査《そうさ》の手をのばしていますから、このほうから何か出てくるかと思っていますけれど」

「ではまったく望みがなくもないのですね？」

「望みは決してすてません」

「まあうれしい！」アニイ嬢がそばで叫《さけ》んだ。「勇気と忍耐《にんたい》さえ失わなければ、きっと真相がわかってきますわね」

「あなたよりも私のほうからお話ししたいことがたくさんあります」フェルプスが坐《すわ》りなおした。

「何かうかがえそうなものと期待していました」

「じつは昨夜また一事件ありましてね、これは重大な意味があると思うのです」話しはじめると彼はきわめて厳粛《げんしゅく》になり、はては目に恐怖《きょうふ》めいた光りさえ浮かべた。「しらずしらずに私は恐《おそ》るべき陰謀《いんぼう》のなかへ巻きこまれているのじゃないか、名誉《めいよ》はいうに及《およ》ばず、生命までねらわれているのじゃないかと思うのです」

「ほう！」

「そんなはずはないと思います。何しろ私はこの広い世間に敵なんか一人もないつもりなんです。でもゆうべの経験から考えてみると、そうとよりほか思われません」

「どうぞ詳《くわ》しく話してください」

「最初に、ゆうべは初めて看護婦なしで寝《ね》ました。気分もたいへんよいし、一人で寝てみたかったのです。しかし終夜灯だけはつけておきました。朝の二時ごろでしたが、うとうとと浅く眠っていますと、とつぜんコトリとかすかな音がしたので目がさめました。ねずみが板でもかじるような音なので、ほんとにそうかとしばらく耳をすましていますと、音はしだいに大きくなってきて、はては窓のあたりでカチリと鋭い金属性の音がします。私はびっくりして起きなおりました。その音がなにを意味するか、もう疑う余地はありません。はじめのかすかな音は、誰かが窓わくのすきから棒かなにかこじいれた音で、つぎの金属性のは掛金をはずした音です。

それから十分ばかりは、物音で私が目をさましたかどうかうかがっているのでしょうか、何の物音もしません。やがて静かに窓を押しあげる微《かす》かな音がします。もうこうなっては我慢《がまん》ができません。ことに神経の高ぶっているときではありますしね。寝《しん》台《だい》からとび降りて、いきなりよろい戸をさっと開けはなちました。すると窓に一人の男がしがみついていましたが、それと見てやにわに逃げてゆきましたので、どんな男だかほとんど見えませんでした。なんでも外套《がいとう》のようなものをまとっていて、それで顔の下半分が隠れていたからでもありますが、ただ一つだけ、何か凶器《きょうき》を手にしていたことだけはたしかです。長いナイフのようなもので、逃げてゆくとききらりと光ったのをはっきり見てとりました」

「はなはだ興味ぶかいお話です。それからどうしました？」

「からださえ丈夫なら、その窓から飛びだして追跡《ついせき》していたのですが、何しろこんな状態なものですから、ベルを鳴らして家のものを起こしました。もっともベルは台所で鳴るのに、召使《めしつかい》たちは階上で眠りますので、ちょっと手間どります。そこで大きな声をだしますと、ジョゼフがまっさきに降りてきて、みんなを起こしてくれました。ジョゼフと馬丁《ばてい》とで窓のそとの花壇《かだん》に足跡のあるのを見つけましたが、何しろ近ごろの日照りつづきですから、芝生《しばふ》までゆくとその足跡はわからなくなったそうです。しかし道路と境になっている木のへいを乗りこえたらしく、うえの横木が一カ所折れているといっていました。まだ所轄署《しょかつしょ》には何も知らせてありません。第一にあなたのご意見をうかがうのがよいと思ったのです」

フェルプスのこの話は、シャーロック・ホームズに異常の影響《えいきょう》をあたえたらしい。彼は抑《おさ》えかねる興奮のうちに、部屋のなかを歩きまわった。

「不幸というものは、単独ではやってこないものですね」フェルプスはにっこりしたけれど、ゆうべの事件には相当こたえたようだった。

「いや、もうこれでおしまいですよ。家のまわりをすこし、私たちといっしょにお歩きになれませんか？」

「ええ、すこし日光浴がしたいと思いますから、ジョゼフも来てくれるでしょう」

「わたしも参りますわ」アニイ嬢がいう。

「それがねえ」とホームズは頭を振《ふ》って、「あなたには、その場所へそのままお坐りになっていていただきたいのです」

アニイは不快そうだったが、それでも残った。しかし兄のジョゼフはいっしょに出てきた。芝生をまわって私たち四人、この若い外交官の寝ている部屋の窓のそとへ来た。なるほど花壇に足跡があるけれど、ほとんど見わけのつかぬほど不明瞭《ふめいりょう》なものである。ホームズはそのうえに屈《かが》みこんで、じっと見ていたが、すぐに腰をのばして肩をすくめた。

「これじゃ誰に見せても、役にたちそうもありませんね。それよりも家のまわりを見てあるいて、泥棒がなぜとくにこの窓を選んだのか調べてみましょう。客間や食堂の大きい窓のほうが泥棒には魅力《みりょく》がありそうなものだと思いますがねえ」

「ここは道路からよく見えますからね」ジョゼフ・ハリスンがいった。

「ああ、なるほどそうですね。ここに泥棒の手をかけそうなドアがありますね。これは何のドアですか？」

「商人の出入口です。もちろん夜は締《しま》りがしてあります」

「まえにもあの窓から泥棒のはいりかけたことがあるのですか？」

「ありませんね」フェルプスが答えた。「金銀の食器だとか、そのほか泥棒に狙《ねら》われそうなものが、家のなかにおいてありますか？」

「貴重品はおいていません」

ホームズは両手をポケットにつっこんで、ぶらぶらと家のそとを回っていった。いつもの彼には見られないだらしない格好である。

「ところでね」とこんどはジョゼフ・ハリスンに向かって、「へいをのりこえた跡《あと》があったというお話でしたが、どこですか？　ちょっと見せていただきたいものですな」

へいのうえの横木の折れている場所へ彼は私たちをつれていった。小さな木の折れはじがぶらさがっている。ホームズはそれをひき毟《むし》って、ていねいにあらためた。

「これはゆうべ折れたんですかね？　折れ口がすこし古いようじゃないですか？」

「さあ、そうですかねえ」

「それに向こうがわへ飛びおりた形跡《けいせき》もないようですね。ま、ここは大したこともないようです。寝室へいって、よく話しあいましょう」

パーシイ・フェルプスは未来の義兄ジョゼフ・ハリスンの腕《うで》によりかかって、ゆっくり歩いている。ホームズは芝生を足ばやにつっ切って、あとの連中よりもずっと早く、開けはなった寝室の窓のそとへといった。

「アニイさん」ホームズはひどく真剣《しんけん》な態度で部屋のなかのハリスン嬢に声をかけた。「あなたは一日中その場所にいなければいけませんよ。どんなことがあっても、その席を立ってはいけません。それがいまたいへん重要なことなのです」

「え、ようございますわ、たってとおっしゃるならね」彼女は妙な顔をしながらも承知はした。

「お寝《やす》みにいらっしゃるときは、ドアにそとからかぎをかけて、そのかぎはあなたが持っていってください。かならずそうするとお約束ください」

「でもパーシイはどうなりますの？」

「パーシイさんには私たちとロンドンへ行ってもらいます」

「そして私だけここに残りますの？」

「みんなパーシイさんのためなのです。あなたも一役つとめてください。さ早く！　早く約束してください！」

彼女は頷《うなず》いて承諾《しょうだく》の意を示した。そこへ二人がやってきた。

「アニイ、そんなところでふさいでいないで、日光にあたりに出ておいでよ」兄が声をかけた。

「ええありがとう。でもあたし少し頭がいたいのよ。ここは涼《すず》しくっていいんですもの」

「さて、こんどは何をしますかね、ホームズさん？」フェルプスがいった。

「そうですね、ゆうべの曲者《くせもの》に気をとられて、肝心《かんじん》の問題を忘れてはなりません。ロンドンまでいっしょにお出《い》でくださると、たいへん助かるのですが……」

「いまからすぐにですか？」

「ご都合しだいですが、早ければ早いだけよいのです。一時間以内ではどうでしょう？」

「よほど元気にもなりましたし、お役にたつことでしたら……」

「それは非常なものですよ」

「今晩は、あちらで泊《と》まることになりましょうね？」

「いまそれをお願いしようと思っていたところです」

「ふふ、ゆうべのお客さんが今晩もやってきたら、カモがいないのでさぞ驚《おどろ》くことでしょう。何もかもあなたにお任せしてあるのですから、なさりたい事を遠慮《えんりょ》なくおっしゃってください。さしあたりジョゼフにも行ってもらったがよいでしょうね、私のつき添《そ》いとして？」

「いや、それには及びません。ワトスン君は医師ですから、あなたのことは引きうけてくれましょう。ご迷惑《めいわく》でもこちらで昼食をいただいて、三人でロンドンへ出かけましょう」

すべてはホームズの計画どおりに運んだ。アニイだけは、ホームズの指示をまもって、寝室から出ないでいた。それにしても、なんの目的で彼はこんな指図をするのだか、私にはさっぱりわからなかった。まさか彼女とフェルプスの仲をひき離《はな》しておこうというのではなかろう。フェルプスのほうは健康を回復したうえに、捜査に加われるというのですっかり嬉《うれ》しがり、食堂で私たちとランチをともにした。ところがホームズはまたまた私たちをびっくりさせたのである。駅へきて私たちを汽車にのせてから、自分だけはウォーキングに留《とど》まるのだと澄《すま》していうのだ。

「ここを去るまえに調べておきたいことが二、三ありましてね。それにはフェルプスさんのいないのが、大いに助けになるのです。ワトスン君、ロンドンへ着いたらフェルプスさんをベーカー街へおつれしてね、僕の帰るまで相手をしてあげてくれたまえ、幸い学校がいっしょだから、話題もたくさんあるだろう。フェルプスさんは今晩は予備の寝室におやすみ願えばよかろう。朝食までには帰れるつもりだ。朝八時にウォータルー駅着という汽車があるから」

「それにしてもロンドンでの捜査はどうなります？」フェルプスが泣き声をだした。

「それは明日やればいいでしょう。それよりも、いまこちらに、より大切な用事があるのです」

「では私は明日の晩までには帰れるつもりだと、ブライアブレーのみんなに伝えてください」動きだした汽車のなかからフェルプスがいった。

「ブライアブレーへ行くことはなかろうと思っていますよ」とホームズは答えた。駅の構内をはなれてゆく汽車にむかって、彼の愉快《ゆかい》そうに手を振るのが見えた。

フェルプスと私は汽車のなかで、ホームズのこのとつぜんの行動について話しあったけれど、事態がどういうふうに展開しているのか、どちらも満足な解答をあたえることはできなかった。

「ゆうべのがただの夜盗《やとう》だとして、その手掛《てがか》りを探そうとしているんでしょう。僕としては、あれはただの物盗《ものと》りとは思えませんがね」

「ただの物盗りでなければ、何だというんですか？」

「こんなことをいうと、君は病《や》みあがりの神経過敏《しんけいかびん》だというかもしれないけれど、僕の周囲には深刻な政治的陰謀がくわだてられ、理由はわからないけれど、僕の生命がねらわれているのだと思うのです。突拍子《とっぴょうし》もないばかげたことのようにも聞こえるけれど、事実をよく考えてください。めぼしい品物のあるはずもない寝室のようなところを、なぜねらったのか？　なぜ長いナイフなぞ持っていたのか？」

「そりゃ家へ押し入るときに使うただの鉄梃《かなてこ》じゃなかったのかな？」

「いや、ちがう！　刃《は》がきらりと光ったのをはっきり見ているのです」

「それにしても、なんの恨《うら》みでそんなにしつこくつけねらわれるんです？」

「さあ、そこが疑問なんですよ」

「もしホームズも君と同意見だとすれば、それで彼の行動も説明がつくわけですね。君の推定が正しいとして、ゆうべ君を襲《おそ》った男を彼が捕《とら》え得たら、誰が海軍条約文書を盗んだかを知るのに大いに役だつと思いますよ。泥棒と刺客《しかく》と君をねらっている人物が二人いると考えるのは愚《ぐ》の骨頂です」

「でもホームズさんは、ブライアブレーには行かないといってましたよ」

「僕はホームズとながいつきあいですが、どんなことをするにも、理由なしには決して行動しない男ですからね」と私はいったが、それきり話題はほかのことへ移っていった。

まったく私には退屈《たいくつ》な一日だった。フェルプスはながく病《わずら》いのあと十分回復していないし、うちつづく災難で愚痴《ぐち》っぽくなっていた。アフガニスタンの話、インドの話、あるいは社会問題など持ちだして、気をひきたてようとしてみたが、さっぱり効果はなかった。またしても紛失文書《ふんしつぶんしょ》のことを持ちだし、ホームズは何をやっているのだろう、ホルダースト卿《きょう》はどんな処置をとるだろう、あすの朝はどんな報告が聞かれるだろうと、臆測《おくそく》したり疑ったり心を悩《なや》ましたり、とめどがなかった。夜のふけるにつれて、彼の興奮はいたましいばかりになってきた。

「君はホームズさんを、無条件で信頼《しんらい》できますか？」

「すばらしい腕まえのほどを見せられていますからね」

「でもこんどのような、こんな訳のわからない事件を解決したことはないでしょう？」

「どういたしまして。これなんかよりはるかに手掛りのない事件を解決したのを知っていますよ」

「それにしても、これほど大きな利害が危機に瀕《ひん》しているという事件じゃないでしょう？」

「それは何ともいえないけれど、ヨーロッパの三つの王室の安否にかかわる問題を処理したのはたしかな事実ですよ」

「ワトスン君はホームズさんをよく知っているわけだが、僕にはどんな人なんだか、測り知れませんよ。どうでしょう、確信をもっているのでしょうか？　自信があるのでしょうか？」

「そのことは何も聞いていませんね」

「してみると面白《おもしろ》くない前兆《ぜんちょう》なんですね」

「ところが反対でね、手掛りのないときは、ないとはっきりいうんですよ。手掛りはあるけれど、そして大体の方向として間違《まちが》ってはいないけれど、絶対に確実とはまだいいかねるというときですよ、むっつりして何もいわないのは。それよりもねえ、フェルプス君、僕たちがいくらここで神経を悩ましていたって、事件解決の助けにはならないのだから、もう寝たらどうです？　明日はどんな吉報《きっぽう》がくるかもしれないのだし、よく休んで頭をすっきりさせておこうじゃありませんか」

やっとの思いで床《とこ》にはつかせたが、何しろひどく興奮していたから、なかなか寝つかれなかったことと思う。私にも彼の悩みが伝染《でんせん》したものとみえて、いくどか寝がえりをうっては、この不可解な問題を、ほとんど半夜まんじりともせず、いろんなふうに考えてみた。数しれず推論をこしらえあげてみたが、ますますありそうもない臆測になるばかりだった。ホームズは何のためウォーキングへ居残ったのだろう？　なぜアニイに病室から離れるなといったのだろう？　彼はなぜあんなにも注意ぶかく、ウォーキングに残ることを、ブライアブレーの人たちに知らせまいとしたのだろう？　これらの事実のどれをも満足させるような説明はないものかと、あれこれ私は脳味噌《のうみそ》をしぼるうち、いつしか眠《ねむ》りにおちてしまった。

目がさめたら七時だった。すぐフェルプスの部屋へいってみると、よく眠れなかったとみえて、やつれた顔をしていた。彼は私の顔をみるなり、ホームズは帰ったかと尋《き》いた。

「約束どおり帰ってくるでしょうよ、一秒の遅速《ちそく》もなしにね」

私の言葉にまちがいはなかった。八時ちょっとすぎに一台の二輪タクシー馬車が玄《げん》関《かん》にとまったと思ったら、ホームズが降りたったのである。フェルプスと二人窓のまえに立って見おろしていたのだが、左の手に繃帯《ほうたい》をまいて、青ざめたむずかしい顔をしている。玄関へはいったのに、二階へくるまでには、ちょっと手間どった。

「負けてきたような顔つきですね」

私も反対するわけにはゆかなかった。「結局手掛りはロンドンという事になったのでしょう」

「さあ、それはわからないけれど」とフェルプスはうなって、「ホームズさんの帰りに期待しすぎたようです。それにしても昨日はあんな繃帯なんかしていなかったのに、どうしたというのでしょう？」

「ホームズ君怪我《けが》をしたのじゃあるまいね？」

そのとき彼が部屋へはいってきたので私がきいた。

「なあに、ほんのかすり傷さ、ちょいと下手《へた》をやったのでね」とホームズはお早うの会釈《えしゃく》をしながらいった。「フェルプスさん、これは私の手がけた事件のうちでも有数の難事件ですね」

「さじをなげたとおっしゃるのじゃないかと、びくびくしていましたよ」

「まったくえらい経験でした」

「何かあったことはその繃帯でわかる。どんなことがあったんだか聞かせてくれたまえ」私がいった。

「食事をすませてからにしたいね。何しろけさはサリー州の空気を三十マイルも吸ってきたのだから、腹がぺこぺこだよ。馬車の広告に返事はきていないだろうね？　いや、そういつも都合よくゆくもんじゃないさ」

食卓《しょくたく》の用意はできていた。私がベルを鳴らそうとしているところへ、主婦《おかみ》のハドスン夫人がお茶とコーヒーをもってはいってきた。それからしばらくして、彼女が食器類をもってきたので、私たちはテーブルについた。ホームズはがつがつ食べるし、私は好奇心《こうきしん》でむずむずだし、フェルプスはまるで意気消沈《いきしょうちん》のていである。

「ハドスン夫人はずいぶん気がきくね」ホームズはチキンのカレー料理のふたをとりながら、「あまり変った料理も知ってはいないが、スコットランド女にしちゃ朝食の作りかたは心得ているほうだ。ワトスン君、それは何だい？」

「ハムエッグさ」

「それはいいね。フェルプスさんは何をやります？　チキンのカレー料理ですか？　卵ですか？　何でもお好きなものを注文してくださいよ」

「ありがとう。しかし何も食べたくありません」

「それはいけない。せめてそのお皿《さら》だけでも食べてください」

「ありがとう。でもほんとに食べたくないのです」

「そうですか。では」とホームズはいたずらっぽい目つきをして、「では私が頂戴《ちょうだい》してもかまいませんか？」

フェルプスはふたをとったが、そのとたんにきゃっと叫んで、皿のいろにも劣《おと》らぬまっ青な顔で、じっとなかを見つめた。ふたをとった皿のなかには、青みがかった灰いろの紙をくるくるっと巻いた物がはいっていたのである。彼はその紙のつつをつかみとって、むさぼるように見いっていたが、とつぜんそれを胸に押《お》しあてると、うれしさに頓狂《とんきょう》な声をあげながら、気のくるったように部屋中を躍《おど》りあるいた。しかし、まもなく自分の感動に疲《つか》れはてて、ひじ掛けいすにどっかり腰をおとした。卒倒《そっとう》でもされては大変だから、私たちはブランディをむりに飲ませてやった。

「こりゃどうも、こりゃどうも！」ホームズはフェルプスの肩《かた》をやさしくたたいて力づけながら、「こりゃどうも、薬をきかせすぎて、悪いことをしましたな。ワトスン君はよく知っていますが、私はとかく芝居《しばい》がかりにやらないいじゃいられない癖《くせ》があるもんで……」

フェルプスはホームズの手をとってキスしながら、「あなたに神の祝福あれ！　おかげで私の名誉《めいよ》は救われました！」

「いや、私の名誉もあわや地におちるところでしたよ。あなたも命ぜられた職務の遂《すい》行《こう》につまずくのはおいやでしょうが、私だって事件の捜査《そうさ》に失敗するのはとても忌々《いまいま》しいですからね」

フェルプスはその大切な書類を上衣《うわぎ》の内ポケットの奥《おく》ふかくおさめて、

「お食事の妨《さまた》げをしたくはありませんが、これをどうしてどこから取りもどしたんだか、それが早くうかがいたいもんですね」

シャーロック・ホームズはコーヒーを一杯《ぱい》のみほすと、こんどはハムエッグを平らげ、やおら立ってパイプに火をつけて、自分のひじ掛けいすに腰をおちつけた。

「あれから私が一番に何をしたか、それから後でどういうところからそうなったか、ということを申しましょう。駅でお二人にわかれてから、私はサリー州の美しい風光のなかを歩いて、リプレーというきれいな小さい村へゆきました。そこの居酒屋へはいってコーヒーを一杯のんでから、水筒《すいとう》に飲みものを詰《つ》め、ポケットにサンドイッチを用意して夕方になるのを待ってウォーキングへ出かけました。そして日没《にちぼつ》直後にブライアブレーのそばを通る街道《かいどう》まで辿《たど》りつきました。

人通りのなくなるのを待って、といっても時刻に関《かか》わりなく人はあまり通らないでしょうが、私はへいをのりこえて庭のなかへはいりました」

「まだ門はあいていたでしょうに？」フェルプスは不審《ふしん》そうな顔をした。

「ええ、でも私はそうした趣味《しゅみ》があるんでしてね。樅《もみ》の木が三本あるところを選んで乗りこえましたから、家のなかからは見られる心配が少しもありません。それから灌《かん》木《ぼく》のあいだを縫《ぬ》うようにして、四ツんばいになって進みました。ズボンのひざのこの浅ましさを見てください。そしてやっとあなたの病室の窓のまえの石南花《しゃくなげ》の植えこみまでたどりついて、そこにうずくまって事の展開をまちました。

病室の窓は鎧戸《よろいど》が閉まっていないから、アニイさんがテーブルに向かって読書にふけっているのが見えました。十時十五分になると、アニイさんは本をとじて、鎧戸を閉めて寝《ね》にゆきました。ドアを閉めてかぎをかける音が聞こえたのです」

「かぎをかけて?」フェルプスはますます不審そうである。

「アニイさんに、寝るときはドアにそとからかぎをかけて、そのかぎを持っていってくださいとお願いしておいたのです。アニイさんは私のお願いをそのまま実行してくだすったわけで、あのかたの協力がなかったら、あなたのポケットのその書類は、戻《もど》ってはこなかったでしょう。いよいよアニイさんは灯火《あかり》を消して去り、石南花のなかの私はひとりになりました。

美しい晩でしたけれど、それでも寝ずの番はなかなか退屈でした。もっとも狩猟家《しゅりょうか》が水路のわきに潜伏《せんぷく》して、大物の現われるのを待つときのような、一種の興奮はありました。でもずいぶん待ちどおしかった。――ワトスン君、あれはいつかの『まだらの紐《ひも》』事件のときに、君と二人であの怖《おそ》るべき部屋のまっ暗ななかで待ちあぐんだことがあったが、あれに匹敵《ひってき》する待ちどおしさだったね。

ウォーキング村の教会の時計の鐘《かね》が十五分ごとに聞こえてくる。はて、時計が停《と》まってもう鳴らなくなったのかと思ったことも、一度や二度ではありません。しかし朝の二時ごろになって、待っていたものがついに来ました。掛金をはずすかすかな音につづいて、かちっとかぎをまわす音がしたと思うと、召使《めしつかい》たちの出入口があいて、ジョゼフ・ハリスンさんが月光のなかへ出てきました」

「えッ、ジョゼフが？」フェルプスが思わず叫んだ。

「頭にはなにも被《かぶ》っていないけれど、黒い外套《がいとう》を肩にひっかけて、いざといえばいつでも顔をかくせるようにしていました。建物の陰《かげ》にそってぬき足さし足窓の下までやってくると、刃《は》わたりのながいナイフを窓のあいだにさし入れて掛金をはずし、窓を押しあげました。それから鎧戸のすきにナイフをさしこみ、横桟《よこさん》をつきあげると、これもぱっと開きました。

私の隠《かく》れているところから、部屋のなかの模様も彼の行動も、手にとるようにはっきり見えました。

彼はマントルピースのうえの二本のろうそくに火をつけると、ドアのそばの敷物《しきもの》の角をめくりあげ、そこにしゃがんで、配管工がガス管の接《つ》ぎ目をどうかするためこしらえてある四角な板をめくりました。その板は台所のほうからくるガス管のT字形の接ぎ目のふたになっているのでした。この隠し場所から例の巻物をとりだすと、板をもとどおりにして敷物をなおし、ろうそくを吹《ふ》きけしておいて彼は窓から出てきましたが、つまりそこで待ちかまえていた私の腕《うで》のなかへ飛びこんできたことになるのです。

思ったよりも手におえない人でしたよ、ジョゼフ先生は。ナイフを振りあげて私に飛びかかってくるのです。二度ばかり投げとばしてやりましたが、おかげで手さきにこんな切り傷をこさえながらも、どうにかとり押さえました。格闘《かくとう》が終ってもまだハリスン君は、やっと見える片っぽうの目に殺意をうかべていましたよ。でも事をわけてよくいい聞かせると、やっと聞きわけて書類をよこしました。

書類をとり戻したので、本人は見逃《みのが》してやりましたが、けさフォーブズ君へ詳《くわ》しく電報しておきました。早いとこ逮捕《たいほ》し得たら上出来というものですがね。おそらくは、行ってみたら蛻《もぬけ》のからということになるでしょう。そのほうが政府にとってはありがたいわけでしょうよ。ホルダースト卿にしてもパーシイ・フェルプスさんにしても、警察ざたにはならないほうがよいのでしょうからねえ」

「おやおや、十週間以上も死ぬ思いの心配をしていた書類が、ずっと私の部屋のなかにあったとは！」

「そうなんですよ」

「それにしてもジョゼフのやつめ！　ジョゼフの悪党め！　泥棒め！」

「ふむ、見かけによらずあの人はたくらみ深く険悪な人物ですね。けさ本人から聞いたところから察するに、株式相場に手をだしてひどく損をしたので、お金にさえなるなら、どんなことでもやる覚悟《かくご》でいたらしいです。徹底《てってい》した利己主義者だから、妹の幸福やあなたの名誉など眼中になく、好機に乗じたのです」

「ああ何だか頭がぐらぐらする。お話をきいて茫然《ぼうぜん》としました」フェルプスはいすの背にぐったりともたれかかった。

「この事件のおもな難点は」とホームズは教授のような態度で、「あまり証拠《しょうこ》の多すぎるところにありました。そのため肝心《かんじん》な証拠が、まったく関係のないものの陰《かげ》になって隠れていたことです。あたえられた多くの事実のなかから、真に重要なものばかりを引きぬいてきて、それを然《しか》るべく組みあわせ、この珍《めずら》しい事件の筋道を、あらためて構成しなおすのが眼目です。

あの晩あなたはジョゼフといっしょに帰るつもりだったと聞いてから、私はすでに彼を疑いはじめていました。あなたにその意向があったくらいなら、先方も、外務省の案内にも明るいのだし、帰る途中《とちゅう》でさそい合せに寄ったかもしれませんしね。

そこへ、夜間に何ものかが病室へ侵入《しんにゅう》しようとしたと聞いて、私の疑惑《ぎわく》は確信になりました。ジョゼフよりほかに、あの部屋へものを隠したものはないはずです。というのは、あなたのお話にあったように、医者につれられて帰ったあなたのため、ジョゼフはあの部屋を明けわたしたのですからね。それにつき添《そ》いの看護婦がいなくなるや否《いな》や、その晩に侵入をたくらんだということから、家のなかの様子をよくよく心得たものの仕業《しわざ》にちがいないとも確信したわけです」

「私は何という馬鹿だったのでしょう！」

「ことの順序は、私の調べあげたところでは、つぎのようなわけです。――ジョゼフ・ハリスンはチャールズ街の通用口から役所へ入りこんで、勝手は知っているし、あなたの部屋へまっすぐに行きました。

ちょうどあなたがコーヒーの催促《さいそく》に出ていったすぐあとのことで、部屋には誰もいないものだから、急いでベルを鳴らしましたが、ふとつくえのうえに目をおとすと、その例の文書がひろげてあります。一見してそれが国家の重要書類であると知って、そのままポケットにおさめて出ていってしまいました。眠っていた小使がベルのことを、あなたがいなければ鳴るはずのないものと注意するまでには、二、三分かかりました。そのわずかのあいだに、泥棒はまんまと逃《に》げおおせたのです。

そこでまっすぐに駅へ駆《か》けつけて、ウォーキングへの帰途につきましたが、調べてみると獲物《えもの》はじつに大きな価値のあるものだとわかりました。でひとまず安全な場所へかくしておいて、二、三日たったらフランス大使館なりどこなり、金をたくさんくれそうなところへ持ちこむつもりだったのです。

そこへあなたが医者に送られるような状態で帰ってきた。とっさのうちに部屋を追いたてられ、それから以後というものは、いつでもあの部屋には少なくとも二人の人がいて、宝物をとりだすすきがありません。ずいぶんいらいらさせられたことでしょう。

だがついに機会はきました。看護婦が当直しなくなったので、ひそかに忍《しの》びこもうとしたのですが、目ざといあなたのため果たさずに終りました。あの晩だけ、いつもの薬を飲まなかったのを覚えているでしょう？」

「ええ、覚えていますよ」

「薬の効果を信じて、あなたが熟睡《じゅくすい》しているものと思いこんでやってきたのですね。大丈夫《だいじょうぶ》とみれば、重ねてやってくるのは明らかです。あなたが部屋をあけでもすれば、思うつぼというものでしょう。

そこでさき回りされないために、アニイさんに終日あの部屋にいてもらったのです。それから、もう邪魔《じゃま》ものはいないと思わせておいて、さっき申したように私は見張りについたのです。私としては、書類があの部屋にあることはまず間違いないと思いましたけれど、だからといって板をすっかりはがしたりして捜《さが》すのはいやだったのです。

それよりも本人に隠した場所から取りださせれば、手数はぐっと省けます。なにかまだおわかりにならない点がありますか？」

「ドアからはいったらよさそうなものを何だって苦労して窓から忍びこもうとしたのだろう？」私がたずねた。

「ドアからはいるとなると、七つも寝室《しんしつ》を通りぬけてこなくちゃならない。これに反して芝生《しばふ》のほうへは、何の苦もなく出られるからね。ほかになにか？」

「まさか殺意を抱《いだ》いていたとはお考えにならないでしょう？　ナイフは窓をあける道具にすぎなかったのでしょうね！」フェルプスがいった。

「そうでしょうね」ホームズは肩をすくめて、「ただ確信をもっていえることは、ジョゼフ・ハリスンは情《なさけ》や容赦《ようしゃ》のある紳士《しんし》とはどうにも考えられないということだけですね」

――一八九三年十・十一月『ストランド』誌発表――

最後の事件

シャーロック・ホームズの世に卓絶《たくぜつ》する不思議な才能を記録する最後の物語を書くため、このペンをとるのは、私にとって心おもき業《わざ》である。支離滅裂《しりめつれつ》な、ほんとに回らぬ筆をもって私は、「緋色《ひいろ》の研究」時代に偶然彼《ぐうぜんかれ》と知りあったころから、最後の「海軍条約文書事件」にいたるまで――これは面倒《めんどう》な国際関係の紛糾《ふんきゅう》を未然にふせぎえたものと信じているが――彼とともになし得たかずかずの経験を伝えることに努めてきた。私はこの種の物語のペンを以上でとめておき、その後私の生活に空虚《くうきょ》を生じたまま、二年後の今日にいたってもなお満たされないでいるところの、あの事件には口を閉じているつもりだった。

けれども最近ジェームズ・モリアティ大佐の書いた死んだ弟の名誉《めいよ》を支持しようとする二、三の文書は、私の出馬を強《し》いた。かくなるうえは私もペンをとって、あるがままの事実を公表せざるを得ないのである。事件の絶対的真相を知るものは私だけである。私としてはこの真相を秘しておいても、もはや何の役にもたたない時節の到来《とうらい》したことを満足に思う。私の知るかぎりでは、このことについて公刊されたものはただ三つあるにすぎない。一八九一年五月六日のジュールナル・ド・ジュネーヴ、おなじく五月七日のイギリスの新聞に現われたロイター通信、最後には前述の公開状である。このうちはじめの二つはきわめて簡単だけれど、最後のものは、いま説明しておいたように、事実をまったく曲解しているのである。ではまず私は、モリアティ教授とシャーロック・ホームズとのあいだに、いかなる事件があったか、それから語ってゆかねばならない。

私は結婚《けっこん》にひきつづいて開業したので、それまではきわめて親密だったホームズとの関係に、すこしく変化をきたした。仕事のうえで相棒のほしいときは、彼のほうからちょくちょく私のところへやってくるにはきたが、それもしだいに遠くなって、記録をみると一八九〇年には私は三つの事件にしか関係していないのである。同年の冬から翌一八九一年の早春にかけて彼がフランス政府の依頼《いらい》をうけてある重大事件を調べていることは、新聞で承知していたし、ホームズからはナルボンヌから一度、ニームから一度、手紙が二本きたから、彼のフランス滞在《たいざい》は相当長期にわたるのだろうと推量していた。だから同年四月二十四日の晩に、とつぜん私の診察室《しんさつしつ》へ彼が姿をあらわしたときは、ちょっと意外に思ったのである。みればいつもより顔いろもよくないし、痩《や》せかたも目だっている。

「そうさ、少しからだを勝手につかいすぎたよ」と彼は私の言葉にではなく、顔いろにこう答えておいて、「ちかごろ少し悩《なや》まされているんだ。よろい戸を閉めてもいいだろうね？」

灯火《あかり》といっては、私が読みものをしていたテーブルのうえにランプが一つあるきりなのだが、ホームズは壁《かべ》ぎわをまわって隠《かく》れるように窓へゆき、よろい戸をしめたうえ、差しこみ錠《じょう》をしっかりかった。

「なにか心配ごとがあるね？」

「うん、ある」

「どんなこと？」

「空気銃《くうきじゅう》だ」

「えッ、何だって？」

「君は僕《ぼく》をよく知っているから、僕がけっして心配性でないのはよくわかっているだろう？　それにまた、危険が身近に迫《せま》っているのに、それを省《かえり》みないのはけっして勇者じゃない。愚鈍《ぐどん》というものだ。マッチをかしてくれないか？」彼はタバコが気をしずめてくれるのがありがたそうに、深く吸いこんだ。

「こんなにおそく訪ねてきてすまないと思ううえに、いいにくいことだが、これからここの裏べいをのりこえて帰るのを許してもらわなきゃならないんだよ」

「それはいいが、何だってそんな事するんだい？」

彼はだまって片手をだしてみせた。指の拳固《げんこ》のさきになる部分が、二カ所も裂《さ》けて出血しているのが、ランプの光りでみえた。

「まんざらでたらめでもあるまい？」彼はにやりとして、「それどころか、男が手をすりむいてきたといえば、相当のもんだよ。奥《おく》さんはお宅かい？」

「いや、よそへ泊《とま》りがけの訪問にいっている」

「ほんとかい？　君ひとりなのかい？」

「ほんとうだとも」

「それでは話がしやすくなったが、一週間ばかり大陸のほうへ行ってみないかい？」

「大陸のどこへ？」

「どこかへさ。僕はどこだって同じことだ」

聞いてみれば、そこには何か事情があるらしい。目的もなく休暇《きゅうか》をとるなどは、ホームズの柄《がら》にないことだ。まして青じろくやつれた顔をみれば、彼がいま緊張《きんちょう》しきっているのが私にはよくわかる。私の目のなかに不審《ふしん》を読みとって、ホームズはひざにひじをついて両手の指の腹をつきあわせながら、事情を話しだした。

「君はモリアティ教授の名をきいたことはあるまいね？」

「ないねえ」

「ここに悪の天才、世の驚異《きょうい》がある。彼はロンドン中に幅《はば》をきかせておりながら、しかもその名は誰《だれ》にも知られていない。そこが犯罪史上最高峰《さいこうほう》に位するゆえんなのだ。これは僕がまじめに考えているところだがね、僕はもし彼をうち倒《たお》し、社会をその魔手《ましゅ》から救いえたら、そのときこそ僕の経歴がその最高点に達し得た喜びを感じるし、また僕はすぐにも探偵《たんてい》の仕事をやめて、平穏《へいおん》な生活にはいってもいいとさえ思う。

ここだけの話だが、こんどスカンジナヴィアの王室およびフランス共和国のため助力したおかげで、僕は大好きな平穏な生活に入り、化学の研究に没頭《ぼっとう》できる身分になった。だけどモリアティ教授のような危険な男が、白昼ロンドン市中を横行しているかと思うと、隠退《いんたい》していたずらにいすをあたためていることなんか、僕にはとてもできないよ」

「ふむ、どんなことをやった人物なんだい？」

「彼の経歴は異常なものだ。生まれはよく、りっぱな教育があるうえに、おどろくべき数学の才能を天からあたえられている。二十一歳《さい》で二項《こう》定理に関する論文をかいたが、これは全ヨーロッパの評判になった。そのおかげである小さい大学の数学教授のいすをかち得たし、どこから見てもその前途《ぜんと》はじつに洋々たるものがあった。しかしこの男にはきわめて不良の遺伝的性向があった。その血管にながれている犯罪者の血は、その異常な精神力によって陶冶《とうや》されるどころか、ますます助長され、いっそう危険なものとなった。大学町で彼をめぐるよからぬ風評がたかくなったので、彼はついに教授のいすをさらねばならなくなり、ロンドンへ出て軍人相手の家庭教師をはじめた。ここまでは世間にも知られていることだが、これからさきは僕が自分で調べあげた事実だ。

君も知ってのとおり、ロンドンの高級犯罪者の内面事情を、僕ほどよく心得ているものはない。数年まえから僕は、これら犯罪者の背後にある力の働いているのに気がついていた。いつも法の運営をさまたげ、悪人保護の手をさしのべる強固なる組織的な力だ。偽造《ぎぞう》、強盗《ごうとう》、殺人など各種の事件で、またしても僕はこの力の存在を感知させられ、また僕自身関係はしなかったが、けっきょく迷宮《めいきゅう》入りとなった多くの事件に、その力の働いているのを知った。数年まえから僕は、この秘密をあばいてやろうと努力してきたのだが、ついに機会がきて手掛《てが》かりをつかんだから、そいつを手繰《たぐ》ってゆくと、途中でいろんな巧妙《こうみょう》なはぐらかしにはあったが、とうとう選ばれたる数学者モリアティ前教授へとたどりついたのだ。

彼は犯罪者中のナポレオンだ。大ロンドンの未解決事件のほとんど全部と、悪業の半分の支配者だ。そのうえ天才で学者で理論的思索家《しさくか》なのだ。第一級のすぐれた頭脳《ずのう》をもち、巣《す》の中央にいるクモのようにじっとしているが、その網《あみ》には放射状の線が無数にあって、その一本一本の振動《しんどう》が手にとるようにわかる。自分ではほとんど何もしない。計画立案をするだけだ。だが配下が無数にあって、整然と組織化されている。何か悪事をはたらくとき、たとえばある書類をぬすむとき、ある家を襲《おそ》うとき、あるいはある人物を眠《ねむ》らせるとき、ひとことそれを教授にいえば、ことはたちどころにお膳《ぜん》だてされ、実行にうつされる。配下のつかまる事もあろう。そのときは保釈のため、また弁護のため金がでる。しかし配下を動かしている中心の勢力は、けっして捕《つか》まらない。疑惑《ぎわく》をうけることとすらない。これが僕のつきとめた組織だ。これをあばき、これを破壊《はかい》するため、僕はあらゆる精力をかたむけつくしてきた。

しかし教授は巧妙きわまる方法で自己を防衛しているから、僕がどんなことをしてみたって、法廷《ほうてい》にたって彼を断罪するだけの証拠《しょうこ》がえられそうもなかった。僕の実力は君がよく知っている。しかも三カ月にわたる必死の努力ののちに僕は嘆声《たんせい》を発して、こいつは自分と同等の知力のある相手だわいと、悲鳴をあげざるを得なかった。僕は彼の犯罪に戦慄《せんりつ》するのを忘れて、その練達ぶりに感嘆するようにさえなった。だがそのうち彼はつまずいた。ほんの小さなつまずきだったけれど、ついにしっぽをだしたのだ。小さいとはいっても、僕が身辺にうかがいよっている際なのだから、許されないつまずきだった。僕のほうからいえば、願ってもない好機だった。そこから手をのばして、僕は彼の身辺にすっかり網をはった。そしていまはそれを締《し》めるばかりになっているのだ。三日で――つまりこの月曜日には機が熟する。教授はその仲間のおもだった連中といっしょに、官憲の手につかまるだろう。それから今世紀未曾有《みぞう》の大刑事《だいけいじ》裁判が開始されて、いままで迷宮入りとされている事件が四十件以上も解決され、全被告が絞首台《こうしゅだい》にのぼらされるだろう。だがここで少しでも早まった行動をとると、彼らは最後のドタン場になって、するりと逃《に》げてしまうことになる。

さて、僕がこれをモリアティ教授に知られずに実行できさえしたら、何もいうことはなかった。だが彼もさるもの、僕がその周囲に網をはりめぐらすところを、すっかり見てしまったのだ。だから彼はその網をいくたびか払《はら》いのけようと試みた。だがそのたびに僕はさき回りしてはそれを阻止《そし》した。この無言の闘争《とうそう》を詳《くわ》しく書いたら、探偵史上まれにみる面白《おもしろ》い記録ができあがると思う。

こんどほど僕は男をあげたこともないが、そのかわりこんどほど相手から圧迫《あっぱく》をうけたこともなかった。彼はふかく切りこんできた。だが僕はそれ以上にふかく切りかえしたのだ。けさ最後の手段をすませてきたから、あとは仕あげに三日間を要するだけだ。で僕はしずかに部屋へ閉じこもって考えにふけっていると、とつぜんドアがあいて、モリアティ教授が目のまえに立った。

僕は幽霊《ゆうれい》など信じはしないが、いまがいま考えにふけっていた当の本人が、とつぜん目のまえに現われたのには、思わずドキンとなった。彼の外見は僕のよく知っているところだった。背がきわめてたかくやせていて、白い額はひろく、両の目はふかくおちくぼんでいる。ひげはなくいろは青くて苦行者風なところがあり、それにどこか教授らしい面影《おもかげ》ものこっている。つくえへかじりついた名残りで背がすこし曲り、顔をまえへ突《つ》きだすようにしており、爬虫類《はちゅうるい》かなにかのように、妙《みょう》にいつもからだを左右にゆり動かしている癖《くせ》がある。彼はくしゃくしゃの目にひどく物めずらしさを浮《う》かべ、僕を見おろしていたが、

『存外知恵《ちえ》のないことをしますな。弾丸《たま》ごめしてあるピストルを、ガウンのポケットのなかでいじくるのは、危険な悪習ですよ』

事実彼のはいってきた瞬間《しゅんかん》、僕は極度の危険をかんじた。彼として唯一《ゆいいつ》のにげ路《みち》は、僕の口を封《ふう》じることにあるのだ。でとっさに引き出しのピストルをポケットに忍《しの》ばせ

て、ポケットのなかで彼に銃口をむけていたわけなのだ。いわれて僕はピストルをだし、打ち金をおこしたままテーブルのうえにおいた。彼は相変らず目をしょぼつかせながら、にこにこしていたが、その目に何かしら僕をほっとさせるものがあるのはうれしかった。

『君は私というものを知らないと見える』彼がいう。

『それどころか、よく知っていればこそだ。ま、掛けたまえ。なにか話があるのなら、五分間だけ時間をさくことにしよう』

『何をいいにきたか、君にはもうちゃんとわかっている』

『では私の返事も君にわかっているはずだ』

『あくまでやるかね？』

『もちろん！』

彼がポケットに手をいれたから、僕もピストルを手にとった。だが彼は日付をかきこんだメモのようなものをとりだしただけで、

『一月四日に君は私の邪魔《じゃま》をした。おなじく二十三日にまた妨害《ぼうがい》した。二月の中旬には、ひどい迷惑《めいわく》をかけた。三月末には、私の計画はまったく狂《くる》わされた。そしてこんどまた、四月の末になって、私は自由を失いそうな明白な危険を感じてきた。事態は

もはや堪《た》えられないものになってゆく』

『なにか頼《たの》みたいことでもあるのですか？』

『ホームズ君、君は手をひかなければいかん。ほんとうに止《や》めなければいかん』彼は顔をふりたてていった。

『月曜日以後ならね』

『だめ、だめ！　君の知力をもってすれば、結果はただ一つしかないことが、よくわかっているはずだ。君はぜったいに手を引く必要がある。君の行動は、われわれにはただ一つの手段しかあたえないものだった。君がこの問題に組みついてきた活動ぶりを見ているのは、私にとって一種の知的な楽しみだった。だから、はっきりいうが、私として手荒《てあら》な手段に出なければならないのは忍びない。君は笑っているが、これはほんとうですぞ』

『危険は私の職業につきものです』

『これはけっして危険ではない。避け得ない破滅《はめつ》です。君はたんに一個人の邪魔をしているのではない。強力な、君の聡明《そうめい》さをもってしても思いおよばないほど大きな組織が相手ですぞ。手をひかなければいけない。さもなければ、組織の力におしつぶされるばかりです』

『せっかくですが、お話の面白さに私はつい、よそに大切な用事が待っているのを忘れるところでしたよ』僕は立ちあがっていった。

彼も同じく立ちあがったが、僕の顔をみてさも悲しげに頭をふって、

『お気のどくだ。だが私はできるだけのことはしたはずだ。君のやることは一から十まで私にはわかっている。月曜日まで、君はなにもできやしないのだ。ホームズ君、これは君と私との決闘《けっとう》だ。君は私を法廷に立たせるつもりでいるが、私はけっして法廷には立たない。君は私を打ちのめすつもりでいるが、私はけっして打ちのめされない。君にもし私を破滅させるだけの聡明さがあれば、私にも君におなじものを報《むく》いるだけの聡明さはあるのですぞ』

『かさねがさねお褒《ほ》めの言葉をありがとう。私からも一言申しあげたいが、君のいう私の希望が実現されさえすれば、私は世のためよろこんで君の希望どおりになるものです』

『私はその一方だけしか約束する気はない』

彼はそうどなると、曲った背中をくるりと僕のほうへ見せ、そしらぬ顔で出ていった。

以上がモリアティ教授との妙な会見だが、じつをいうと僕はそのあとでいやな気持

になった。おだやかな、はきはきしたものの言いかたには、ただの壮士風情《そうしふぜい》にはまねのできない真実味があふれていた。むろん君はいうだろう、それならなぜ警察にたのんで保護をうけないのかと。その理由は、いくら彼ひとりを警戒してみても、じっさい僕に手をくだすのは彼自身ではなくて、彼の配下であるのを確信するからだ。それはりっぱに証明することもできる」

「もう襲撃《しゅうげき》をうけたのかい？」

「モリアティ教授はけっして怠《なま》けてなんかいる男じゃないからねえ。ひるごろオックスフォード街に用事があって出かけてね、ベンティンク街からウェルベック街へ曲る角をつっきろうとしたら、二頭だての荷馬車がえらい勢いで僕をめがけてとんできたよ。あっというまに僕は歩道へとびあがったから、ほんの髪《かみ》一本の差で助かったが、馬車はそのままメリルボーン横丁へ駆《か》けこんで、見えなくなってしまったけれど、じつに危いところだった。

それからは歩道ばかり歩くことにしたが、ヴィア街を歩いているとき、ある家の屋根からレンガが一枚おちてきてね、これも幸い足もとへおちて、微塵《みじん》にくだけただけですんだけれど、巡査《じゅんさ》をよんできて調べてみると、その屋根には修繕《しゅうぜん》の準備なんだろうレンガやスレートがたくさん積みかさねてあってね、けっきょく風でそいつが一枚おちてきたのだろうで片づけられちまったよ。そうでないことが僕にはよくわかっているのに、残念ながら証拠がない。で僕はタクシー馬車でペルメルの兄のところへいって、一日すごしてきたのだ。

ここへくる途中では、棍棒をもったならず者に襲われたけれど、これはたたき伏《ふ》せて巡査にひき渡《わた》してやった。そいつの前歯でこのとおり僕は拳固をすりむいたんだが、その男とここから十マイルもある田舎《いなか》の土地で、黒板にむかって問題をといてみせている数学の家庭教師とのあいだに、どんな関係があるかなんてことの、絶対に知れっこないのは、確信をもって断言できるじゃないか。だからこの部屋へはいってくると、いきなり僕がよろい戸を閉めた理由も、帰りには表からじゃなく、目だたないところからそっと出させてもらいたいと君に頼んだ原因も、いまはよくわかってくれたことと思うよ」

ホームズの勇気には、いつも感心させられたものだが、これほど怖《おそ》ろしいことのひき続いておこったのを、よくも平気な顔でいちいち説明のできたものと、このときほど私として驚嘆《きょうたん》したことはないのである。

「今晩はここへ泊ってゆくだろう?」

「よしとこう。君に迷惑がかかっても悪い。おぜんだてはすっかり出来ているのだ。

万事うまくゆくと思う。捕えるだけなら、何も僕が手を貸すまでもないほど準備はいいのだ。僕がいれば心づよいには心づよかろうがね。だから警察のほうでいよいよ手を下せるようになるまで、二、三日僕がいないのがいちばんよいのだ。そこで君がいっしょに大陸へきてくれると、たいへんうれしいというわけなんだよ」

「患者《かんじゃ》のほうは閑散だし、それにお隣《とな》りが同業だからね。喜んでお伴《とも》するよ」

「あすの朝でも発《た》てるかい？」

「必要とあればね」

「ぜひ必要なんだ。それからこれは君への注文だが、何しろヨーロッパ最大の強力な悪人組織が相手なんだから、かたくこの注文を守ってもらわないと困るよ。いいかい、君は必要な荷物を今晩のうちに、信用のできる使いにたのんで、無名でヴィクトリア駅へはこばしておくのだ。朝になったらタクシー馬車を呼びにやるのだが、使いのものにそういって、最初にきたのと二番目とは避《さ》けさせるんだ。そしてこの馬車にとびのって、ローサー・アーケードのストランドがわまでゆくのだが、そのとき行きさきを口でいわずに紙に書いて渡し、御者《ぎょしゃ》にその紙を棄《す》てちまわないようにさせるのだ。それから賃銀を用意していて、馬車がとまるや否《いな》やとび降りて、九時十五分にアーケードの向こうがわへ出るように加減しながら駆けだすのだ。するとそこに小型の一頭立箱馬車《ブルーアム》がえりを赤で縁《ふち》どった黒い外套《がいとう》の御者をのせて待っているから、それへ乗れば大陸ゆき連絡急行に間にあうようにヴィクトリア駅まで送ってくれる」

「君とはどこで落ちあうんだい？」

「駅でさ。前から二輛目《りょうめ》の一等車が、われわれのために取ってあるはずだ」

「じゃ汽車で落ちあうんだね？」

「そうさ」

今晩は泊ってゆけとすすめてみたが、ホームズはどうしても承知しなかった。この家に面倒《めんどう》がおこってはと、それを心配してなのはわかっている。なお二、三あしたのことを早口に注意しておいて、彼は立って私と庭へでた。そしてモーティマー街へ出られるへいをのりこえると、口笛《くちぶえ》をふいて二輪馬車《ハンサム》をよび、それで帰っていった様子だった。

翌朝、私は正直にホームズの指図にしたがって行動した。二輪馬車《ハンサム》は網をはって待っていたようなのは避けて、ホームズの指図どおりにしてよんできた。そして食事をすましたばかりなのにローサー・アーケードへゆき、そこを懸命《けんめい》のはやさで駆けぬけてみると、黒っぽい外套にくるまったすこぶる大柄な御者ののった一頭立箱馬車《ブルーアム》がいたから、すぐそれへ飛びのった。馬車は私をのせるや否や、むちをあげてヴィクトリア駅へと疾走《しっそう》した。そして駅で私をおろすと、馬車は私には目もくれずに、一目散にどこかへ走りさってしまった。

事はまずうまく運んだ。荷物もうけとった。ホームズ指定の一等車もすぐにわかった。予約ずみの札《ふだ》は一つしか出ていないから、これにちがいないと思ったが、心配なのはホームズの姿の見えないことである。大時計をみれば、発車までにあと七分しかない。乗客や見おくり人でごったかえすなかを、しきりに物色するが、それらしいひょろ長い姿は眼につかない。イタリア人の老牧師が、片言の英語で、荷物はパリまでチッキにしたいのだという意味を、赤帽《あかぼう》にのみこませようと骨折っているのに、口だししてやったので二、三分かかった。で、またあたりを見回し、ふと車室のほうを見ると、切符《きっぷ》も見ないで赤帽は、いまの老イタリア人を私の車室へ乗りこませようとしている。私のイタリア語ときたら、この老牧師の英語以上に怪《あや》しげなものだから、この車室が貸しきりであるのを説明なんかできっこはない。しかたがないからあきらめてホームズはどうしたろうと、私はしきりにあたりをきょろついていた。今まで待ってこないというのは、ゆうべのうちに何か起こったのではないかと思うと、心配でいても立ってもいられない。もうドアはみんなとざされた。やがて汽笛《きてき》一声この列車は……そのとき、

「おいワトスン君、お早うのあいさつぐらいしたらどうだい」

という声がしたので、びっくりして振《ふ》りかえった。ちょうど牧師もこちらへ顔をむけたところだったが、見ると顔じゅうのしわがたちまちなくなり、垂れさがっていた鼻はしゃんと起き、下唇はひっこみ、もぐもぐの口はきちんと結ばれ、どんよりした目はいきいきと冴え、まがった腰《こし》はしゃんと立ったのである。ホームズだ！　だがつぎの瞬間、目も鼻もくしゃくしゃにしたと思ったら、ホームズになったのと同じくらいの速さで、彼はたちまち消えてしまった。

「おどろいたなあ！　ほんとに驚《おどろ》いたぜ！」

「あらゆる用心が必要なんだ。すぐそばまで追っ手がせまっていると信ずべき理由があるんだからね。あっ、あそこにモリアティ自身がやってきた！」彼はひくい声でいった。

このとき列車はもう動きだしていた。振りかえってみると背のたかい男が、列車をとめたいとでもいうように手を振りながら、狂気《きょうき》のように群衆をかきわけて追ってくるところだった。だがもうおそい。列車は刻一刻、速力をはやめて、まもなくプラットホームを出はずれてしまった。

「用心した甲斐《かい》があって、うまくいったね」ホームズは笑って、変装用《へんそうよう》のくろい僧服《そうふく》と僧帽《そうぼう》をかなぐりすてて立ちあがると、そいつをまるめて鞄《かばん》のなかへ押《お》しこんだ。

「ワトスン君、けさの新聞みたかい？」

「いいや」

「じゃベーカー街でなにがあったか知らないんだね？」

「ベーカー街でなにがあった？」

「ゆうべあの部屋へ火をつけられたよ。大したことにはならなかったがね」

「へえ！　怪《け》しからんやつだ！」

「棍棒をふるった男が捕まったので、僕の行方《ゆくえ》がわからなくなったのに違《ちが》いない。さもなければ、ゆうべ僕があそこへ帰ったなんてことを考えるわけがない。だが敵は用心ぶかく同時に君にも見張りをつけていたんだね。それだからモリアティがヴィクトリア駅へ現われたんだよ。くるとき何か失策《しくじり》をやったんじゃなかろうね？」

「君の助言のとおりにして来たよ」

「一頭立箱馬車《ブルーアム》はいたろうね？」

「ちゃんと待ってたよ」

「御者に見おぼえはなかったかい？」

「いいや」

「兄のマイクロフトだったんだよ。こうした場合は、金で雇《やと》ったものなぞ信用できないから、兄にたのむのさ。だがこれからモリアティをどうするか、そいつを考えておかなきゃならないね」

「この列車は直行だし、船は連絡してすぐに出るのだから、大丈夫《だいじょうぶ》これでモリアティは撒《ま》いてしまったと思うがねえ」

「モリアティは僕におとらぬ知力を備えているといっといたのに、君にはその意味がほんとにはわかっていないとみえるね。この場合僕のほうが追っ手だったら、こんなことくらいで撒かれてしまうとは、君だって思わないだろう？　何だって君はそうあの男を見くびるのさ？」

「じゃどうするだろう？」

「僕だったらやるのと、同じことをするだろうよ」

「君だったらどうする？」

「特別列車を出させる」

「それは間にあうまい」

「どういたしまして！　この列車はカンタベリーで一度とまるし、それに船へつくまでにはいつでも十五分はかならず遅《おく》れるんだ。十五分あれば追いつけるさ」

「それじゃ人が僕たちを悪者だと思うだろう。いっそのこと追いついたところを捕えてもらおうじゃないか」

「そんなことをすれば、三カ月の苦心が水泡《すいほう》に帰するばかりだ。大魚一尾《び》は捕えてみても、小魚が網《あみ》をのがれて八方へ散ってしまうからね。月曜日まで待てば、大小まとめて一網打尽《いちもうだじん》にできるんだ。ここで捕えるなんて、もってのほかだよ」

「じゃどうすればいい？」

「カンタベリーで下車しよう」

「それで？」

「それで、そうさ、山越《やまご》えしてニューヘイヴンへ出て、そこからディエップへ渡るんだ。モリアティは、僕だったらやるのと同じことをするんだから、まずパリへいって、われわれの荷物をつきとめ、二日間は荷物保管所を見はっているだろう。そのあいだにこっちは、絨毯製《じゅうたんせい》の安かばんでも二つ奮発して、手まわりの必要品はそのへんの田舎できの品でまにあわせ、ルクセンブルク、バーゼルとまわって、ゆっくりスイスへゆくとしよう」

荷物をなくしたからといってにわかに困るほど旅なれない私でもないから、それは平気だが、言語に絶するふらちな男から、こうまでして逃《に》げかくれしなければならないかと思うと、正直のところ胸くそがわるかった。といってこの場合、私よりもホームズのほうが事態の軽重に明るいのだから、それに従うよりほかあるまい。

というわけでカンタベリーで下車したが、きいてみるとニューヘイヴンゆきの列車はあと一時間待たなければ出ないという。

旅行かばんを積みこんだ手荷物車が、みすみす消えていった方角を、残りおしくいつまでも見送っていると、ホームズがそでをひいて、線路のかなたを指さした。

「ほら、もう来たぜ」

はるかの森かげに一団の黒煙《くろけむり》が現われたと思うと、みるみるそれは近く大きくなり、一分後には一輛の客車をひいた機関車が、カーヴにのって突進《とっしん》してくるのだった。いそいで荷物の山へ身をかくすのとほとんど同時に、特別列車はすさまじい轟音《ごうおん》をたてて、熱気を吹《ふ》きつけながら通過していった。

「乗っているぜ」列車がポイントでひどく動揺《どうよう》するのを見おくりながらホームズがいった。「あの男の知恵も底がしれているね。僕の考えることを考えついて、それによって行動したら、それこそ大したものなんだがねえ」

「もし僕たちに追いついたら、どうする気だろう？」

「僕にたいして襲撃《しゅうげき》を加えることだけは疑いをいれないね。もっともこっちだって、むざむざとは殺されやしないが、そんなことよりも目下の重大問題は、すこし早いがここで午食《ひる》をたべるか、それとも途中《とちゅう》でひもじくなるかもしれないのを覚悟《かくご》で、このままニューヘイヴンの食堂まで足をのばすかにある」

その晩のうちに私たちはブリュッセルへ着いた。ここで二日すごして、三日目にストラスブールまで進んだ。月曜のあさホームズはロンドン警視庁へ電報をうったが、晩にホテルへ着いてみたら、返事がきていた。ホームズは急いでそれに目をとおすと、いまいましそうに火のなかへたたきこんだ。

「もっと早く気がつくべきだったなあ。逃がしたよ」

「モリアティをかい？」

「みんな残らず押えたが、モリアティだけは逃がしたそうだ。すっぽかされたんだ。むろん僕がいなくなれば、ロンドンであの男と太刀《たち》うちのできるものの一人もいないのはわかっているが、そのかわり袋《ふくろ》のねずみも同様にしてから、警視庁の手に渡してきたんだがなあ。君はこのままロンドンへ帰ったほうがいいと思うよ」

「なぜ？」

「道づれにするのには、僕はきわめて物騒千万《ぶっそうせんばん》な男になったからさ。あの男は職業をとりあげられてしまった。ロンドンへ帰れば、それきりの運命と思わなければならない。だから、彼も僕の見るとおりの人物であるなら、全精力を傾けて僕に復讐をたくらむにちがいない。そのことはせんだってちょっと会ったときもいっていたが、決して口さきばかりの強がりではないと思う。だから君は、ぜひこのまま帰ってゆきたまえ」

古くからの従軍者であり、同時に友人である私は同意しなかった。私たちはストラスブールの食堂で三十分ばかりこの問題を論じあったあげく、その晩またいっしょの旅程にのぼり、無事ジュネーブへ着いた。

一週間、私たちはローヌ河の渓谷《けいこく》を歩きまわって楽しんだ。それからロイクで横へきれて、まだ雪ふかいゲミの峠《とうげ》をこえ、インターラーケンからマイリンゲンまでいった。足下はもう春の美しい緑、頭上はまだ冬の処女雪――それは楽しい旅路だったが、ホームズは一刻たりとも気をゆるすことをしなかった。アルプス山中のなごやかな村にいても、また人煙《じんえん》まれな山道にあっても、めぐりあう人々になげる視線の稲妻《いなずま》、氷の凝視《ぎょうし》が、どこにいても危険が自分をつけねらっていることを忘れていないのをよく物語っていた。

一度こういうことがあった。ゲミを越えたときだが、陰気《いんき》なダウベン湖のふちを歩いていると、右手のがけのうえから大きな岩がガラガラッと崩《くず》れてきて、私たちの通ったばかりのところを、湖水のなかへ落ちていったのだ。とっさにホームズはがけのうえへはいあがって、こだかいところに立ってあたりを見わたした。このへんは春になると、よく石の落ちることがあるという案内者の説明は、何の役にもたたなかった。ホームズは口にだしては何もいわなかったけれど、私の顔をみて「そらね」というふうに微笑《びしょう》してみせた。

しかも彼は、このとおり油断なく警戒《けいかい》はしていながらも、意気のおとろえた様子はすこしもみせなかった。それどころか、このときほど彼の精神力が盛《さか》んだったのを私は知らないくらいである。もし社会がモリアティ教授の毒手から解放されさえするならば、自分はよろこんで一身をささげてもよいのだとさえ、くりかえし私に語っていた。

「僕の生涯はかならずしも無益ではなかったと公言してよいと思う。僕は今晩にも自分の経歴に終りがきても、自若《じじゃく》としてそれをうけいれることができると思う。ロンドンの空気は僕の存在によって清められている。きょうまでに扱《あつか》ってきた千にあまる事件で、一度だって僕はこの力を悪いほうへ使った覚えはない。

最近僕は、われわれの社会組織の欠陥《けっかん》からおこる比較的《ひかくてき》あさはかな犯罪事件よりも、自然がもたらす問題のほうにより多くひきつけられてきた。ヨーロッパ随一《ずいいち》の危険にしてかつ有力なこの大悪人を捕えるか、それとも滅亡させるかして、僕が自分の経歴の最後を飾る日は、同時に君の『思い出』の記録も終りをつげる日だと思ってくれたまえ」

以上、話すことはあまりないのだが、できるだけ簡単に、ただし正確さは失わぬように話してゆこう。こんなことは私も早く忘れてしまいたいのだけれど、要点だけは省略することを許されないと思う。

私たちがマイリンゲンの寒村にたどりつき、そのころ先代のペーター・シュタイラーのやっていた『英国旅館《エングリシャ・ホーフ》』に投宿したのは五月三日のことだった。亭主《ていしゅ》のシュタイラーは利口な男で、ロンドンのグロヴナー・ホテルに三年間ウェイターをつとめたこともあり、英語は達者だった。翌四日の午後、この亭主のすすめで私たちは、山ごしにローゼンラウイの部落へ一晩どまりで遊びにゆくことになった。ただし途中坂へかかってから半マイルばかりのところに、ライヘンバッハの滝《たき》があるが、ほんのすこしの迂回《うかい》でよいのだから、けっして素通《すどお》りしないようにと、厳重な注意があった。

それはじつに恐《おそ》ろしい場所だった。雪どけで増水した激流《げきりゅう》は、巨大な深淵《しんえん》にむかって恐ろしい勢いで落下していた。あたりは飛沫《ひまつ》で火事場の煙のようなものがたちこめている。まっ黒に光る岩にせかれて、巨大な青い水柱となって落ちる水は、底しれぬ滝つぼにわきかえり、煮《に》えかえり、飛沫をあげ、耳をろうするうなりをあげ、見ているものの頭をくらくらさせる。私たちは落ち口ちかくよって、はるかの脚下《きゃっか》に岩をかむはげしい水勢を見おろし、飛沫とともに深淵の底からつたわってくる、どこか人のうなりにも似たところのある大喚声《だいかんせい》に耳をかたむけた。

道は十分景色のみえるように、滝を半めぐりして開けていたが、さきは行きづまりだから、旅人は来た道をひき返さなければならなかった。私たちがそこをひき返してまもなくだった。向こうから土地の若ものが手紙をもってとんでくるのに会った。宿の亭主から私にあてたもので、用紙は宿の名いりの紙だった。文章は、私たちが出かけたすぐあとで、肺病の末期にあるイギリス婦人が到着《とうちゃく》したが、この婦人はダヴォス・プラッツで冬をすごし、いまはルツェルンで友だちと落ちあうため旅をしていたのだが、それがとつぜん喀血《かっけつ》したのだという。そしておそらくここ数時間とはもつまいが、イギリス人の医師の診察《しんさつ》をうけることができれば、どんなにか慰《なぐさ》められるかしれない。どうかひき返してもらえまいか云々《うんぬん》というのだ。

親切な亭主シュタイラーはなお追って書きとして、病人はスイス人の医者はいやだといっているから、ご承知ねがえれば自分としても非常にありがたい。こんなことになったのも、何だか自分の責任のような気がする云々と走りがきしていた。

知らない顔をするわけにもゆかない哀訴《あいそ》だった。知らぬ他郷で死にかかっている同胞《どうほう》の最後のねがいを拒絶《きょぜつ》することもなるまい。といってホームズをひとりおいてひき返すのも逡巡《しゅんじゅん》される。が結局、私がマイリンゲンへ行ってくるあいだ、使いにきた若ものを、案内者兼用《けんよう》の話し相手としてのこしておくことに話がきまった。ホームズはもうしばらく滝のそばにいてから、ゆっくりローゼンラウイへ登ってゆくことにするといった。私は晩に向こうで落ちあうことを約して歩きだしたが、しばらくして振りかえってみると、ホームズは腕《うで》ぐみして岩にもたれ、じっと激流を見おろしていた。これがこの世でホームズを見た最後となった。

ふもとのあたりまで降《くだ》ってから振りかえったときは、そこからでは滝は見えなかったが、山のいただきあたりに、滝へゆく道がくねくねとうねっているのだけが見える。この道を、ひどく急いでゆく男があった。その姿は緑のバックのなかに黒くはっきりと見えたのを思いだす。おや、と思って見ていると、坂道をとぶように登ってゆくので、足の達者な男もあるものと感心したが、まもなくそのことは忘れて、病人のことばかり考えながら道を急いだ。

マイリンゲンへついたのは一時間あまり後だった。亭主のシュタイラーが門口にたっている。

「やあ、患者《かんじゃ》は落ちついていますか？」私は息をきらして駆《か》けよった。

シュタイラーはあっけにとられている。

「これは君が書いたのじゃなかったのですか？　私はハッと思った。なに、イギリス婦人の病人なんか泊《とま》っていないって？」

「はい、いらっしゃいません。でもこれは私どもの用箋《ようせん》……ああ、わかりました！　あなたがたがお出かけになった後へお着きになった背のたかいイギリス紳士《しんし》にちがいございません。あのかたが何でも……」

私は亭主の説明なぞ聞いていられなかった。心配で胸をどきどきさせながら、村を駆けぬけ、いま降りてきたばかりの道を一所懸命《いっしょけんめい》に走っていった。降りてくるのに一時間かかった。全力をつくしたけれど、ふたたびライヘンバッハの滝へたどりつくには二時間を要した。別れたときホームズのもたれていた岩のそばに、彼のアルペンストックはおちていたが、本人の姿はなかった。喚《わめ》いてみたがダメだった。答えるものはまわりのがけにはねかえされるこだまばかりだった。

彼のアルペンストックがあるのが、私の背筋を凍りつかせた。では彼はローゼンラウイへ行ったのではなかったのだ。彼の宿敵が追いつくまで、ホームズは切り立った山を一方に、急な崖を他方に、三フィート幅《はば》の小路に残っていたのだ。またスイス人の若ものは消えていた。彼はたぶんモリアティに金で雇われていて、二人を一緒に残して去ったのだろう。そこでいったい何が起こったのか、誰がわれわれに教えてくれるというのか？

私は心痛で気がとおくなりそうだったから、しばらくそこに立って心を落ちつかせた。それからホームズ流をまねて、この悲劇の筋みちを読みとる努力をはじめた。だが悲しくもそれは容易なことだった。私はホームズと話をしながら、道のつきるところまで行きはしなかった。どこまで行ったかは、アルペンストックのあとで、いまもなおはっきりとわかる。黒っぽい土はしぶきで永遠にしっとりと濡《ぬ》れているから、鳥がおりても足跡《あしあと》はのこるだろう。そこを、二条《ふたすじ》の足跡がはっきりと、道のゆきどまりまで行っているのだ。しかも帰った足跡はない。つきあたりの手まえ数ヤードのところが、どろ田のように踏《ふ》みにじられて、そばのがけっぷちの茨《いばら》と羊歯《しだ》とがどろまみれになっている。私は腹ばいになって、吹きあげてくるしぶきを全身にあびながら、下をのぞきおろした。さっき引きかえしていたあいだに、あたりは暗くなっているので、いまはぬれた岩があちこちで黒く光っているのと、はるかの下で滝つぼがほの白く見えるだけだ。喚いてみたが、耳にかえってくるのはただ水勢のうなりばかりであった。

だが結局、ホームズの最後のあいさつだけはうけられる運命だったのだ。彼のアルペンストックが道につき出た岩にたてかけてあることは、まえに述べたが、この岩のいただきに何やら光るものが目についたので、手にとってみると、それは彼の常用した銀の紙巻いれだった。それをとるとき、下においてあった小さな四角い紙きれが、ひらひらと落ちた。ひろってみると手帳を三枚だけちぎったもので、私にあててあった。つくえのうえで書いたのと変らぬくらい字体も文句もはっきりしていた。

親愛なるワトスン君――

僕はいま僕たち二人のあいだに横たわる問題について論じようと、僕の手のすくのをそばで待っていてくれるモリアティ君の好意によって、この手紙をかく。モリアティ君は、彼がいかにしてイギリス官憲の目をさけ、いかにして僕たちの行動と接触《せっしょく》をたもって来得たか、その方法を説明してくれた。それは僕の考えていたとおり、きわめて高い知力の現われだった。僕はいま、彼の害毒から社会を解放し得《う》るのだと思うと、その代償《だいしょう》として友人諸君、ことに君には大きな苦痛をあたえねばなるまいけれど、それでも大きな喜びを感じるものだ。しかしいつかも君にいっておいた通り、僕の経歴はこんどで最高点に達したのだから、僕としてはここでそれに終りをつげさせるくらいうれしいことはないのだ。じっさい、正直にいってしまえば、さっきマイリンゲンから使いがきたとき、僕には偽手紙《にせてがみ》だなとはっきりわかっていた。しかもあとでこうしたことの起こるのを予期したからこそ、懇望《こんぼう》に応じて君がひき返してゆくのに同意したのだよ。パタースン警部につたえてくれたまえ、こんどの一味を断罪すべき証拠《しょうこ》書類は、表に「モリアティ」とかいた青い封筒《ふうとう》におさめて、書類戸棚のMの部にそろえてあるとね。財産はロンドンを発《た》つまえにすっかり始末して、マイクロフト兄にわたしてきた。奥《おく》さまにどうぞよろしく。ではこれで。

君の忠実なる友
シャーロック・ホームズ

いいのこしたことをごく簡単に述べておこう。その道の人の調査によって、二人の闘争《とうそう》はここに終りをつげた――こんなところで争えば終りをつげないわけがないが――二人はとっ組みあったまま滝つぼへ転落していったのだということに、すこしの疑念ものこらないことになった。いろいろと方法が講じられたが、死体の収容は絶望だった。もっとも危険な犯罪王と、時代にぬきんでた大探偵王《だいたんていおう》とは、かくして渦《うず》まき湧《わ》きかえる深淵の底ふかく、永遠に横たわることとなったのである。

スイス人の若ものはついに発見されなかった。そのはずであろう、彼はモリアティの多くの配下の一人だったのだもの。モリアティ配下の一味については、ホームズの調べあげておいた証拠材料がいかに完全にその機構をあばいたか、そして彼の威力《いりょく》がいかに彼らの頭上に厳罰《げんばつ》として加えられたか、まだ世の記憶《きおく》にあらたなことだと思う。首領モリアティのことは、裁判にもほとんど出てこなかったが、ここにその経歴をはっきり書きしるさざるを得なかったゆえんは、私が生涯にもっとも愛しかつ尊敬した一人物にたいして不当の攻撃《こうげき》を加え、もってモリアティへの記憶を新たにせんとつとめる浅薄《せんぱく》な輩《やから》に報《むく》いんがためである。

――一八九三年十二月　『ストランド』誌発表――

解説

延原　謙

ここに訳出したのはコナン・ドイルの第二短編集 The Memoirs of Sherlock Holmes である。作者ドイルのことに関しては、この文庫のなかの「冒険《ぼうけん》」の解説に詳述《しょうじゅつ》したから、ここには彼《かれ》が一八五九年に生まれ一九三〇年に死んだ近代探偵《たんてい》小説の確立者だというに止《とど》める。

この「思い出」は一八九二年十二月号から翌年十二月号まで（「海軍条約文書事件」は二カ月に分載《ぶんさい》された）一年間にわたって『ストランド』誌に連載され、元来十二編あったのだが、単行本にまとめるとき、第二の短編を削除《さくじょ》して十一編だけとした。これは「ボール函《ばこ》」という作で、のちに第四短編集「最後の挨拶《あいさつ》」のなかに採録されている。割愛《かつあい》の理由は、すこし不倫《ふりん》なにおいがするので読者から非難があったためであろうが、今日から見ればそれほど恐縮《きょうしゅく》することはないようにも思われる。

探偵小説というものが、不倫の問題はべつとして、残忍《ざんにん》とかグロテスクとかでとかく不徳義に陥《おちい》りやすいのは宿命であろう。しかし作者ドイルがそれを避《さ》けようと努力しているのは好感がもてるではないか。殺人の現場の描写《びょうしゃ》などにも、そういう点に心をくばってあるのが観取される。それにつけても思いだされるのが、日本の作者がグロやエロを故意に取りいれた時代のことである。探偵小説は読者の注意を強くひきつけるため、多く殺人事件を取扱《とりあつか》うところから、とかく残忍な場面の出てくるのは致《いた》しかたないとして、エロやグロは決して必要な条件ではないのである。殺人そのものすら、探偵小説の必要条件では決してない。ドイルの数多くの作中傑作《けっさく》といわれているもののなかにも、殺人とは縁《えん》のないものがたくさんあるのである。

前に述べた「ボール函」に関連してもう一ついっておきたいことがある。これは原文に対照しない人にはあまり興味がないかとも思うけれど、この巻におさめた「入院患者《かんじゃ》」のなかの文章の一部を削除して、その部分を「ボール函」のなかへ移してあることだ。これは少し説明しないとわからないだろうから、しばらく辛抱《しんぼう》されたい。日本で戦前に最も広く流布されたホームズ物語の原本は、ジョン・マレー版の粗悪《そあく》な紙を使った青いクロースまがいの紙表紙の五十銭本だと思う。あのなかにホームズが、黙《だま》ってワトスンを見ているだけで、ワトスンがいま何を考えているかを言いあてる一条がある。原文で二ページ半ばかりのこの部分は、はじめ『ストランド』誌に発表されたときは「ボール函」のなかの一文だったのである。それを、一冊の単行本にまとめるとき、「ボール函」を割愛するについて、この一条の文章をドイルが惜《お》しんで（?）「入院患者」のなかへ割りこませたのである。その後ホームズ物語はいろんな版が出ているが、みなそうなっている。たとえばアメリカ版のモダン・ライブラリーのなかの「冒険と思い出」でさえも、やはり密輸入はそのままである。これをもとへ戻《もど》して「ボール函」のなかへ収めてあるのは、私の知るかぎりでは後にジョン・マレーから出た全短編を一冊にまとめた「シャーロック・ホームズ・ショート・ストーリーズ」というオムニ版と、アメリカ版の長短編を一冊にまとめたホームズ全集だけのようである。私の訳はテキストに前記のジョン・マレーのオムニ版を使ってあるから、そうでなかったら起こったかもしれない重複をさけることができた。

つまらないことばかり並《なら》べるようだが、もう一つ言っておきたいことがある。この本に収めた「白銀号事件《しろがねごう》」のなかに「ケープルトン」という地名が出てくるが、これがアメリカ版では前記モダン・ライブラリーもオムニブックも「メープルトン」となっていることである。アメリカではケープルトンでなぜ都合がわるいのか、私は詳《つまびら》かにしないけれど、この種の変改はときどき行なわれるようである。たとえばコールの作に「ブルックリン・マーダーズ」というのがある。この場合ブルックリンは人名なのであるが、アメリカにはニューヨークにブルックリンという地名がある。それで読者に錯誤《さくご》をおこさせないためであろうか、この本の題名は改変して出版されている。

この巻でとくに有名なのは「グロリア・スコット号」と「マスグレーヴ家の儀式」である。前者はホームズが探偵の仕事をした初めての事件であり、編中のトリヴァ老人の言葉が機縁《きえん》となって、探偵を生涯《しょうがい》の仕事とすべく彼が真剣《しんけん》に考慮《こうりょ》するにいたったからであり、後者は彼が職業として探偵した最初の事件として、ホームズ物語を愛好するシャーロッキアン諸氏の珍重《ちんちょう》するところでもあるのである。

「マスグレーヴ家の儀式」のなかには、北へ十歩東へ五歩南へ二歩そして西へ一歩行ったら、そこに玄関《げんかん》があったとある。してみるとこの玄関は東むきでなければならない。ところがなお読みすすむと、この玄関に夕陽《ゆうひ》があかあかと差しこんでいたと書いてある。東むきの玄関に夕陽がさしこむということは、地球上ではあり得ないことである。だからこれはドイルが執筆《しっぴつ》のとき錯覚をおこしたものと考えられる。この玄関が東むきであろうとも西むきであろうとも、話の筋には影響《えいきょう》のないことであり、探偵小説に特有の「トリック」の破綻《はたん》にもならないことだし、ましてや私がここにこれをいうのはドイルのあげ足をとるつもりではない。

ドイルは雑誌に一作が出るたびに、ファンから盛んに投書をもらったらしいから、このことはむろん気がついていたに違《ちが》いないのに、単行本にするときも、わざと訂正《ていせい》しなかったものと考えられる。これがイギリス流のフェア・プレイというものなのか、前に述べたように都合では作品の表題さえ変えて出版（むろん作者の承諾《しょうだく》を得てであろうが）するアメリカ流の実用主義と対比して面白《おもしろ》く感じるのである。なおこの例にみるような物象的の錯過は動かせないが、なかには心理的な問題に立ちいって論ずる人もある。たとえば本編の「白銀号事件」で馬が群居性のゆえにケープルトン方面に逸走《いっそう》したとするのは不自然で、当然よりヽ近ヽい自分の厩舎《きゅうしゃ》の方向へ帰ってくるはずだと論ずるの類だが、これは突《つ》きつめてゆけば水掛論《みずかけろん》になるおそれもあり、翻訳者《ほんやくしゃ》の領域を逸脱《いつだつ》するものと思うから、これらはいっさい論者にまかせることにする。ただしこの種の議論が探偵小説の向上に資するものであるとの見解には異論がない。

シャーロッキアンならずとも、たいていの人は知っていることだが、ドイルはこの一冊かぎりでもうホームズ物語は書かないつもりだった。だから「最後の事件」でホームズをこんなふうに葬《ほうむ》ってしまった。ところがこの短編がひとたび発表されると、世評はごうごう、もっと書けという哀願《あいがん》やら脅迫《きょうはく》やら、なかには殺しかたが気にくわぬといって、作者のことを人でなしとののしる投書までが舞《ま》いこむ始末だった。それでドイルはしぶしぶと（？）また書きだしたわけであるが、それ以後のものになかかなかの傑作が多いし、分量にしても後期のほうが多いくらいである。かくして作者は死ぬ三年まえの一九二七年まで、四十年間ホームズ物語を書きつづけ、五十六の短編と四つの長編をのこしているのである。

「思い出」の短編の原題は次の通りであるが、この訳書には紙幅《しふく》の制約から止《や》むなく＊印の一編を割愛してある。

Memoirs of Sherlock Holmes

Silver Blaze
The Yellow Face
The Stockbroker's Clerk
The "Gloria Scott"
The Musgrave Ritual
＊The Reigate Squires
The Crooked Man
The Resident Patient
The Greek Interpreter
The Naval Treaty

The Final Problem

なおシャーロック・ホームズ物語九巻をその発行年次順に記せば次の通りである。

＊印は長編である。（カッコ内は発行年次）

＊The Study in Scarlet（1887）
＊Sign of Four（1890）
Adventures of Sherlock Holmes（1892）
Memoirs of Sherlock Holmes（1894）
＊The Hound of Baskervilles（1902）
Return of Sherlock Holmes（1905）
＊The Valley of Fear（1915）
His Last Bow（1917）
Case-Book of Sherlock Holmes（1927）

なおシャーロック・ホームズ物語をこの一冊だけでなく、みんな読みたいという人には、なるべく前記の発行順に読むことをおすすめする。ホームズの性格なども第一作の「緋色《ひいろ》の研究」のなかに詳《くわ》しく分析《ぶんせき》してあるし、ホームズとワトスンとの個人的関係の変化などもわかって、そのほうが遥《はる》かに面白《おもしろ》いであろうと思う。またホームズの下宿の主婦の名まえがいつのまにか変っていたり、おやワトスンはまた結婚したのかと思わされたり、ホームズがイギリスにいないはずの期間に、ロンドンで事件を捜《そう》査《さ》していたりするのにぶつかったりして、首を傾《かし》げさせられるであろう。そうなったら、諸君はホームズ病が膏肓《こうこう》に入《い》って、いわゆるシャーロッキアンになったのである。

ワトスンの再婚問題はシャーロッキアンのあいだでは有名になっているから、ここでちょっと説明しておこう。彼は「四つの署名」事件で良縁を得て初婚をしているが、これは一八八七年の十一月と推定される。ところがその後の短編を読んでいると、「これは私の結婚直後の事件だが……」とあり、しかもほかのことからそれが一八八九六年の事件だとわかる。そこでシャーロッキアン諸氏は、さてはワトスン再婚したなと目角《めくじら》をたてることになる。まことに他愛ない話だが、シャーロッキアンには気になることらしい。研究者によるとワトスンは三回結婚したことになっているようだ。

「思い出」のなかの「最後の事件」によるとホームズは一八九一年五月に行方不明《ゆくえふめい》となっている。それから「帰還《きかん》」の「空家の冒険」でロンドンへ帰ってくるのが一八九四年の春である。ところが多くの短編のなかには、ホームズがこの期間にロンドンで活躍《かつやく》するのがある。それがどの短編であるかは、ここにはわざと伏《ふ》せておくから、興味ある読者は自分で探してみるのも面白いであろう。

そのほかワトスンの負傷の部位の問題や、クリスチャン・ネームの疑念などあるが、どちらも前述のドイル流フェア・プレイからか、すべて訂正を加えずに流布《るふ》しているのである。


（一九五三年三月）

改版にあたって

この度《たび》、活字を大きく読みやすくするに当たり、新潮社の意向により外国名、外来語のカタカナ表記の正確、統一を図ることになった。訳者が一九七七年に没しているため、訳者の嗣子《しし》である私がその作業に当たったが、現代においてはあまりに難解な熟語や、種々の古風すぎる表現も多少改め、不適当と思われる訳文を修正した。

あくまでも原文に忠実にを基本に置き、物語の背景であるヴィクトリア朝の持つ雰《ふん》囲気《いき》を伝える程度の古風さは残したいと考えつつ、もとの訳文の格調を崩《くず》さぬよう留意して作業したつもりであるが、読者諸氏の御理解を得られれば幸いである。

改訂《かいてい》に当たり、訳者の姪《めい》である成井やさ子、および、新潮文庫編集部の協力を得たので、ここに謝意を表する。

延原展

（一九八九年六月）

本作品中には、今日の観点からみると差別的表現ととられかねない箇所が散見しますが、作品自体のもつ文学性ならびに芸術性、また訳者がすでに故人であるという事情に鑑み、原文どおりとしました。

（新潮文庫編集部）

C・ドイル 延原謙訳
シャーロック・ホームズの冒険

ロンドンにまき起る奇怪な事件を追う名探偵シャーロック・ホームズの推理が冴える第一短編集。「赤髪組合」「唇の捩れた男」等、10編。

C・ドイル 延原謙訳
シャーロック・ホームズの帰還

読者の強い要望に応えて、作者の巧妙なトリックにより死の淵から生還したホームズ。帰還後初の事件「空家の冒険」など、10編収録。

C・ドイル 延原謙訳
シャーロック・ホームズの事件簿

知的な風貌の裏側に恐るべき残忍さを秘めたグルーナ男爵との対決を描く「高名な依頼人」など、難事件に挑み続けるホームズの傑作集。

C・ドイル 延原謙訳
緋色の研究

名探偵とワトスンの最初の出会いののち、空家でアメリカ人の死体が発見され、続いて第二の殺人事件が……。ホームズ初登場の長編。

C・ドイル 延原謙訳
四つの署名

インド王族の宝石箱の秘密を知る帰還少佐の遺児が殺害され、そこには〝四つの署名〟が残されていた。犯人は誰か? テムズ河に展開される大捕物。

C・ドイル 延原謙訳
バスカヴィル家の犬

爛々と光る眼、火を吐く口、全身が青い炎で包まれているという魔の犬——恐怖に彩られた伝説の謎を追うホームズ物語中の最高傑作。

M・ルブラン
堀口大學訳

8 1 3
—ルパン傑作集(I)—

殺人現場に残されたレッテル〝813〟とは? 恐るべき冷酷さで、次々と手がかりを消していく謎の人物と、ルパンとの息づまる死闘。

M・ルブラン
堀口大學訳

続 8 1 3
—ルパン傑作集(II)—

奸計によって入れられた刑務所から脱獄、ヨーロッパの運命を託した重要書類を追うルパン。遂に姿を現わした謎の人物の正体は……。

M・ルブラン
堀口大學訳

奇 岩 城
—ルパン傑作集(III)—

ノルマンディに屹立する大断崖に、フランス歴代王の秘宝を求めて、怪盗ルパン、天才少年探偵、イギリスの名探偵等による死の闘争図。

M・ルブラン
堀口大學訳

ルパン対ホームズ
—ルパン傑作集(V)—

フランス最大の人気怪盗アルセーヌ・ルパンと、イギリスが誇る天才探偵シャーロック・ホームズの壮絶な一騎打。勝利はいずれに?

ポー
巽 孝 之 訳

黒猫・アッシャー家の崩壊
—ポー短編集I ゴシック編—

昏き魂の静かな叫びを思わせる、ゴシック色、ホラー色の強い名編中の名編を清新な新訳で。表題作の他に「ライジーア」など全六編。

ポー
巽 孝 之 訳

モルグ街の殺人・黄金虫
—ポー短編集II ミステリ編—

名探偵、密室、暗号解読——。推理小説の祖と呼ばれ、多くのジャンルを開拓した不遇の天才作家の代表作六編を鮮やかな新訳で。

グリム
植田敏郎訳

ブレーメンの音楽師
―グリム童話集(Ⅲ)―

名作「ブレーメンの音楽師」をはじめ、「いばら姫」「赤ずきん」「狼と七匹の子やぎ」など、人々の心を豊かな空想の世界へ導く全39編。

G・G＝マルケス
野谷文昭訳

予告された殺人の記録

閉鎖的な田舎町で三十年ほど前に起きた幻想とも見紛う事件。その凝縮された時空に共同体の崩壊過程を重層的に捉えた、熟成の中篇。

G・グリーン
上岡伸雄訳

情事の終り

「私」は妬心を秘め、別れた人妻サラを探偵に監視させる。自らを翻弄した女の謎に近づくため――。究極の愛と神の存在を問う傑作。

K・グリムウッド
杉山高之訳

リプレイ
世界幻想文学大賞受賞

ジェフは43歳で死んだ。気がつくと彼は18歳――人生をもう一度やり直せたら、という窮極の夢を実現した男の、意外な、意外な人生。

T・クランシー
M・グリーニー
田村源二訳

米中開戦
(1〜4)

中国の脅威とは――。ジャック・ライアンの活躍と、緻密な分析からシミュレートされる危機を描いた、国際インテリジェンス巨篇！

M・グリーニー
田村源二訳

イスラム最終戦争
(1〜4)

機密漏洩を示唆する不可解な事件続発。全米テロ、中東の戦場とサイバー空間がシンクロするジャック・ライアン・シリーズ新展開！

P・プルマン
大久保寛訳

ダーク・マテリアルズⅠ
黄金の羅針盤（上・下）
カーネギー賞・ガーディアン賞受賞

好奇心旺盛でうそをつくのが得意な11歳の少女・ライラ。動物の姿をした守護精霊《ダイモン》と生きる世界から始まる超傑作冒険ファンタジー！

P・プルマン
大久保寛訳

ダーク・マテリアルズⅡ
神秘の短剣（上・下）

時空を超えて出会ったもう一人の主人公・ウィル。魔女、崖鬼《クリフ・ガースト》、魔物《スペクター》、天使……異世界の住人たちも動き出す、波乱の第二幕！

バーネット
畔柳和代訳

小公女

最愛の父親が亡くなり、裕福な暮らしから一転、召使いとしてこき使われる身となった少女。永遠の名作を、いきいきとした新訳で。

バーネット
川端康成訳

小公子

傲慢で頑なな老伯爵の心を跡継ぎとなった少年・セドリックの純真さが揺り動かしていく。川端康成の名訳でよみがえる児童文学の傑作。

J・M・バリー
大久保寛訳

ピーター・パンの冒険

ロンドンのケンジントン公園で、半分が鳥、半分が人間の赤ん坊のピーターと子供たちが繰り広げるロマンティックで幻想的な物語。

J・M・バリー
大久保寛訳

ピーター・パンとウェンディ

ネバーランドへと飛ぶピーターとウェンディ。彼らを待ち受けるのは海賊、人魚、妖精、人食いワニ。切なくも楽しい、永遠の名作。

T・R・スミス
田口俊樹訳

チャイルド44（上・下）

CWA賞最優秀スリラー賞受賞

連続殺人の存在を認めない国家。ゆえに自由に凶行を重ねる犯人。それに独り立ち向かう男――。世界を震撼させた戦慄のデビュー作。

フリーマントル
稲葉明雄訳

消されかけた男

KGBの大物カレーニン将軍が、西側に亡命を希望しているという情報が英国情報部に入った！　ニュータイプのエスピオナージュ。

T・ハリス
高見浩訳

羊たちの沈黙（上・下）

FBI訓練生クラリスは、連続女性誘拐殺人犯を特定すべく稀代の連続殺人犯レクター博士に助言を請う。歴史に輝く〝悪の金字塔〟。

T・ハリス
高見浩訳

ハンニバル（上・下）

怪物は「沈黙」を破る……。血みどろの逃亡劇から7年。FBI特別捜査官となったクラリスとレクター博士の運命が凄絶に交錯する！

T・ハリス
高見浩訳

ハンニバル・ライジング（上・下）

稀代の怪物はいかにして誕生したのか――。第二次大戦の東部戦線からフランスを舞台に展開する、若きハンニバルの壮絶な愛と復讐。

R・バック
五木寛之創訳

かもめのジョナサン【完成版】

自由を求めたジョナサンが消えた後、彼の神格化が始まるが……。新しく加えられた最終章があなたを変える奇跡のパワーブック。

カポーティ
村上春樹訳

ティファニーで朝食を

気まぐれで可憐なヒロイン、ホリーが再び世界を魅了する。カポーティ永遠の名作がみずみずしい新訳を得て新世紀に踏み出す。

カポーティ
川本三郎訳

叶えられた祈り

ハイソサエティの退廃的な生活にあこがれるニヒルな青年。セレブたちが激怒し、自ら最高傑作と称しながらも未完に終わった遺作。

カポーティ
佐々田雅子訳

冷　血

カンザスの片田舎で起きた一家四人惨殺事件。事件発生から犯人の処刑までを綿密に再現した衝撃のノンフィクション・ノヴェル！

カポーティ
川本三郎訳

夜　の　樹

旅行中に不気味な夫婦と出会った女子大生。人間の孤独や不安を鮮かに捉えた表題作など、お洒落で哀しいショート・ストーリー9編。

カポーティ
大澤　薫訳

草　の　竪　琴

幼な児のような老嬢ドリーの家出をめぐる、ファンタスティックでユーモラスな事件の渦中で成長してゆく少年コリンの内面を描く。

カポーティ
河野一郎訳

遠い声　遠い部屋

傷つきやすい豊かな感受性をもった少年が、自我を見い出すまでの精神的成長の途上でたどる、さまざまな心の葛藤を描いた処女長編。

新潮文庫最新刊

筒井康隆著
世界はゴ冗談
異常事態の連続を描く表題作、午後四時半を征伐に向かった男が国家プロジェクトに巻き込まれる「奔馬菌」等、狂気が疾走する10編。

小野寺史宜著
夜の側に立つ
親友は、その夜、湖で命を落とした。恋、喪失、そして秘密――。男女五人の高校での出会い。そしてそこからの二十二年を描く。

藤原緋沙子著
茶筅の旗
京都・宇治。古田織部を後ろ盾とする朝比奈家の養女綸は、豊臣か徳川かの決断を迫られる。誰も書かなかった御茶師を描く歴史長編。

秋吉理香子著
鏡じかけの夢
その鏡は、願いを叶える。心に秘めた黒い欲望が膨れ上がり、残酷な運命が待ち受ける。『暗黒女子』著者による究極のイヤミス連作。

松嶋智左著
女副署長　緊急配備
シングルマザーの警官、介護を抱える警官、定年間近の駐在員。凶悪事件を巡り、名もなき警官たちのそれぞれの「勲章」を熱く刻む。

坂上秋成著
紫ノ宮沙霧のビブリオセラピー
―夢音堂書店と秘密の本棚―
巨大な洋館じみた奇妙な書店・夢音堂の謎めいた店主、紫ノ宮沙霧が差し出す「あなただけの本」とは何か。心温まる3編の連作集。

Title : THE MEMOIRS OF SHERLOCK HOLMES
Author : Sir Arthur Conan Doyle

シャーロック・ホームズの思《おも》い出《で》

新潮文庫　ト－3－3

昭和二十八年三月十日　発行
平成二十二年七月五日　百九刷改版
令和　三　年六月五日　百二十一刷

訳者　延《のぶ》原《はら》謙《けん》
発行者　佐藤隆信
発行所　株式会社 新潮社
郵便番号　一六二―八七一一
東京都新宿区矢来町七一
電話　編集部(〇三)三二六六―五四四〇
　　　読者係(〇三)三二六六―五一一一
http://www.shinchosha.co.jp

価格はカバーに表示してあります。
乱丁・落丁本は、ご面倒ですが小社読者係宛ご送付ください。送料小社負担にてお取替えいたします。

印刷・株式会社光邦　製本・株式会社大進堂

ISBN978-4-10-213403-0 C0197